普通高等教育电气工程与自动化(应用型)"十三五"规划教材

河南省"十二五"普通高等教育规划教材

控制系统仿真与 CAD

第 2 版

主　编　王燕平

参　编　臧　义　马　利　孙红鸽　李攀峰　吴　兰

主　审　张晓华

机械工业出版社

本书是在第1版的基础上修订而成的。本书以MATLAB7.5为仿真平台，以自动控制系统的分析与设计为主线，系统地介绍了控制系统的建模、分析以及设计的基本原理和仿真方法。本书共分5章，第1章讲述MATLAB的基础知识，第2章讲述控制系统在MATLAB中的数学模型及其转换，第3章讲述控制系统的时域分析、根轨迹分析以及频域分析的MATLAB实现，第4章讲述以MATLAB为工具的控制系统设计，第5章讲述Simulink基础以及基于Simulink的控制系统的分析与设计。

本书结构清晰，语言简炼，图文并茂，用大量的例题来配合所述内容，由浅入深，生动易学，具有很强的实用性和可操作性。可作为高等学校自动化、电气工程及其自动化、测控技术与仪器、电子工程、通信等本科专业"控制系统仿真"课程的教材，也可作为工程技术人员的参考用书。

图书在版编目（CIP）数据

控制系统仿真与 CAD/王燕平主编. —2 版. —北京：机械工业出版社，2017.8（2025.1 重印）

普通高等教育电气工程与自动化（应用型）"十三五"规划教材
ISBN 978-7-111-56897-1

Ⅰ.①控… Ⅱ.①王… Ⅲ.①自动控制系统—系统仿真—高等学校—教材②自动控制系统—计算机辅助设计—AutoCAD 软件—高等学校—教材 Ⅳ.①TP273

中国版本图书馆 CIP 数据核字（2017）第 112182 号

机械工业出版社（北京市百万庄大街 22 号　邮政编码 100037）
策划编辑：于苏华　责任编辑：于苏华　刘琴琴
责任校对：樊钟英　封面设计：张　静
责任印制：张　博
北京建宏印刷有限公司印刷
2025 年 1 月第 2 版第 5 次印刷
184mm×260mm·13.75 印张·326 千字
标准书号：ISBN 978-7-111-56897-1
定价：33.00 元

电话服务　　　　　　　　　网络服务
客服电话：010-88361066　机　工　官　网：www.cmpbook.com
　　　　　010-88379833　机　工　官　博：weibo.com/cmp1952
　　　　　010-68326294　金　书　网：www.golden-book.com
封底无防伪标均为盗版　机工教育服务网：www.cmpedu.com

普通高等教育电气工程与自动化（应用型）"十三五"规划教材

编审委员会委员名单

主 任 委 员：刘国荣

副主任委员：

张德江　梁景凯　张　元　袁德成　焦　斌

吕　进　胡国文　刘启中　汤天浩　黄家善

钱　平　王保家

委　　　员（按姓氏拼音排序）：

蔡子亮　陈志新　丁元明　范立南　樊立萍

高　亮　郭　伟　韩成浩　李海富　李先允

李秀娟　娄国焕　罗　兵　罗文广　罗印升

马修水　穆向阳　尚丽萍　王　军　王再英

项新建　徐建英　杨　宁　叶树江　张立臣

张晓云　赵巧娥　周渊深　朱一纶

前　言

近年来，MATLAB 作为当前国际最流行的面向工程与科学计算的高级语言，得到了各领域专家学者的一致认可，在控制系统的分析、仿真与设计方面也得到了广泛的应用，国内外很多高校在教学与研究中都将 MATLAB 语言作为首选的仿真工具。MATLAB 以其强大的计算功能、丰富方便的图形功能以及动态系统仿真工具 Simulink，能够容易地解决在自动控制系统仿真及计算机辅助设计过程中遇到的问题，将工程技术人员从繁琐的底层编程中解放出来，更多地把宝贵的时间与精力用在解决科学问题上。

本次修订，依然坚持培养"具有创新精神和实践能力的高素质应用型人才"的目标定位，突出工科教育的特点，注重基本概念，强化工程应用。在第 2 版中，除了增加系统分析与设计的应用实例外，还加强了 MATLAB 的可视化仿真工具 Simulink 在控制系统分析与设计中的应用。本书主要特点如下：

1. 针对性强。本书以自动控制系统为对象，以 MATLAB 语言为平台，结合自动控制理论和现代控制理论课程内容，全面、系统地介绍自动控制系统的建模、分析与设计方法。

2. 可读性强。本书主要面向希望学习和使用 MATLAB 仿真软件进行自动控制系统设计的学生和工程技术人员，在内容的安排上以读者为本，通过大量的有代表性的例题来配合相应内容的讲解，使读者感觉生动有趣，不枯燥，便于掌握，也方便读者自主学习。

3. 实用性强。本书不仅在各部分内容的讲述中配有大量的例题和程序，而且增加了实际工程综合实例，读者可根据自己面临的工程设计问题，对实例程序稍作修改即可使用。

本书的内容是按照 36 学时进行安排的，在使用中应结合教学内容加强上机实验，以深化学生对理论知识和仿真方法的理解，提高其分析问题和解决问题的能力。书中除简单介绍 MATLAB 的基础知识外，其余内容均围绕其在控制系统的分析与设计中的应用而展开。本书共分为 5 章，主要内容如下：

第 1 章讲述控制系统仿真及工具软件概述，主要有 MATLAB 语言的简介、MATLAB 的操作与使用、数值计算与矩阵运算、程序、文件和函数等内容。

第 2 章讲述控制系统的数学模型在 MATLAB 中的描述，主要有控制系统数学模型与控制工具箱函数、控制系统模型的转换及连接和控制系统建模工程实例等内容。

第 3 章讲述控制系统常用分析方法的 MATLAB 实现，主要有时域分析、根轨迹分析、频域分析、稳定性分析、可观性与可控性分析等内容。

第 4 章讲述控制系统的设计方法与仿真，主要有基于根轨迹的控制系统设计、基于伯德图的控制系统设计、PID 控制器设计、极点配置与观测器设计等内容。

第 5 章讲述控制系统 CAD——Simulink 基础与应用，主要有 Simulink 的基本操作、Simulink 的建模方法与仿真、Simulink 子系统的创建与封装、采用 MATLAB 命令进行仿真与分析、S 函数、基于 Simulink 的系统分析与设计实例等内容。

　　本书由河南工业大学王燕平担任主编。第 1 章由臧义编写，第 2 章由马利编写，第 3 章的 3.1 节 ~ 3.3 节由孙红鸽编写，第 3 章的 3.4 节 ~ 3.5 节和第 4 章由王燕平编写，第 5 章由李攀峰、吴兰编写，全书由王燕平统稿。

　　哈尔滨工业大学的张晓华教授担任本书的主审，并提出了许多宝贵的指导意见。编者在编写过程中，参阅了许多专家、同行的教材与著作，对此，谨致诚挚的谢意！

　　由于编者水平有限，书中难免存在缺点甚至错误，敬请广大读者批评指正。

王燕平

目　　录

前　言
第1章　控制系统仿真及工具软件概述 ··· 1
　1.1　控制系统及仿真软件 ············ 1
　　1.1.1　控制系统模型 ············ 1
　　1.1.2　控制系统仿真 ············ 2
　　1.1.3　MATLAB 的语言特点 ······ 3
　　1.1.4　MATLAB 的控制产品 ······ 4
　1.2　MATLAB 的操作与使用 ········ 5
　　1.2.1　MATLAB 的工作空间 ······ 6
　　1.2.2　MATLAB 的命令窗口 ······ 6
　　1.2.3　MATLAB 的程序编辑器 ····· 6
　　1.2.4　MATLAB 的帮助文件 ······ 7
　1.3　数值计算与矩阵运算 ·········· 10
　　1.3.1　MATLAB 的数值类型 ····· 10
　　1.3.2　矩阵运算 ··············· 12
　　1.3.3　符号运算 ··············· 15
　1.4　程序、文件和函数 ············ 23
　　1.4.1　M 文件编程 ············· 23
　　1.4.2　常用的编程语句 ········· 26
　　1.4.3　程序调试与诊断 ········· 30
　本章小结 ························· 33
　习题 ···························· 33
第2章　控制系统的数学描述 ········· 34
　2.1　控制系统数学模型与控制工具箱
　　　　函数 ······················ 34
　　2.1.1　传递函数模型 ··········· 34
　　2.1.2　状态空间模型 ··········· 42
　2.2　控制系统模型的转换及连接 ···· 47
　　2.2.1　模型转换函数 ··········· 47
　　2.2.2　模型连接与化简 ········· 51
　2.3　控制系统建模工程实例 ········ 55
　本章小结 ························· 62
　习题 ···························· 62
第3章　控制系统分析 ··············· 63
　3.1　控制系统的时域分析 ·········· 63
　　3.1.1　时域分析基础 ··········· 63

　　3.1.2　系统的稳态性能分析 ······ 64
　　3.1.3　阶跃响应分析 ··········· 65
　　3.1.4　脉冲响应分析 ··········· 70
　　3.1.5　任意输入的时域响应分析 ·· 73
　　3.1.6　控制系统时域分析综合实例 ··· 74
　3.2　控制系统的根轨迹分析 ········ 75
　　3.2.1　函数指令方式 ··········· 75
　　3.2.2　单输入单输出设计工具 ···· 82
　3.3　控制系统的频域分析 ·········· 91
　　3.3.1　频率响应与 Nyquist 图 ···· 92
　　3.3.2　伯德图分析 ············· 95
　　3.3.3　控制系统频域分析综合实例 ··· 99
　　3.3.4　基于单输入单输出设计工具的控制
　　　　　系统频域分析 ··········· 101
　3.4　控制系统的稳定性分析 ······· 102
　　3.4.1　控制系统稳定性分析方法简述 ··· 102
　　3.4.2　控制系统稳定性分析的 MATLAB
　　　　　实现 ·················· 104
　3.5　控制系统的可观性与可控性分析 ····· 106
　　3.5.1　系统的可观性分析 ······· 107
　　3.5.2　系统的可控性分析 ······· 109
　本章小结 ························ 112
　习题 ··························· 112
第4章　控制系统设计与仿真 ········· 113
　4.1　基于根轨迹的控制系统设计 ··· 113
　　4.1.1　基于根轨迹的相位超前校正 ··· 113
　　4.1.2　基于根轨迹的相位滞后校正 ··· 123
　4.2　基于伯德图的控制系统设计 ··· 126
　　4.2.1　基于伯德图的相位超前校正 ··· 126
　　4.2.2　基于伯德图的相位滞后校正 ··· 130
　　4.2.3　基于伯德图的滞后-超前校正 ··· 133
　4.3　控制系统的 PID 控制器设计 ··· 136
　　4.3.1　PID 控制规律 ·········· 137
　　4.3.2　PID 控制器设计方法 ····· 140
　　4.3.3　PID 控制器设计实例 ····· 146
　4.4　极点配置与观测器设计 ········ 150

4.4.1 极点配置 ·············· 150
4.4.2 全维状态观测器设计 ·········· 153
4.4.3 降维状态观测器设计 ·········· 155
4.4.4 基于观测器的状态反馈系统
设计综合实例 ········· 157
本章小结 ···················· 159
习题 ······················· 159

第 5 章 控制系统 CAD——Simulink
基础与应用 ··········· 161
5.1 Simulink 基本介绍与基本操作 ········ 161
5.1.1 Simulink 的基本介绍 ·········· 161
5.1.2 Simulink 的启动 ············· 161
5.1.3 Simulink Library ·········· 163
5.2 Simulink 的建模方法与仿真 ········ 168
5.2.1 仿真模型编译器 ············ 168
5.2.2 仿真系统的编辑 ············ 169
5.2.3 Simulink 仿真参数的设定 ······· 172
5.2.4 Simulink 与 MATLAB 的接口
设计 ················ 174
5.3 Simulink 子系统的创建与封装 ········ 176

5.3.1 Simulink 子系统的创建 ·········· 176
5.3.2 Simulink 子系统的封装 ········ 178
5.4 采用 MATLAB 命令进行仿真与分析 ··· 181
5.4.1 仿真系统的打开和关闭 ········ 181
5.4.2 功能模块参数设置 ········· 182
5.4.3 系统模型的仿真运行 ········· 183
5.4.4 仿真系统参数设置 ········· 183
5.4.5 运行结果分析 ········· 185
5.5 S 函数 ·················· 187
5.5.1 S 函数简介 ············· 188
5.5.2 用 M 文件创建 S 函数 ········· 190
5.6 基于 Simulink 的系统分析与设计
实例 ·················· 195
5.6.1 连续系统的时域分析实例 ······· 195
5.6.2 连续系统的稳定性分析实例 ····· 197
5.6.3 连续系统的稳态误差分析实例 ··· 199
5.6.4 线性连续系统的设计实例 ····· 203
本章小结 ···················· 208
习题 ······················· 208
参考文献 ···················· 209

第1章　控制系统仿真及工具软件概述

1.1　控制系统及仿真软件

系统仿真是伴随着计算机技术的发展而逐步形成的一门学科。仿真就是通过建立实际系统模型并利用所建模型对实际系统进行实验研究，从而达到认识和改造实际系统的目的。现代系统仿真技术和综合性仿真系统已经成为复杂系统，特别是高技术产业不可缺少的分析、研究、设计、评价、决策和训练的重要手段。系统仿真是建立在控制理论、相似理论、信息处理技术和计算机初等理论基础之上的，以计算机和其他专用物理效应设备为工具，利用系统模型对真实或假设的系统进行试验，并借助于专家的经验知识、统计数据和信息资料对实验结果进行分析研究，进而做出决策的一门综合的实验性学科。控制系统仿真的主要研究内容是通过系统的数学模型和计算方法，编写程序运算语句，使之能自动求解各环节变量的动态变化情况，从而得到关于系统输出和所需要的中间各变量的有关数据和曲线等，以实现对控制系统性能指标的分析与设计。本章主要说明控制系统模型和控制系统仿真等基本概念，并详细介绍控制系统仿真工具软件 MATLAB。

1.1.1　控制系统模型

控制系统模型是对控制系统的特征与变化规律的一种定量抽象，是人们用来认识事物的一种手段，一般有以下几种模型。

实际系统的物理模型：根据相似原理，把真实系统按比例放大或缩小制成的模型，其状态变量与原系统完全相同。在物理模型上所做的仿真实验研究真实直观，具有效果逼真、精度高等优点。但其投资大，周期长，试验受限制，通常只在一些特殊场合下使用，如飞机风洞实验等。

数学模型：用数学方程（微分方程、传递函数、状态方程）或信号流图、结构图来描述系统性能的模型。按照系统的实际结构与系统各变量之间所遵循的物理、化学基本定律（如牛顿运动定律和基尔霍夫定律等），来列写变量间的数学表达式，从而构造出系统的数学模型，可以手工求解或在计算机上进行实验研究。采用数学模型在计算机上进行仿真实验研究具有经济、方便、灵活等优点，其真实性要依赖模型的准确性，手工求解的话，很繁琐。因此，通过适当的手段与方法建立高精度的数学模型是其前提条件。

仿真模型：原始控制系统的数学模型，如微分方程和差分方程等，不能直接对系统进行仿真，应该将其转换为能在计算机中对系统进行仿真的模型。对于连续系统而言，将微分方程这样的原始数学模型通过拉普拉斯变换，求得控制系统的传递函数，以传递函数模型为基础，将其等效变换为状态空间模型，或者将其图形化为动态结构图模型，这些模型都是系统的仿真模型。对于离散系统而言，将差分方程经 z 变换转换为计算机可以处理的数字控制器模型即可。

1.1.2 控制系统仿真

控制系统仿真研究的对象是控制系统，而系统特性的表征主要采用与之相应的系统数学模型，将其放到计算机上进行相应的处理，就构成完整的系统仿真过程。对动态系统的计算机仿真而言，仿真包括系统、数学模型和计算机 3 个要素。相应的仿真过程可划分为 3 个基本活动：建模、模型实现和模型实验。

将实际系统抽象为数学模型，称之为一次模型化，它还涉及到系统辨识技术问题，统称为建模问题；将数学模型转换为可在计算机上运行的仿真模型，称之为二次模型化，这涉及到仿真技术问题，称为模型实现。控制系统的计算机仿真就是以控制系统的模型为基础，采用数学模型代替实际的系统，以计算机为主要工具，对控制系统进行实验和研究的一种方法。

通常，采用计算机来实现控制系统仿真的过程有以下几个步骤：

(1) 根据仿真目的确定仿真方案

根据仿真目的确定相应的仿真结构和方法，规定仿真的边界条件与约束条件等。

(2) 建立控制系统的数学模型

建立控制系统的数学模型，是将数学模型按算法要求通过分解、综合和等效变换等方法转换成适于在计算机上运行的公式和方程。系统的数学模型是描述系统输入、输出变量以及内部各变量之间关系的数学表达式。描述控制系统各变量间的静态关系采用静态模型；描述控制系统各变量间的动态关系采用动态模型。最常用的基本数学模型是微分方程与差分方程。

控制系统的数学模型是系统仿真的主要依据。一般可根据系统的实际结构与系统各变量之间所遵循的物理、化学基本定律，如牛顿运动定律、基尔霍夫定律、动力学定律和焦耳-楞次定律等来列写变量间的数学表达式以建立系统的数学模型，这就是所谓的用解析法来建立数学模型。

对于大多数复杂的控制系统，必须通过实验的方法，利用系统辨识技术，考虑计算所要求的精度，略去一些次要因素，使模型既能准确地反映系统的动态本质，又能简化分析计算的工作，这就是所谓的用实验法建立数学模型。

(3) 建立控制系统的仿真模型

原始控制系统的数学模型，如微分方程和差分方程等，不能用来直接对系统进行仿真，应该将其转换为能够在计算机中对系统进行仿真的模型。对于连续系统而言，将微分方程这样的原始数学模型，在零初始条件下进行拉普拉斯变换（Laplace 变换），求得控制系统的传递函数，以传递函数模型为基础，将其等效变换为状态空间模型，或者将其图形化为动态结构图模型，这些模型都是系统的仿真模型。对于离散系统而言，将差分方程经 z 变换转换为计算机可以处理的数字控制器模型即可。

(4) 用合适的开发语言编制控制系统的仿真程序

对于非实时系统的仿真，可以用一般的高级语言，如 Basic、Fortran 或 C 语言等编制系统的仿真程序；对于快速、实时系统的仿真，往往采用汇编语言编制仿真程序。当然，也可以直接利用专门的仿真语言和仿真软件包。目前，采用 MATLAB 仿真比较普遍。利用 MAT-LAB 的 Toolbox 工具箱及其 Simulink 集成仿真环境来研究和分析控制系统是非常方便的。

(5) 在计算机上进行仿真实验并输出仿真结果

首先，将编制好的仿真程序输入到计算机中，并给定仿真的初始参数；然后，通过上机运行调试进行仿真实验，并对仿真模型与仿真程序做相应的检验和修改，不断加以改进，使之正确反映系统的各项动态性能指标，并得到理想的仿真结果；再按照系统仿真的要求将最终得到的系统仿真结果通过相应的设备以数据、曲线、图形等方式输出；最后，进行仿真总结，提交系统仿真的报告。

围绕以上步骤，控制系统仿真近年来不断发展，不断更新，基于 MATLAB 语言开发的专门应用于控制系统分析与设计的工具箱，对控制系统仿真技术的发展及应用起到巨大的推动作用。由于 MATLAB 本身卓越的功能，已经使得它成为自动控制、航空航天、汽车设计等诸多领域仿真的首选语言。本书将通过大量的工程实际案例，对 MATLAB 的功能、操作及其在控制系统仿真中的应用进行深入的阐述和讲解。

1.1.3　MATLAB 的语言特点

MATLAB 是 "MATrix LABoratory"（矩阵实验室）的缩写，它是由美国 MathWorks 公司于 1984 年正式推出的一种科学计算软件。MATLAB 的 DOS 版本于 1988 年推出，1992 年推出了 Windows 版本，现在一般每年发布两个版本，上半年 a 版本，下半年 b 版本。随着新版本的推出，MATLAB 的扩展函数越来越多，功能越来越强大。从 20 世纪 90 年代开始，MATLAB 已成为国际控制界的标准计算软件。

MATLAB 集成度高，输入简捷，运算高效，内容丰富，并且很容易由用户自行扩展，它丰富的函数使开发者无需重复编程，只要简单地调用和使用即可。MATLAB 语言的主要特点如下。

1. 语言简单，使用方便

MATLAB 是一种面向科学与工程计算的高级语言，允许用数学形式的语言编写程序，且比 Basic、Fortran 和 C 等语言更加接近我们书写计算公式的思维方式。用 MATLAB 编写程序犹如在演算纸上排列公式与求解问题。因此，也可通俗地称 MATLAB 语言为演算纸式科学算法语言。由于它编写简单，所以编程效率高，易学易懂。

MATLAB 语言是一种解释执行的语言（在没被专门的工具编译之前），它灵活、方便，其调试程序手段丰富，调试速度快，需要学习时间少。MATLAB 语言与其他语言相比，把编辑、编译、链接和执行融为一体。它能在同一画面上进行灵活操作，快速排除输入程序中的书写错误、语法错误甚至语意错误，从而加快了用户编写、修改和调试程序的速度，这些都大大减轻了编程和调试的工作量。

具体地说，MATLAB 运行时，如直接在命令行输入 MATLAB 语句（命令），包括调用 M 文件的语句，每输入一条语句，就立即对其进行处理，完成编译、链接和运行的全过程。又如，将 MATLAB 源程序编辑为 M 文件，由于 MATLAB 磁盘文件也是 M 文件，所以编辑后的源文件就可直接运行，而不需进行编译和链接。在运行 M 文件时，如果有错，计算机屏幕上会给出详细的出错信息，用户经修改后再执行，直到正确为止。所以，MATLAB 语言不仅是一种语言，更是一种语言开发系统，即语言调试系统。

2. 功能强大，适用范围广

在数值计算方面，MATLAB 的内容几乎涵盖了所有的数学知识门类：初等数学、高等数学、线性代数、向量代数、复变函数、积分变换、概率统计、模糊数学、计算方法等。凡是要进行数学运算的人，都可以使用 MATLAB。

在数学、物理及力学等各种科研和工程应用中，经常会遇到符号运算的问题。MATLAB

语言开发了强大的符号运算功能，几乎可以解决工程技术人员在学习与科研中的所有符号运算问题。利用 MATLAB 的符号运算工具箱可以轻松地实现符号变量与符号表达式的微积分运算、化简和代换、解方程等功能。

MATLAB 的绘图功能是十分方便的，它有一系列绘图函数（命令），如线性坐标、对数坐标、半对数坐标及极坐标。在数据齐全的情况下，通常只需调用一个绘图函数（命令），即可绘制出各种二维、三维图形，并在图上标出主题和 X-Y-Z 轴标注等，简单易行。另外，在调用绘图函数时调整自变量可绘出不变颜色的点、线、复线或多重线。

3. 扩充能力强，可开发性强

MATLAB 软件包括基本部分和专业扩展部分。基本部分包括矩阵的运算和各种变换、代数和超越方程的求解、数据处理和傅里叶变换，以及数值积分等。扩展部分称为工具箱（Toolbox）。为方便用户使用，MATLAB 将解决同一领域问题的函数和文件组成工具箱，用于解决某一个方面的专门问题。一般来说，它们都是由特定领域的专家开发的，用户可以直接使用工具箱学习、应用和评估不同的方法而不需要自己编写代码。除内部函数外，所有的 MATLAB 主包文件和各种工具箱都是可读可修改的文件，用户通过对源程序的修改或加入自己编写的程序可构造新的专用工具箱。目前，MATLAB 已经把工具箱延伸到了科学研究和工程应用的诸多领域，如数据采集、信号处理、概率统计、偏微分方程求解、神经网络、系统辨识、控制系统设计、模型预测、金融分析、嵌入式系统开发和电力系统仿真等，都在工具箱家族中有了自己的一席之地，并且还在继续发展中。

MATLAB 具有丰富的库函数，在进行复杂的数学运算时可以直接调用，而且 MATLAB 的库函数同用户文件在形式上一样，所以用户文件也可作为 MATLAB 的库函数来调用。因而，用户可以根据自己的需要方便地建立和扩充新的库函数，提高 MATLAB 的使用效率和扩充它的功能。另外，为了充分利用 Fortran、C 等语言的资源，包括用户已编好的 Fortran、C 语言程序，通过建立 M 文件，混合编程，方便地调用 Fortran、C 语言的子程序，还可以在 C 语言和 Fortran 语言中使用 MATLAB 的数值计算功能。良好的交互性使程序员可以使用以前编写过的程序，减少重复性工作，也使现在编写的程序具有重复利用的价值。

1.1.4 MATLAB 的控制产品

MATLAB 中与控制系统设计与分析相关的有 6 个基础工具箱：控制系统工具箱（Control System Toolbox）、系统辨识工具箱（System Identification Toolbox）、模糊逻辑工具箱（Fuzzy Logic Toolbox）、鲁棒控制工具箱（Robust Control Toolbox）、模型预测控制工具箱（Model Predictive Control Toolbox）和航空航天工具箱（Aerospace Toolbox）。

由控制领域专家推出的控制系统工具箱是提供系统化分析、设计和调整线性控制系统参数的工具，在控制系统计算机辅助分析与设计方面获得了广泛的应用。对于线性系统模型，通过绘制其时间和频率响应曲线可以观察系统的动作情况，可以使用自动、交互式技术调整控制器参数，以验证系统的性能，如上升时间和幅值/相角裕度等。基于工作流程的图形用户界面（GUI）工具会指导用户完成每一步分析和设计流程。

另外，作为 MATLAB 的重要组件之一，模型输入与仿真环境 Simulink 使 MATLAB 为控制系统的仿真提供了一种可视化的编程方式，使用户可以把精力从编程转向模型的构造。Simulink 是一种基于 MATLAB 的框图设计环境，是实现动态系统建模、仿真和分析的一个软件包，被广泛应用于线性系统、非线性系统、数字控制及数字信号处理的建模和仿真中。Simulink 可以用连续采样时间、离散采样时间或两种混合的采样时间进行建模。为了创建动态系统模型，Simulink 提供了一个建立模型方块图的图形用户接口，这个创建过程只需单击和拖动鼠标操作就能完成，而且用户可以立即看到系统的仿真结果。Simulink 具有适应面广、结构流程清晰、仿真贴近实际和效率高等优点，目前已被广泛应用于控制理论和数字信号处理的复杂仿真和设计中。

MATLAB 的控制产品可以完成的主要功能有：使用不同的经典和状态空间方法设计出单回路和多回路控制系统，使用 GUI 或命令行函数分析系统响应和性能，在 Simulink 模型中手动或自动调整 SISO 回路（具有单独提供的 Simulink 控制设计），优化控制系统性能以满足时间和频率要求（具有单独提供的 Simulink 响应优化），将线性模型表示或转换为传递函数、状态空间、零极点增益和频率响应数据对象，在模型表示间转换，使连续时间模型离散化，以及计算高阶系统的低阶近似值等。

1.2　MATLAB 的操作与使用

启动 MATLAB，显示欢迎界面后将打开 MATLAB 的桌面平台（Desktop）。默认情况下的桌面平台包含的主要窗口分别是 MATLAB 主窗口、命令窗口（Command Window）、当前目录（Current Directory）窗口、工作空间管理（Workspace）窗口和命令历史（Command History）窗口等。另外，程序编辑器（M 文件编辑器，Editor）、图形编辑器（Figures）等窗口在默认情况下并没有出现，可以在使用时将其打开。所有窗口均可以通过拖拽的方式调整其布局及大小。若要回到预设的桌面配置，可选中 Desktop/Desktop Layout/Default，使 MATLAB 工作界面窗口恢复默认状态。

各部分的主要功能如图 1-1 所示，下面分别对各窗口作简单介绍。

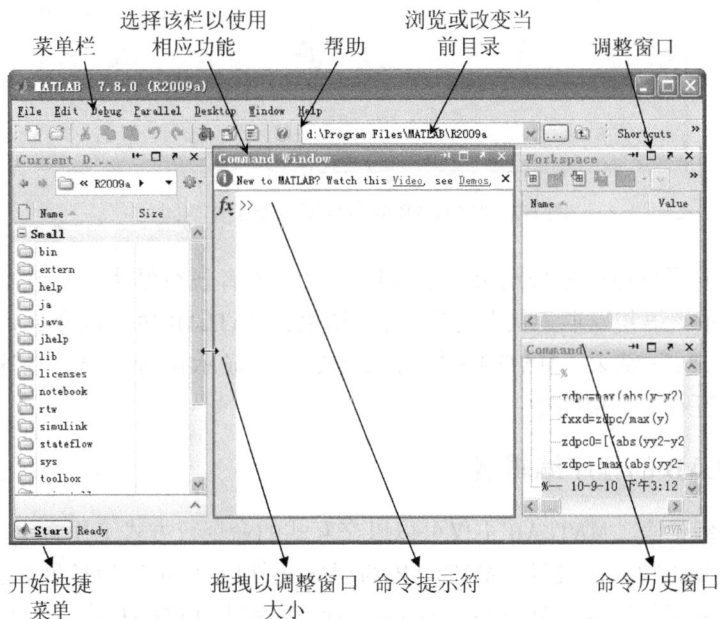

图 1-1　MATLAB 的桌面系统

1.2.1　MATLAB 的工作空间

工作空间（Workspace）窗口中显示了目前内存中所有 MATLAB 变量的变量名、数学结构、字节数以及类型。不同的变量类型分别对应不同的变量名图标。

1.2.2　MATLAB 的命令窗口

在命令窗口（Command Window）的提示符号"≫"后输入命令，并按 < Enter > 键，则 MATLAB 立即执行命令，完成相应的运算，显示结果或绘制图形。同时，命令中要求取的变量将出现在 MATLAB 的工作空间。

MATLAB 语句的一般格式为

$$变量名 = 表达式;$$

其中，等号右边的表达式可由操作符或其他字符、函数和变量组成，它可以是 MATLAB 允许的数学或矩阵运算，也可以包含 MATLAB 下的函数调用；等号左边的变量名是给右边表达式返回结果所赋予的名字，该变量将出现在工作空间中。如果左边的变量名为默认，则返回值自动赋给系统的默认变量 ans。例如，在图 1-2 中，变量 a 被一个表达式赋值，运行后出现"$a = 2$"的结果，但最后一个式子"$A + 2$"没有赋给某个变量，系统运行后将其值赋给了默认变量 ans。当打开"Workspace"时，则显示当前工作空间中的变量名及值，如图 1-2 右边所示。

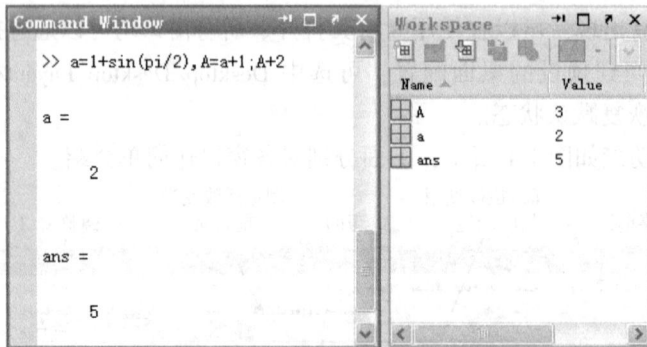

图 1-2　MATLAB 的命令窗口及工作空间

MATLAB 语句既可以由分号结束，也可以由逗号或者换行结束，但它们的含义各不相同。如图 1-2 所示，语句以半角状态逗号","结束，MATLAB 执行该命令后显示执行结果；以半角状态分号";"结束，MATLAB 执行该命令后不显示执行结果。在这两种工作情况下，结果均会保存在工作空间中。

1.2.3　MATLAB 的程序编辑器

作为一种高级语言，MATLAB 不仅可以以交互式的命令行方式工作，也可以像其他高级语言一样进行控制流的程序设计。MATLAB 的程序文件以". m"为扩展名，简称 M 文件。MATLAB 提供了程序编辑器（M 文件编辑器），可以通过 MATLAB 命令窗口 File 菜单下的

New 命令建立新的 M – File，打开 M 文件编辑器。

MATLAB 的 M 文件通常有两种形式：命令式文本文件和函数（Function）文件。

命令式文本文件的编制相当于在命令窗口中逐行输入命令，因此用户在编制此类文件时只需把所要执行的命令按行编辑到指定的文件中即可，所用变量不需要预先定义，也可以通过文本编辑对其进行查看或修改；M 文件的运行类似于 DOS 下的批处理文件，在 MATLAB 的提示符下直接输入文本文件名，便可顺序执行文件中的一系列命令；文本文件在工作空间中运算的变量是全局变量。

函数文件的功能是建立一个函数，且这个文件能够与 MATLAB 的库函数一样被调用。与文本文件的不同之处在于函数文件的标志是第一行必须为 function，且有函数名和输入形式参数与输出形式参数。一般情况下不能直接输入函数文件的文件名来运行一个函数文件，必须由其他语句来调用。函数文件允许有多个输入参数和多个输出参数，可以有返回值，也可以无返回值。函数文件在 MATLAB 中引用十分广泛，MATLAB 提供的绝大多数功能函数都是由函数式文件实现的。函数文件中定义的变量为局部变量，只在函数内部起作用，并随调用的结束在临时工作空间中被清除。如果希望使用全局变量，则应当使用命令 global 定义，而且在任何使用该全局变量的函数中都应加以定义，在命令窗口中也不例外。

1.2.4 MATLAB 的帮助文件

MATLAB 的功能强大，涉及多个应用领域，包含了很多命令和函数。对用户来说，完全掌握所有命令和函数的具体使用功能不太现实，可行的方法是先掌握一些基本的内容，然后在实践中不断总结和积累，掌握其他相关内容。这些可以通过 MATLAB 本身提供的帮助系统来实现。

MATLAB 的一个突出优点就是帮助系统非常完善。它的帮助系统大致可以分为 3 大类：联机帮助系统、命令窗口查询帮助系统和联机演示系统。

1. 联机帮助系统

MATLAB 的联机帮助系统十分全面，可称得上是一本 MATLAB 的英文百科全书。进入帮助系统的方法有很多，常用的有：

1）单击 MATLAB 主窗口工具栏中的 按钮。

2）选择下拉菜单 Help/Product Help。

3）在命令窗口执行 helpwin、helpdesk 或 doc。

以上 3 种方法都可以进入联机帮助窗口，如图 1-3 所示。此外，通过快捷键 < F1 >，也能够进入 MATLAB 提供的简洁版帮助界面。

联机帮助窗口包括左侧的帮助导航面板和右侧的帮助显示面板两部分。帮助导航面板可以根据需要分别显示帮助主题（Contents）、帮助索引（Index）、帮助查询（Search）以及帮助演示集（Demos）。

仔细阅读、观看 MATLAB 帮助中的 Getting Started 以及演示集中的 Getting Started with Demos 是初学者最好的入门教程。

此外，在学习过程中可以随时通过选择某条命令后，单击鼠标右键，选择 Help On Selection 来打开简洁版帮助窗口界面，查询该命令的功能及使用方法。快捷键 < F1 >具有同样

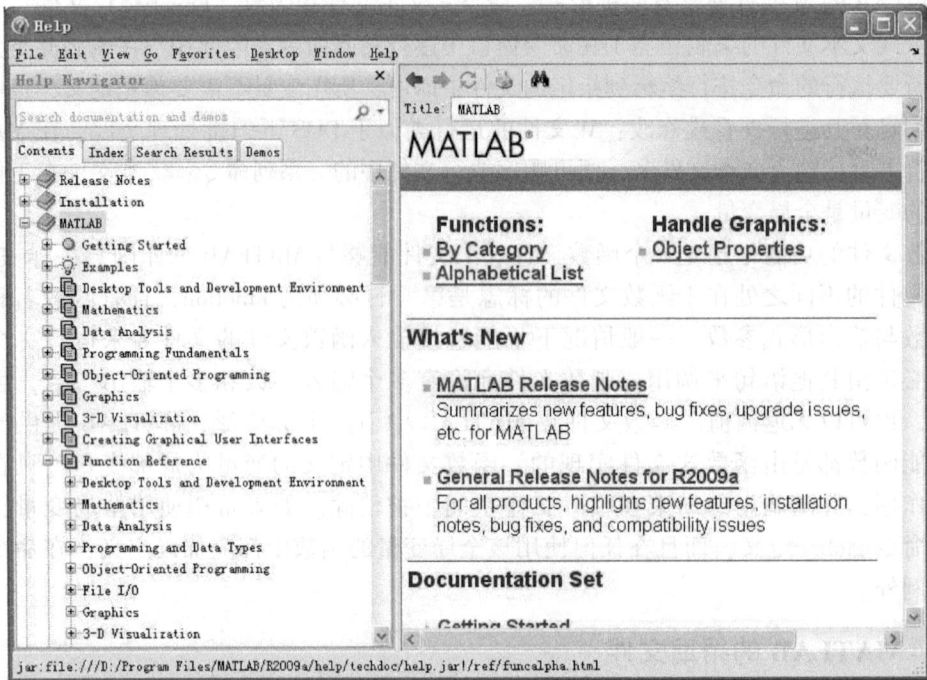

图 1-3　MATLAB 的帮助窗口

的功能，＜Esc＞键可关闭窗口。MATLAB 帮助的使用方法如图 1-4 所示。

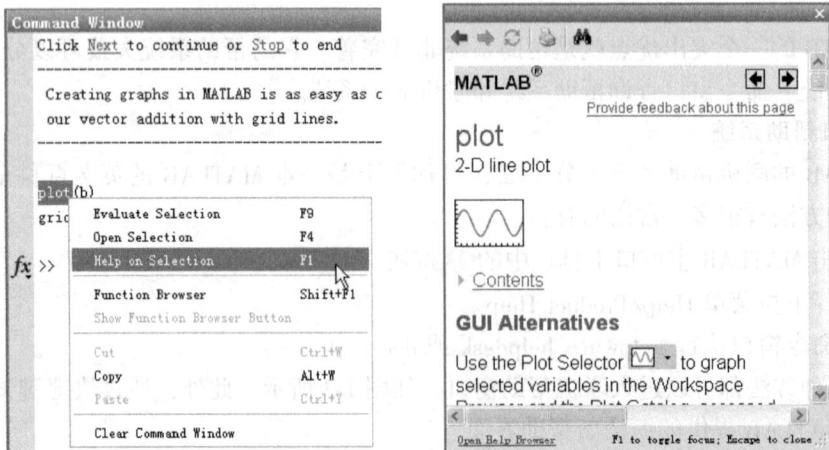

图 1-4　MATLAB 帮助的使用方法

2. 命令窗口查询帮助系统

对于熟练的 MATLAB 用户，最简洁、快速的方式是在命令窗口通过帮助命令对特定的内容，如某个函数的功能和使用方法进行快速查询。这些函数指令包括 help 系列、lookfor 系列和其他常用帮助命令。

help 系列的帮助命令有 help、help + 函数（类）名、helpwin 及 helpdesk，其中后两个命

令是用来调用联机帮助窗口的。help 命令是最常用的命令，在命令窗口中直接输入 help 命令将会显示当前帮助系统中所包含的所有项目，以及搜索路径中所有的目录名称；help + 函数（类）名可以罗列一类函数或某一指定函数，是最有用的一个帮助命令。例如，在命令窗口中直接输入"help elfun"，执行后会列出基本数学函数清单，结果如下：

```
Elementary math functions.

Trigonometric.
    sin          - Sine.
    sind         - Sine of argument in degrees.
    sinh         - Hyperbolic sine.
    ⋮
Exponential.
    exp          - Exponential.
    expm1        - Compute exp(x)-1 accurately.
    log          - Natural logarithm.
    ⋮
Complex.
    abs          - Absolute value.
    angle        - Phase angle.
    complex      - Construct complex data from real and imaginary parts.
    ⋮
Rounding and remainder.
    fix          - Round towards zero.
    floor        - Round towards minus infinity.
    ceil         - Round towards plus infinity.
    ⋮
```

若在命令窗口中直接输入"help abs"，执行后则会列出函数 abs() 的说明，结果如下：

```
ABS      Absolute value.
    ABS(X) is the absolute value of the elements of X.
When X is complex, ABS(X) is the complex modulus (magnitude) of the elements of X.
    See also sign, angle, unwrap, hypot.
```

3. 联机演示系统

对于 MATLAB 或者其中某个工具箱的初学者，最好的学习方法之一就是查看 MATLAB 的联机演示系统。选择 MATLAB 主窗口菜单栏中的 Help/Demos 选项，或者在命令窗口输入 demos 命令，或者直接在帮助页面上选中 Demos 选项，将进入 MATLAB 帮助系统的主演示页面，如图 1-5 所示。

演示系统提供多种演示类型，如演示视频（Video）、模型（Model）、M 文件（M-file）以及交互式图形用户界面（M-GUI），其中后三者均可在 MATLAB 中运行，通过研究它们来学习 MATLAB 是一种十分有效的方式。

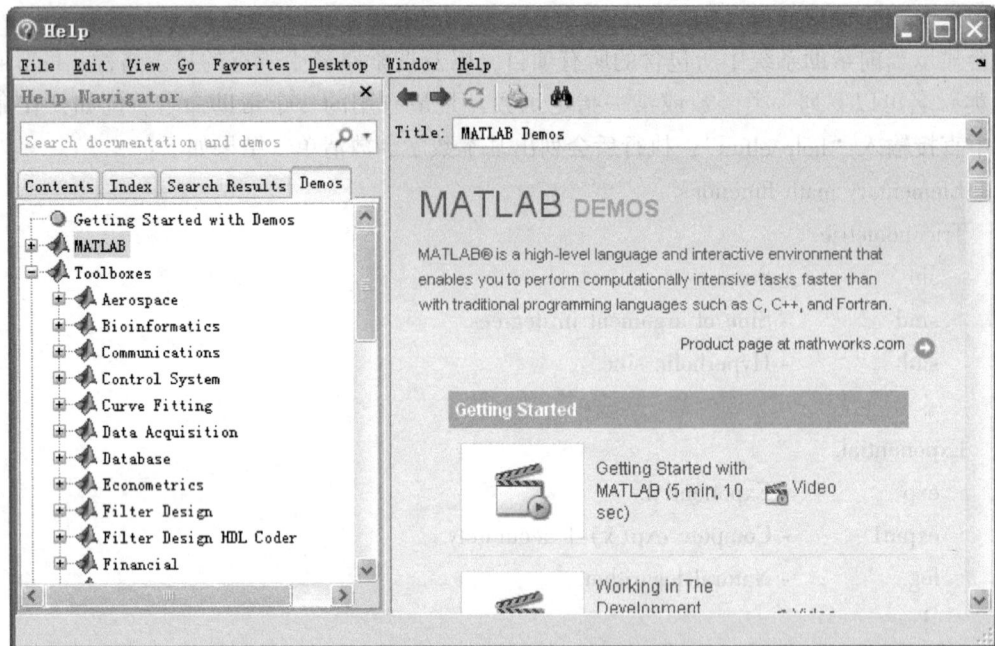

图 1-5 MATLAB 帮助的联机演示系统

1.3 数值计算与矩阵运算

数值计算功能是 MATLAB 的基础，本节将简要介绍 MATLAB 的数值类型、符号及矩阵运算基础。

1.3.1 MATLAB 的数值类型

MATLAB 中的基本数据类型主要有数字、字符、矩阵、逻辑型、单元型数据及结构型数据等，这里只介绍几个常用类型。

1. 变量与常量

变量是程序设计语言的基本要素之一。与常规的程序设计语言不同，MATLAB 不要求事先对要使用的变量进行定义或声明，也不需要指定变量的类型，MATLAB 会自动根据所赋予变量的值或对变量所进行的操作来识别变量的类型。需要注意的是，在赋值过程中如果赋值变量已经存在，则 MATLAB 将使用新值代替旧值，并以新值类型代替旧值类型。

如同其他计算机高级语言一样，MATLAB 语言也有变量命名规则。MATLAB 变量名区分字母大小写。变量名不超过 31 个字符，第 31 个以后的字符将被忽略，且字符之间不能有空格。变量名必须以字母打头，之后可以是任意字母、数字或下画线。许多标点符号在 MATLAB 语言中有特殊的含义，所以变量名不允许使用标点符号。

在命令窗口中执行的命令和运行 M 文件所产生的变量信息全部存放在当前的工作空间（Workspace）中，在命令窗口输入 Who 命令可以对 MATLAB 的变量名进行查询；输入 Whos 命令可以对 MATLAB 的变量及其属性进行查询。

为了一些特殊情况下的运算，MATLAB 语言预先定义了一些常量（永久变量），见表 1-1。

表 1-1　常用的永久变量

永 久 变 量	含 义
ans	计算结果的默认变量名
eps	机器零阈值，浮点运算的相对精度
Inf	无穷大，如 1/0
i 或 j	虚数单位
Pi	圆周率 π
NaN	非数变量（Not a Number），如 0/0、∞/∞
nargin	函数输入变量数目，用于 M 文件程序设计
nargout	函数输出变量数目，用于 M 文件程序设计
realmax	最大正实数
realmin	最小正实数

对于 MATLAB 语言的永久变量，需要注意下面 5 点：

1）永久变量不能用 clear 命令清除，所以称为永久变量。

2）永久变量不响应 Who、Whos 命令。

3）永久变量的变量名如果没有被赋值，那么永久变量将取表 1-1 中所给定的值。

4）如果对任何一个永久变量进行赋值，则那个变量的默认值将被所赋的值临时覆盖。如果使用 clear 命令清除 MATLAB 内存中的变量，或者 MATLAB 的命令窗口被关闭后重新启动，不管永久变量曾经是否被赋值，所有的永久变量将被重新设置为默认值。

5）在遵循 IEEE 算法规则的计算机上，被 0 除是允许的。它不会导致程序执行的中断，系统会给出警告信息，且用一个特殊的名称（如 Inf、NaN 等）记述。

2. 数字和算术表达式

对于简单的数字运算，可以直接用表达式语句和赋值语句的形式在 MATLAB 命令窗口输入。

MATLAB 语言的算术运算符可以按优先级由低到高分为 5 级，每一级的优先级相同，运算时从左向右进行结合。各优先级所包含的运算符为

1）数组转置符".'"、数组幂符".^"、矩阵转置符"'"、矩阵幂符"^"。

2）标量加"+"、标量减"-"。

3）数组乘法".*"、数组右除"./"、数组左除".\"、矩阵乘法"*"、矩阵右除"/"、矩阵左除"\"。

4）加法"+"、减法"-"。

5）冒号运算符。

大多数算术运算符只是对具有相同维数数组的对应元素进行运算。对于矩阵或向量，算术运算符连接的两个运算对象必须同维数或者两个中有一个是标量。当一个运算对象是标量时，运算符将把标量和另一个运算对象的每一个元素进行相应运算。如果要改变运算的优先级，可以用括号强制实现。

1.3.2 矩阵运算

矩阵是 MATLAB 数据存储的基本单元，而矩阵运算是 MATLAB 最基本的重要运算功能。在 MATLAB 语言系统中，几乎一切运算均以对矩阵的操作为基础。下面重点介绍矩阵的生成、矩阵的基本数学运算和矩阵的数组运算。

1. 矩阵的生成

（1）直接输入法

从键盘上直接输入矩阵是最方便、最常用的创建数值矩阵的方法，尤其适合于较小的简单矩阵。用此方法创建矩阵时，应当注意以下几点：

1）输入矩阵时要以"[ ]"为其标识符号，矩阵的所有元素必须都在括号内。

2）矩阵同行元素之间由空格或逗号分隔，行与行之间用分号或回车键分隔。

3）矩阵的大小不需预先定义。

4）矩阵元素可以是运算表达式。

5）若"[ ]"中无元素，则表示空矩阵。

另外，在 MATLAB 语言中冒号的作用是最丰富的。首先，可以用冒号来定义行向量。例如，可在命令窗口输入

a = 1：0.5：4

返回结果为 a = 1.0000　　1.5000　　2.0000　　2.5000　　3.0000　　3.5000　4.0000

其次，通过使用冒号，可以截取指定矩阵中的部分。例如，可在命令窗口输入

A = [1 2 3；4 5 6；7 8 9]，B = A（1：2，：）

返回结果为

A =

$$\begin{matrix} 1 & 2 & 3 \\ 4 & 5 & 6 \\ 7 & 8 & 9 \end{matrix}$$

B =

$$\begin{matrix} 1 & 2 & 3 \\ 4 & 5 & 6 \end{matrix}$$

通过上例可以看到，矩阵 *B* 是由矩阵 *A* 的 1～2 行和相应的所有列的元素构成的一个新的矩阵。这里，冒号代替了矩阵 *A* 的所有列。

（2）外部文件读入法

MATLAB 语言也允许用户调用在 MATLAB 环境之外定义的矩阵。可以利用任意的文本编辑器编辑所要使用的矩阵，矩阵元素之间以特定分断符（如空格、逗号和回车符等）分开，并按行列布置，通过菜单 File/Import Data…导入到 MATLAB 工作空间。另外，也可以利用 load( )函数，其调用方法为 load + 文件名 [参数]。

load( )函数将会从文件名所指定的文件中读取数据，并将输入的数据赋给以文件名命名的变量。如果不指定文件名，则将自动认为 matlab. mat 文件为操作对象；如果该文件在 MATLAB 搜索路径中不存在，系统将会报错。

例如：事先在记事本中建立文件：1，2，3

2，3，4

并以 data1.txt 保存在当前工作目录下。

在 MATLAB 命令窗口中输入

load data1.txt   % 载入文件中的数据至 MATLAB 工作空间

data1   % 查看工作空间中的数据

运行后结果为

data1 =

    1   2   3

    2   3   4

利用 MATLAB 的导入功能同样能够实现该功能。

（3）特殊矩阵的生成

对于一些比较特殊的矩阵（单位阵、矩阵中含 1 或 0 较多），由于其具有特殊的结构，MATLAB 提供了一些函数用于生成这些矩阵。常用的有下面几个：

zeros(m)   % 生成 m 阶全 0 矩阵

eye(m)   % 生成 m 阶单位矩阵

ones(m)   % 生成 m 阶全 1 矩阵

rand(m)   % 生成 m 阶均匀分布的随机矩阵

randn(m)   % 生成 m 阶正态分布的随机矩阵

2. 矩阵的基本数学运算

矩阵的基本数学运算包括矩阵的四则运算、与常数的运算、逆运算、行列式运算、秩运算和特征值运算等基本函数运算，这里对其进行简单介绍。

（1）四则运算

矩阵的加、减、乘运算符分别为" + "" – "" * "，用法与数字运算几乎相同，但计算时要满足其数学要求（如同型矩阵才可以加、减等）。

在 MATLAB 中，矩阵的除法有两种形式：左除" \ "和右除"/"。在传统的 MATLAB 算法中，右除是先计算矩阵的逆再相乘，而左除则不需要计算逆矩阵，直接进行除运算即可。通常，右除要快一点，但左除可避免被除矩阵的奇异性所带来的麻烦。在 MATLAB 7 中，两者的区别不太大。

（2）与常数的运算

常数与矩阵的运算即同该矩阵的每一个元素进行运算。但需注意，进行数除时，常数通常只能做除数。

（3）基本函数运算

矩阵的函数运算是矩阵运算中最实用的部分，常用的主要有以下几个：

det(a)   % 求矩阵 a 的行列式

eig(a)   % 求矩阵 a 的特征值

inv(a)或 a^(–1)   % 求矩阵 a 的逆矩阵

rank(a)   % 求矩阵 a 的秩

trace(a)   % 求矩阵 a 的迹（对角线元素之和）

例如，可在命令窗口输入

a = [2 1 -3 -1; 3 1 0 7; -1 2 4 -2; 1 0 -1 5];

a1 = det(a); a2 = det(inv(a));

a1 * a2

返回结果为 ans = 1

注意： 命令行后加 ";" 表示该命令执行但不显示执行结果。

3. 矩阵的数组运算

在进行工程计算时常常遇到矩阵对应元素之间的运算，这种运算不同于前面讲的数学运算，为了有所区别，我们称之为数组运算，或称为 "点" 运算。比如，矩阵对应元素相乘应使用 "点乘"，用运算符 ".*" 进行。

（1）基本数学运算

数组的加、减运算与矩阵的加、减运算完全相同。而乘除法运算有相当大的区别，数组的乘除法是指两同维数组对应元素之间的乘除法，它们的运算符为 ".*" 和 "./"，或 ".\"。前面讲过在常数与矩阵的除法运算中，常数只能做除数。在数组运算中有了 "对应关系" 的规定，数组与常数之间的除法运算没有任何限制。另外，矩阵的数组运算中还有幂运算（运算符为 .^）、指数运算（exp）、对数运算（log）、和开方运算（sqrt）等。有了 "对应元素" 的规定，数组的运算实质上就是针对数组内部的每个元素进行的。

例如，可在命令窗口输入

a = [1 2 3; 4 5 6; 7 8 9];

b = a^2, c = a.^2

返回结果为

b =

```
    30     36     42
    66     81     96
   102    126    150
```

c =

```
     1      4      9
    16     25     36
    49     64     81
```

由上例可见，矩阵的幂运算与数组的幂运算有很大的区别。

（2）逻辑关系运算

逻辑运算是 MATLAB 中数组运算所特有的一种运算形式，也是几乎所有的高级语言普遍适用的一种运算。常用的逻辑函数见表 1-2。

表 1-2　常用的逻辑函数

符号运算符	功　　能	函　数　名
= =	等于	eq
~ =	不等于	ne
<	小于	lt
>	大于	gt

（续）

符号运算符	功 能	函 数 名
< =	小于等于	le
> =	大于等于	ge
&	逻辑与	and
|	逻辑或	or
~	逻辑非	not

说明：

1）在关系比较中，若比较的双方为同维数组，则比较的结果也是同维数组。它的元素值由 0 和 1 组成。当比较双方对应位置上的元素值满足比较关系时，它的对应值为 1，否则为 0。

2）当比较双方中的一方为常数，另一方为一数组，则比较的结果与数组同维。

3）在算术运算、比较运算和逻辑与、或、非运算中，它们的优先级关系先后为比较运算、算术运算、逻辑与或非运算。

例如，可在命令窗口输入

a = [1 2 3 ; 4 5 6 ; 7 8 9] ; x = 5 ; y = ones (3) * 5 ; xa = x < = a

返回结果为

xa =

0	0	0
0	1	1
1	1	1

若在命令窗口输入

b = [0 1 0 ; 1 0 1 ; 0 0 1] ; ab = a&b

返回结果为

ab =

0	1	0
1	0	1
0	0	1

1.3.3 符号运算

在自然科学中，科学与工程技术中的数值运算固然重要，但在它的理论分析中各种各样的公式、关系式及其推导就是符号运算要解决的问题。MathWorks 公司于 1993 年从加拿大的滑铁卢大学（University of Waterloo）购入了著名的符号数学软件 Maple 的使用权，并利用 Maple 的函数库开发了符号数学工具箱（Symbolic Math Toolbox）。MATLAB 的符号数学工具箱的主要功能包括符号表达式、符号矩阵的运算、符号表达式的化简和替换、符号微积分、符号代数方程、符号微分方程和符号函数绘图等。在 MATLAB 中，符号计算虽以数值计算的补充身份出现，但涉及符号计算的指令使用、运算符操作、计算结果可视化、程序编制以及在线帮助系统都是十分完整、便捷的。

1. 符号运算的基本操作

符号运算与数值运算的区别在于：数值运算中必须先对变量赋值，然后才能参与运算。而符号运算无需事先对独立变量赋值，运算结果以标准的符号形式表达，但是符号变量必须预先定义。

符号计算的特点有 4 个方面：一是运算对象可以是没赋值的符号变量，运算以推理解析的方式进行，因此不受计算误差积累问题的困扰；二是符号计算可以给出完全正确的封闭解或任意精度的数值解（当封闭解不存在时）；三是符号计算指令的调用比较简单，经典教科书公式相近；四是计算所需时间较长，有时难以忍受。

（1）字符串与符号变量、符号常量

1）字符串。在 MATLAB 的数据类型中，字符型与符号型是两种重要而又容易混淆的数据类型。MATLAB 用半角状态下的单引号 " ' ' " 来定义字符串。例如，在指令窗口输入 A = 'hello, this is a string'，回车执行后返回 "A = hello, this is a string"，此时，在工作空间里直接观察，或者用 class（A）命令来返回对象 A 的数据类型为 "char"，即字符型。

字符串对象也可以用于定义符号表达式，如 f = 'sin(x) + 5x'，表达式中的 f 为字符串名，sin(x) + 5x 为函数表达式，' '为字符串标识，单引号里的内容可以是函数表达式，也可以是方程。函数表达式或方程可以赋给字符串或符号变量，方便以后调用。

例如：

```
f1 = 'a * x^2 + b * x + c'          %二次三项式
f2 = 'a * x^2 + b * x + c = 0'      %方程
f3 = 'Dy + y^2 = 1'                 %微分方程
```

对于这种方式定义的表达式或方程，在 MATLAB 工作空间中仍然显示为字符格式，目前仅有部分符号运算函数支持这种格式。因此，不建议用这种方式定义符号表达式或方程等。

2）符号变量。符号变量是内容可变的符号对象，它通常是指一个或几个特定的字符，不指符号表达式，甚至可以将一个符号表达式赋值给一个符号变量。符号变量有时也称自由变量，它的命名规则和数值变量的命名规则相同。相关指令为 sym（）和 syms（），sym 是 symbolic 的缩写，用于定义符号变量。

例如：用函数命令 sym（）和 syms（）来创建符号对象并检测数据类型，程序如下：

```
a = sym('a'),b = sym('c')          %定义单个符号变量，注意两个 a 的区别
syms   a   b   c   d   e            %同时定义多个符号变量
```

从上述比较来看，当需要同时定义多个符号变量时，使用 syms（）更简洁一些，可以用 whos 来查看所有变量的类型。

3）符号常量。当数值常量作为 sym（）的输入参量时，就建立了一个符号对象——符号常量。符号常量虽然看上去是一个数值量，但已经是一个符号对象了。

例如：a = 3/4;b = '3/4';c = sym(3/4);d = sym('3/4');

用 whos 来查看所有变量类型：a 为实双精度浮点数值类型；b 为实字符类型；c 和 d 都是符号对象类型。

4）由符号变量构成的符号函数和符号方程。符号表达式是由符号常量、符号变量、符号函数运算符、专用函数以及等号连接起来的符号对象。它包括符号函数和符号方程。判断

带不带等号，例如：

```
syms x y z;
f1 = x * y/z; f2 = x^2 + y^2 + z^2; f3 = f1/f2;              % 符号函数
e1 = sym('a * x^2 + b * x + c')                              % 符号函数
e2 = sym('sin(x)^2 + 2 * cos(x) = 1'); e3 = sym('Dy - y = x')   % 符号方程
```

（2）符号矩阵的创建与修改

1) 创建符号矩阵，与数值矩阵不同，需要用 MATLAB 函数 sym() 来创建矩阵，并用 "''" 标识，命令格式：A = sym('[　]')。符号矩阵的内容同数值矩阵，同时要注意它与 '[a, b; c, d]' 的区别，后者只是定义了一系列字符串。

例如：在命令窗口输入 "A = sym('[a, 2 * b; 3 * a, 0]')"，运行结果为

A =
  [a, 2 * b]
  [3 * a, 0]

这就完成了一个符号矩阵的创建。注意，符号矩阵每一行的两端都有方括号，这是一个与 MATLAB 数值矩阵的重要区别。另外，用形如 A = ['[a,2 * b]';'[3 * a,0]'] 的表达式创建的是一个 2×7 的字符串矩阵，需保证同一列中各元素字符串有相同的长度，包括字符串中的空格也算一个字符。

2) 符号矩阵的修改。符号矩阵元素一般可以通过两种方式进行修改：一种是直接修改，即在工作空间中找到要修改的矩阵，逐层双击打开后找到需要修改的值，直接修改；另一种是通过指令修改，用 A(m, n) = 'new' 或 A1 = subs(A, 'new', 'old') 来修改。前者与普通数字矩阵的调用方法相同，后者将用新字符 new 代替矩阵 **A** 中的所有旧字符 old。

例如：A = sym('[a, 2 * b; 3 * a, 0]')

A(2,2) = '4 * b'   % 把符号矩阵 **A** 中的第 2 行第 2 列的元素用 4 * b 代替

A1 = subs(A, 'c', 'b')   % 用新字符 c 代替矩阵 **A** 中的所有 b

执行结果为

A = [a, 2 * b]
   [3 * a, 0]

A = [a, 2 * b]
   [3 * a, 4 * b]

A1 = [a, 2 * c]
   [3 * a, 4 * c]

2. 符号运算

在 MATLAB 中，符号计算表达式的运算符和基本函数在形状、名称以及使用方法上都与数值计算几乎完全相同。这给用户带来了极大的方便。在数值运算中，所有的矩阵运算操作指令都比较直观、简单。例如：a = b + c; a = a * b; A = 2 * a^2 + 3 * a - 5 等。而在符号运算中，很多方面在形式上同数值计算都是相同的，因此符号运算可参见数值运算。下面主要介绍与符号计算相关的一些常用函数。

（1）符号表达式的化简

可以对符号计算结果进行简化，如因式分解、同类项合并、符号表达式的展开、符号表

达式的化简和通分等。

1）collect( )函数——合并同类项。

格式：R = collect(S)　　　　　　　　%以 x 为默认变量，返回系数整理后的多项式

　　　　R = collect(S,v)　　　　　　%以 v 为指定变量，返回系数整理后的多项式

例如：

syms x y;　　　　　　　　　　　　%定义基本变量 x, y

R1 = collect((exp(x) + x) * (x + 2))　　%合并多项式中 x 的同类项，exp( ) 为指数函数

R2 = collect((x + y) * (x^2 + y^2 + 1),y)　%合并多项式中 y 的同类项

程序运行结果为

R1 = 2 * exp(x) + x * (exp(x) + 2) + x^2

R2 = y^3 + x * y^2 + (x^2 + 1) * y + x * (x^2 + 1)

2）expand( ) 函数——展开符号表达式。

格式：R = expand (S)

说明：对符号表达式 S 中每个因式的乘积进行展开计算。Expand 通常用于多项式、三角函数、指数和对数函数的展开。

例如：

syms x y a b t;

R1 = expand((x - 2) * (x - 4))

R2 = expand(cos(x + y))

R3 = expand(exp((a + b)^2))

R4 = expand([sin(2 * t), cos(2 * t)])

程序运行结果为

R1 = x^2 - 6 * x + 8

R2 = cos(x) * cos(y) - sin(x) * sin(y)

R3 = exp(2 * a * b) * exp(a^2) * exp(b^2)

R4 = [2 * cos(t) * sin(t), cos(t)^2 - sin(t)^2]

3）factor 函数——符号表达式的因式分解。

格式：factor (X)

说明：将系数为有理数的多项式（矩阵）表示成低阶多项式相乘的形式。如果不能分解，则返回其本身。

例如：

syms x y a b;

R1 = factor(x^3 - y^3)

R2 = factor([a^2 - b^2, a^3 + b^3])

R3 = factor(sym('12345678901234567890'))

程序运行结果为

R1 = (x - y) * (x^2 + x * y + y^2)

R2 = [(a - b) * (a + b), (a + b) * (a^2 - a * b + b^2)]

R3 = 2 * 3^2 * 5 * 101 * 3541 * 3607 * 3803 * 27961

4）simple 和 simplify 函数——符号表达式的化简。

格式：R = simple（S）或 simplify（S）

说明：simplify（S）使用 Maple 软件中的化简规则，化简符号矩阵 S 中的每个元素。simple（S）用多种不同的算术简化规则对符号表达式进行简化，使其用最少的字符来表示。虽然并非表达式中的字符越少，表达式就越简单，但采用这个标准往往能够得到满意的结果，尤其是对于包含三角函数的表达式。

例如：syms x；simple（cos（x）^2 + sin（x）^2）

运行后，从结果看出，simple 比较这些不同函数的结果，最终把最少字符作为标准。

（2）符号表达式的计算

1）符号表达式的极限。

格式：limit（F,x,a）   % 求当 $x \to a$ 时，表达式 F 的极限

    limit（F, a）   % 默认自变量时，趋于 a 的极限

    limit（F）   % 默认自变量，默认 $a = 0$

    limit（F,x,a,'left'）、limit（F,x,a,'right'） % 取 F 的左极限或右极限

注意：若极限不存在，则返回 NaN。

例如：syms h n x

dc = limit（（sin(x + h) − sin(x)）/h,h,0）% 按照导数的定义求 sin 的导数，结果为 dc = cos（x）

limit（1/x,x,0）   % ans = NaN

limit（1/x,x,0, 'left'）   % ans = − Inf

limit（1/x,x,0, 'right'）   % ans = Inf

2）符号表达式的微分。

格式：diff（f）   % 对默认变量求 f 的微分

diff（f,v）   % 对指定变量 v 求微分

diff（f,n）   % 对默认变量求 n 阶微分

diff（f,v,n）   % 对指定变量 v 求 f 的 n 阶微分

例如：syms a x；f = sin（a * x）； % 定义函数 $f = \sin(a * x)$

df = diff（f）   % 对默认变量 x 求 1 阶微分，结果为 df = a * cos（a * x）

dfa = diff（f,a,2） % 对指定变量 a 求 f 的 2 阶微分，结果为 dfa = − x^2 * sin（a * x）

3）符号表达式的积分。

格式：int（f）   % 对 f 表达式的默认变量求不定积分

int（f,v）   % 对 f 表达式的 v 变量求不定积分

int（f,v,a,b）   % 对 f 表达式的 v 变量在 (a, b) 区间求定积分

find*sym*（f）   % 可以找出 f 中的每个变量

注意： 当函数的积分不存在时，MATLAB 将简单地返回原来的积分表达式；当积分上限和积分下限默认时，为不定积分。

例如：syms x；int（ − 2 * x/（1 + x^2）^2） % 运行结果为 ans = 1/（1 + x^2）

    int（x * log（1 + x），0，1）   % ans = 1/4

    int（log10（x））   % ans = （x * （log（x） − 1））/log（10）

    int（sin（x），x， − pi,pi）   % ans = 0

4）符号函数的 Taylor 级数展开。

格式：taylor(f, n, v)   % n 阶泰勒级数展开

另外，MATLAB 提供了可以使用 Taylor 级数计数器的 taylortool 命令，该命令生成一图形用户界面，显示默认函数 f = x * cos(x) 在区间 [− 2 * pi，2 * pi] 内的图形，同时显示函数 f 的前 7 项 Taylor 级数和的图形（在 a = 0 附近），如图 1-6 所示。通过更改 f(x) 项可以得到不同的函数图形。

通过改变相关的参量，利用 taylortool（'cos(x * sin（x））'）或直接在打开的界面中修改相关参量，可得到如图 1-7 所示的界面。

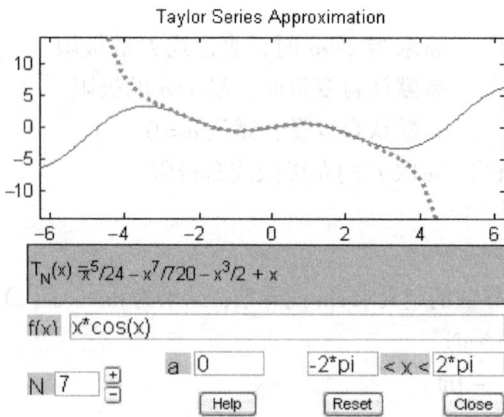

Taylor Series Approximation

$T_N(x) = x^5/24 − x^7/720 − x^3/2 + x$

f(x) x*cos(x)

a 0   -2*pi < x < 2*pi

N 7

Help   Reset   Close

图 1-6　Taylor 级数计数器

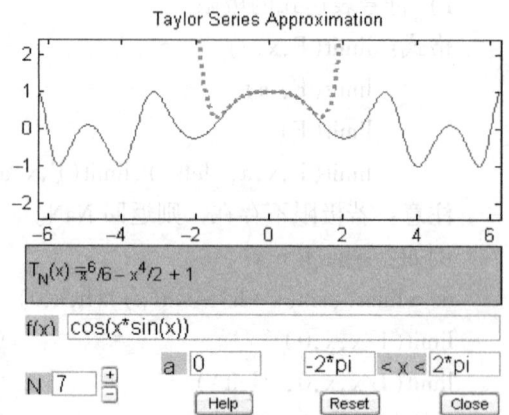

Taylor Series Approximation

$T_N(x) = x^6/6 − x^4/2 + 1$

f(x) cos(x*sin(x))

a 0   -2*pi < x < 2*pi

N 7

Help   Reset   Close

图 1-7　cos（x * sin（x））的 taylortool 界面

5）Fourier 积分变换。

格式：F = fourier(f)

F = fourier(f, v)

F = fourier(f, u, v)

说明：其中，F = fourier（f）对符号单值函数 f 中的默认变量 x 计算 fourier 变换形式。

默认的输出结果 F 是变量 ω 的函数，$f = f(x) \Rightarrow F(\omega) = \int_{-\infty}^{\infty} f(x) \mathrm{e}^{-i\omega x} \mathrm{d}x$；若 $f = f(\omega)$，则 fourier(f) 返回变量为 t 的函数 $F = F(t)$。$F = \text{fourier}(f, v)$ 对符号单值函数 f 中的指定变量 v 计算 fourier 变换形式，$F(v) = \int_{-\infty}^{\infty} f(x) \mathrm{e}^{-ivx} \mathrm{d}x$。$F = \text{fourier}(f, u, v)$ 令符号函数 f 为变量 u 的函数，而 F 为变量 v 的函数，计算 fourier 变换形式。$F(v) = \int_{-\infty}^{\infty} f(u) \mathrm{e}^{-ivu} \mathrm{d}u$。

例如：syms x w u；

f = exp(− x^2)；   F1 = fourier(f)

g = exp(− abs(w))；   F2 = fourier(g)

h = x * exp(− abs(x))；   F3 = fourier(h, u)

执行结果为

$$F1 = pi^{\wedge}(1/2)/exp(w^{\wedge}2/4)$$

$$F2 = 2/(v^{\wedge}2 + 1)$$

$$F3 = -(4 * i * u)/(u^{\wedge}2 + 1)^{\wedge}2$$

6）ifourier 函数。

格式：f = ifourier(F)

f = ifourier(F,u)

f = ifourier(F,v,u)

说明：f = ifourier（F）输出参量 $f = f(x)$ 为默认变量 w 的标量符号对象 F 的逆 fourier 积分变换，即 $F = F(w) \rightarrow f = f(x)$。若 $F = F(x)$，则 ifourier（F）返回变量 t 的函数，即 $F = F(x) \rightarrow f = f(t)$。逆 fourier 积分变换定义为 $f(x) = 1/(2\pi)\int_{-\infty}^{\infty} F(\omega)e^{i\omega x}d\omega$。$f$ = ifourier（F，u）使 f 为变量 u 的函数，$f(u) = 1/(2\pi)\int_{-\infty}^{\infty} F(\omega)e^{i\omega u}d\omega$。$f$ = ifourier（F，v，u）使 F 为变量 v 的函数，f 为变量 u 的函数，$f(u) = 1/(2\pi)\int_{-\infty}^{\infty} F(v)e^{ivu}dv$。

例如：syms a w x t real；

f = exp(- w^2/(4 * a^2))；F = ifourier(f)；　　F1 = simple(F)

g = exp(- abs(x))；　　　　　　　　　　F2 = ifourier(g)

f = 2 * exp(- abs(w)) - 1；　　　　　　　F3 = simplify(ifourier(f,t))

执行结果为

F1 = abs(a)/(pi^(1/2) * exp(a^2 * x^2))

F2 = 1/(pi * (t^2 + 1))

F3 = 2/(pi * (t^2 + 1)) - dirac(t)

7）Laplace 函数。

拉普拉斯变换定义为 $L(s) = \int_0^{\infty} F(t)e^{-st}dt$。

格式：L = Laplace (F)

L = Laplace (F,t)

L - Laplace (F,w,z)

说明：L = Laplace（F）返回默认独立变量 t 的符号表达式 F 的拉普拉斯变换，函数返回默认变量为 s 的函数，即 $F = F(t) \rightarrow L = L(s)$。若 $F = F(s)$，则返回的变量为 t。L = Laplace（F，t）以 t 代替 s 为变量的拉普拉斯变换。L = Laplace（F，w，z）在指定自变量 w 和指定参变量 z 的情况下，计算符号函数 F 的拉普拉斯变换。

例如：syms t s a x；

f = t^4；　　　　　L1 = laplace(f)

g = 1/sqrt(s)；　　L2 = laplace(g)

f = exp(- a * t)；L3 = laplace(f,x)

执行结果为

L1 = 24/s^5

$$L2 = pi^(1/2)/t^(1/2)$$

$$L3 = 1/(a+x)$$

8）ilaplace 函数，逆拉普拉斯变换。

格式：F = ilaplace(L)

　　　F = ilaplace(L,y)

　　　F = ilaplace(L,y,x)

说明：$F = ilaplace(L)$ 在默认自变量 s 和参变量 t 的情况下，计算 $L(s)$ 的 laplace 逆变换。ilaplace 变换定义为 $F(t) = \dfrac{1}{2\pi i}\displaystyle\int_{c-i\infty}^{c+i\infty} L(s)\mathrm{e}^{st}\mathrm{d}s$，其中，$c$ 为使函数 $L(s)$ 的所有奇点都位于 $s=c$ 直线左边的实数。$F = ilaplace(L, y)$ 以 y 代替默认的 t。$F = ilaplace(L, y, x)$ 以 x 代替 t，对 y 取积分。

例如：syms s a t x u

　　　f = 1/s^2;　　　　　　　　　IL1 = ilaplace(f)

　　　g = 1/(t - a)^2;　　　　　　IL2 = ilaplace(g)

　　　syms a real;f = 1/(u^2 - a^2);　　IL3 = simplify(ilaplace(f,x))

执行结果为

　　　IL1 = t

　　　IL2 = x * exp(a * x)

　　　IL3 = sinh(a * x)/a

(3) 符号方程求解

1）符号代数方程求解。

MATLAB 符号运算能够解一般的线性方程、非线性方程和超越方程。当方程组不存在符号解，又无其他自由参数时，则给出数值解。线性方程的求解函数为 solve( )。

调用格式如下：

solve(f)　　　　　　　　　　　　%求方程 $f = 0$ 的解

solve(f , 't')　　　　　　　　　% 对指定变量 t 求解，' ' 可以忽略；t 缺省时默认为 x

　　　　　　　　　　　　　　　　% 或最接近 x 的符号变量

solve(f1,f2, …fn)　　　　　　　%求 n 个方程的解

例如：求解方程 $ax^2 + bx + c = 0$。

输入程序：f = 'a * x^2 + b * x + c';　　%定义符号方程

　　　　　solve(f)　　　　　　　　% 对默认变量 x 求解

返回结果为 ans =

$$-(b + (b^2 - 4*a*c)^(1/2))/(2*a)$$

$$-(b - (b^2 - 4*a*c)^(1/2))/(2*a)$$

以上是计算机的格式，它的一般格式为 $\dfrac{-b \pm \sqrt{b^2 - 4ac}}{2a}$。

例如：解方程组 $\begin{cases} x + y + z = 1 \\ x - y + z = 2 \\ 2x - y - z = 1 \end{cases}$

输入命令：$[x, y, z] = \mathrm{solve}('x + y + z = 1', 'x - y + z = 2', '2*x - y - z = 1')$

返回结果为 $x = 2/3$，$y = -1/2$，$z = 5/6$

2）符号微分方程求解。

符号微分方程求解指令 dsolve，可以方便地得到微分方程的符号解。

格式：$\mathrm{dsolve}('eq1', 'eq2', \cdots, 'cond1', 'cond2', \cdots, 'v')$

说明：eq1，eq2，…为微分方程（组），可多至 12 个微分方程的求解；'cond1'，'cond2'，…为初始条件；'v'为指定自变量，默认时为't'；微分方程的各阶导数项均以大写字母 D 表示，如 y 的一阶导数 $\mathrm{d}y/\mathrm{d}x$ 可表示为 Dy，y 的二阶导数 $\mathrm{d}^2y/\mathrm{d}x^2$ 可表示为 D2y，y 的 n 阶导数 $\mathrm{d}^ny/\mathrm{d}x^n$ 可表示为 Dny。

例如：求微分方程 $\begin{cases} \dfrac{\mathrm{d}^2y}{\mathrm{d}x^2} + 2\dfrac{\mathrm{d}y}{\mathrm{d}x} + 2y = 0 \\ y(0) = 1, \quad \dfrac{\mathrm{d}y}{\mathrm{d}x}(0) = 0 \end{cases}$

的解。

在命令窗口输入 $y = \mathrm{dsolve}('D2y + 2*Dy + 2*y = 0', 'y(0) = 1', 'Dy(0) = 0')$

运行返回结果为 $y = \cos(t)/\exp(t) + \sin(t)/\exp(t)$

若再输入命令"ezplot(y)"，可进行符号函数绘图，此处绘出方程解 $y(t)$ 的时间曲线，如图 1-8 所示。

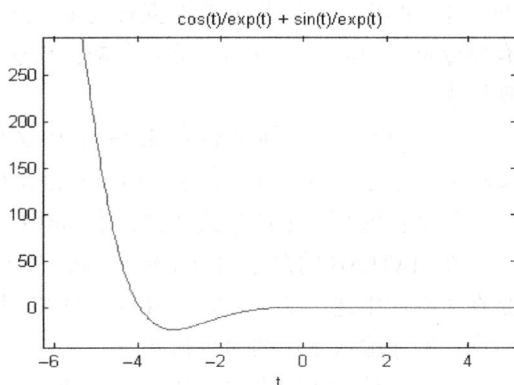

图 1-8 方程解 $y(t)$ 的时间曲线

1.4 程序、文件和函数

MATLAB 不仅具有强大的数值处理和符号运算功能，而且可以像计算机高级语言一样进行程序设计。用 MATLAB 编程语言编写的程序以 .m 为扩展名，简称 M 文件，它可以在 MATLAB 的工作空间运行。

1.4.1 M 文件编程

M 文件根据调用方式的不同分为命令（Script）文件和函数（Function）文件两类。命令文件不需要用户输入任何参数，也不会输出任何参数，它只是各种命令的集合，有点像过去的 DOS 批处理文件，运行时系统按照顺序去执行文件中的各个语句。函数文件一般需要用户输入参数，也可以输出用户需要的参数，在格式上函数文件必须以 function 语句作为引导，在功能上函数文件主要解决参数传递和调用的问题。在作用对象上，命令文件的作用对象是工作空间中的变量，因此命令文件中的变量一般不需要预先定义；而且，所产生的所有变量均为全局变量，直到用户执行 clear 命令清除；而函数文件中的变量除特殊声明外均是局部变量，除了输入/输出的变量会驻留工作空间外，其他变量不会驻留在工作空间中。

M 文件的语法与 C 语言十分相似，而且对变量定义的要求较为宽松，因此 M 文件的编写是相当容易的。M 文件不仅可以在 MATLAB 的程序编辑器中编写，也可以在其他的文本编辑器中编写，以". m"为扩展名加以存储即可。

1. 命令式文件

命令式文件，又称文本文件，是由许多 MATLAB 代码按照顺序组成的命令序列集合而成的，因此其运行相当于在命令窗口中逐行输入并运行命令。命令式 M 文件可以通过调用文件名来执行，会在 MATLAB 工作空间中产生和调用变量。

MATLAB 的命令式文件有以下特点：

1）命令式 M 文件可以通过调用文件名来执行。运行时只是简单地按顺序从文件中逐条读取命令，并送到 MATLAB 命令窗口中去执行。命令式文件中的命令格式和前后位置，与在命令窗口中输入的没有任何区别。

2）与在命令窗口中直接运行命令一样，命令式文件运行产生的变量都驻留在 MATLAB 的工作空间中，可以很方便地查看变量，除非用 clear 命令清除工作空间；命令式文件的所有命令可以访问工作空间的所有数据，在这种情况下，要注意避免变量的覆盖而造成程序出现错误。

3）可以通过其他编辑器来编写 M 文件；在 MATLAB 工作环境中可以用 < Ctrl > 或 < Shift > 键选择多条历史命令，通过右键菜单来创建 M 文件。

例如：编写一个命令式文件，求 $\sin(1)$，$\sin(2)$，…，$\sin(10)$ 的值。

在 MATLAB 的命令窗口中输入 edit 命令，或是单击常用工具栏上的"新建"图标，或是在主界面中选中 File→New→Blank M-file 打开 MATLAB 的编辑/调试窗口。在编辑/调试窗口中按顺序输入下面的命令语句：

```
% 该文件用于顺次求出从 sin(1) 到 sin(10) 的值
for i = 1:10
    a = sin(i);
    fprintf('sin(%d) = ',i)
    fprintf('%12.4f\n',a)
end
```

将该命令式文件以文件名 sinvalue. m 保存在 MATLAB 的 work 文件夹中（默认值），然后在命令窗口输入 sinvalue 即可运行 sinvalue. m 文件，结果为

$\sin(1) = \qquad 0.8415$

$\sin(2) = \qquad 0.9093$

…

$\sin(10) = \qquad -0.5440$

2. 函数式文件

在计算中为了实现参数传递，需要用到函数式文件。函数式文件的标志是第一行为 function。函数式文件可以有返回值，也可以只执行操作而无返回值。函数式文件在 MATLAB 中应用十分广泛，MATLAB 提供的绝大多数功能函数都是由函数文件实现的。函数式文件执行后只保留最后结果，不在工作空间中保留任何中间过程，所定义的变量也只在函数内部起作用，并随着调用的结束而被清除。M 函数必须由其他语句调用，不能直接键入一个文件名来运行一个 M 函数。

MATLAB 语言的函数文件包含以下几个部分。

1）函数题头：指函数的定义行，是函数语句的第一行，在该行中定义函数名和输入/输出变量列表等。函数文件的第一行总是以"function"引导的函数声明行，一般格式为

function [输出变量列表] = 函数名(输入变量列表)

2）帮助信息索引行：指的是函数帮助文本的第一行，内容为该函数功能的大致描述，当使用 lookfor 命令查看该函数时，显示该行。

3）详细帮助信息：该部分提供函数的完整帮助信息，包括索引行至第一个可执行行或空行为止的所有注释语句，通过 MATLAB 的帮助系统查看函数的帮助信息时，显示该部分。

4）函数体：指函数代码段，是函数的主体部分。

5）注释部分：是对函数体中各语句的解释和说明文本。注释语句以英文输入状态下的"%"引导。

例如：编写一个函数文件，求一向量的平均值。

在 MATLAB 语言的编辑/调试窗口中输入如下内容：

```
function y = myaverage( x )                    % 函数题头
% MYAVERAGE Mean of vector elements.          % 帮助信息索引行
% MYAVERAGE( X ) , where X is a vector, is the mean of    % 详细帮助信息
% vector elements. Nonvector input results in an error.   % 详细帮助信息
[ m,n ] = size( x ) ;                          % 函数主体，判断输入参数的维数
if ( ~ ( ( m == 1 ) | ( n == 1 ) ) )           % m、n 为临时变量
    disp( '输入必须是向量！' ) ;                % 判断输入变量为矩阵时，显示提示信息
    return ;                                    % 并结束函数文件的运行
end
y = sum( x )/length( x ) ;                      % 实际计算，临时的函数变量
```

将该函数文件以 myaverage. m 为文件名保存在 MATLAB 的 work 文件夹中，若在命令窗口输入"a = myaverage([1 2 3 4 5 6 7 8 9 10])"，则可调用函数文件，完成向量 1 ~ 10 平均值的计算，返回结果 a = 5.5000。若在命令窗口输入"myaverage([1 2 3 4 5; 6 7 8 9 10])"，也可调用函数文件，但由于输入参数为矩阵，返回结果为程序中设置的提示信息："输入必须是向量！"。

在本例的函数题头中，function 为 MATLAB 语言中函数的提示符，而 myaverage 为函数名，x 为输入变量，y 为输出变量。实际调用过程中，可以用有意义的变量名代替。题头的定义式有一定的格式要求，输出变量超过一个时，需要由中括号标识，而输入变量是由小括号标识的，变量间用逗号间隔。函数的输入变量引用的只是该变量的值，所以函数内部对输入变量的操作不会带回到工作空间中。

函数题头下的第一行以"%"开头的注释语句为帮助信息索引行，通过 lookfor myaverage 命令查看该函数时，会显示 MYAVERAGE Mean of vector elements.

接下来是详细帮助信息，用于介绍函数的功能及使用方法，便于以后或他人参考。

函数体是函数的主体部分，也是实现编程目的的核心所在，它包括所有可执行的 MATLAB 语言代码。

函数体中"%"后的部分为注释语句。注释语句主要是对程序代码进行说明解释，使

程序易于理解，也有利于程序的维护。MATLAB 语言将一行内 "%" 后的所有文本均视为注释部分，并且 "%" 出现的位置也没有明确的规定，可以在一行的开始，这样整行文本均被视为注释语句；也可以是行中的位置，其后的文本被视为注释，这也体现了 MATLAB 编程的灵活性。这些注释语句在编译程序时会被忽略，因此不会影响编译速度和程序运行速度，但是能够增加程序的可读性。

上述函数文件的 5 个组成部分，并不是所有的函数均需要。实际上，除了函数题头是必须的外，其他部分均可以省略。当然，没有函数体则成为一个空函数，不起任何作用。

在 MATLAB 语言中，存储 M 函数时文件名应当与文件内的主函数名一致，因为调用 M 文件时，系统查询的是相应的文件，而不是函数名，如果两者不一致，可能打不开目的文件，或者打开的是其他文件。鉴于这种查询方式与其他程序设计语言不同，所以建议在储存 M 函数文件时，应该将文件名与主函数名统一起来，方便理解和使用。

1.4.2 常用的编程语句

在 MATLAB 语言中，程序的控制非常重要，用户只有熟练掌握了这方面的内容，才能编制出高质量的应用程序。实现流程控制的语句包括循环语句和条件语句，它们决定了运算的过程和路径。循环语句和条件语句包含在每一种可以用于科学计算的高级语言程序中，它们更适合人的思维，扩展了计算功能，节省语句，从而使程序看起来更加简洁和清晰。当在计算中遇到许多有规律的重复运算时，MATLAB 语言同其他高级程序语言一样也提供了循环语句，可以很方便地实现循环操作。MATLAB 语言提供了两种循环方式，即 for 循环和 while 循环。编写程序时，往往要根据一定的条件进行一定的选择来执行不同的语句。MATLAB 可以用 if 分支语句来控制程序的进程。

1. for 循环语句

for 循环的功能是重复执行循环体内的 MATLAB 语句，其主要特点有两方面：一方面，它的循环判断条件通常就是对循环次数的判断，即 for 循环语句的循环次数是预先设定好的；另一方面，它可以多次嵌套 for 循环或者是与其他的结构形式嵌套使用。它的使用格式为

for 循环变量 = 表达式 1(初值):表达式 2(增量):表达式 3(终值)
    循环语句组

end

循环变量等号后的表达式是一个向量，其形式可以是 $m:s:n$，其中 m、s 和 n 可以为整数、小数或负数。但是，当 $n>m$ 时，s 必须为大于 0 的数；而当 $n<m$ 时，s 必须为小于 0 的数。当增量为 1 时可以省略 s，此时表达式为 $m:n$ 形式，n 必须大于 m。用户还可以直接将一个向量赋值给 k，此时程序将穷尽该向量的每一个值。k 还可以是字符串、字符串矩阵或是由字符串组成的单元矩阵。

例如：用 for 循环实现数值 1~10 平方的求取，程序如下：

```
for i = 1:10
    x(i) = (i + 1). ^2;
end
x
```

程序运行后的结果为

x =

4   9   16   25   36   49   64   81   100   121

该段程序使用了一个 for 循环,求出了数组 x 从 $x(1)$ 到 $x(10)$ 的值,程序运行结束后,自动在工作空间生成双精度变量 i 和双精度数组 x。

2. while 循环语句

与 for 循环不同,while 循环的判断控制语句可以是逻辑判断语句,因此,它的循环次数可以是一个不定数。这样一来,MATLAB 语言就赋予了 while 循环比 for 循环有更为广泛的用途。while 循环使用的通用格式为

while 表达式

    执行语句

end

在这个循环中,只要表达式的值为真,程序就会一直运行下去。用户必须注意,当程序设计出现了问题,如表达式的值总是为真,程序将陷入死循环。因此,在使用 while 循环时一定要在执行语句中设置使表达式的值为假的情况。出现死循环情况时,可以利用组合键 <Ctrl + Break> 中断程序的运行。

例如:利用 while 循环求 $1 + 2 + 3 + \cdots + 100$ 的值。

    sum = 0; i = 1;
    while(i < = 100)
        sum = sum + i; i = i + 1;
    end
    sum

执行结果为 sum = 5050。

3. 条件判断语句 if, elseif, else, end

条件判断语句是程序语言中的流程控制语句之一,使用该语句可以选择执行指定的命令。MATLAB 语言中的条件判断语句是 if, elseif, else, end 语句。if 判断一个逻辑表达式,并且当表达式为真时执行一组语句。关键字 elseif 和 else 是可选的,用于提供替代语句的执行。关键字 end 和 if 匹配,放在最后,用于终止最后一组语句。程序的控制语句主要通过上述 4 个关键词描述,不需要括号或方括号。

1)当 if 语句只有一种选择时,它的程序结构为

    if 表达式
        执行语句
    end

这是 if 语句最简单的一种应用形式,它只是一个判断语句,当表达式为真时,执行语句被执行;否则不予执行。

2)当 if 语句有两种选择时,它的程序结构为

    if 表达式
        执行语句 1
    else

执行语句 2

end

此时，如果表达式为真，则系统将运行执行语句 1；如果表达式为假，则系统将运行执行语句 2。

3）当 if 语句有 3 种或者更多选择时，它的程序结构为

if　表达式 1　　　　　//表达式 1 为真时的执行语句 1

　elseif 表达式 2　　　//表达式 2 为真时的执行语句 2

　elseif 表达式 3　　　//表达式 3 为真时的执行语句 3

　…

　else　　　　　　　//所有表达式都为假时的执行语句

end

在这种情况下，当运行到程序的某一条表达式为真时，则执行与之相关的执行语句，此时系统将不再检验其他的关系表达式。在实际应用中，最后的 else 命令可有可无。

例如：编写一个 M 文件绘制函数的图形，$y(x) = \begin{cases} \sin x, & x \leq 0 \\ x, & 0 < x \leq 3 \\ -x+6, & x > 3 \end{cases}$。

打开 M 文件编辑器，输入以下程序：

x = -6:0.1:6;　　　　　%设定自变量 x 的取值范围

leng = length(x);　　　　%计算向量 x 的长度

for m = 1:leng　　　　　%计算函数值

　if x(m) < =0　　　　　%判断 x 取值所在范围

　　y(m) = sin(x(m));　　%计算分段函数值

　elseif x(m) < =3

　　y(m) = x(m);　　　　%计算分段函数值

　else

　　y(m) = -x(m) +6;　　%计算分段函数值

　end

end

plot(x,y,' * '),grid;　　　　　%绘制函数曲线

将其存盘为 demoif.m（该文件就是一个 MAT-LAB 脚本文件），然后在 MATLAB 命令行下输入"demoif"，则生成如图 1-9 所示的函数曲线。

4. 多分支判断语句 switch-case

if 语句所对应的是多重判断选择，MATLAB 也提供了解决多分支判断选择的 switch-case 语句。其一般表达形式如下：

switch 〈选择判断量〉

case 选择判断值 1

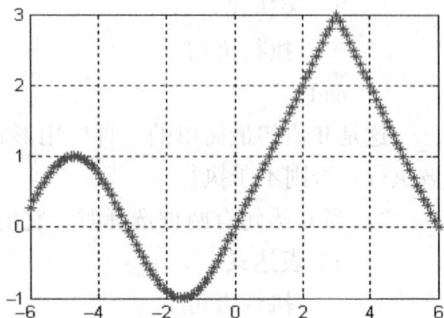

图 1-9　函数曲线绘制

　　　　选择判断语句 1

case 选择判断值 2

　　　　选择判断语句 2

……

otherwise

判断执行语句

end

与其他程序设计语言的 switch-case 语句不同的是，在 MATLAB 语言中，当其中一个 case 语句后的条件为真时，switch-case 语句不对其后的 case 语句进行判断。也就是说，在 MATLAB 语言中，即使有多条 case 判断语句为真，也只执行所遇到的第一条为真的语句。这样就不必像 C 语言那样，在每条 case 语句后加上 break 语句以防止继续执行后面为真的 case 条件语句了。

例如：利用 switch-case 语句编写一个判断季节的函数文件。

```
function demo_switch_case( month )
    switch month
        case {3,4,5}
            season = 'spring'
        case {6,7,8}
            season = 'summer'
        case {9,10,11}
            season = 'autumn'
        otherwise
            season = 'winter'
    end
```

将该函数文件以 demo_switch_case.m 为文件名保存后，在命令窗口输入"demo_switch_case（1）"，可调用该函数文件，返回结果为 season = winter。

5. 人机交互命令

在执行 MATLAB 主程序文件中，往往还希望在适当的地方对程序的运行进行观察或干预，这时就需要人机交互的命令。在调试程序时，人机交互命令更是不可缺少。MATLAB 语言提供的基本人机交互命令有 echo、input、pause 和 keyboard4 种。

（1）echo 命令

一般情况下，M 文件执行时，文件中的命令不会显示在命令窗口中。echo 命令可以使 M 文件的命令在执行时可见，这对于程序的调试和演示很有用。对于 M 文件中的文本文件和函数文件，echo 命令的作用稍微有些不同。对于文本文件，echo 命令的使用方式如下：

```
echo on              %打开文本文件的回应命令
echo off             %关闭回应命令
echo file on         %使指定的 file 文件的命令在执行中被显示出来
echo file off        %关闭指定文件的命令在执行中的回应
echo file            %文件在执行中的回应显示开关
```

echo on all 　　　　　%显示其后所有执行文件的执行过程

echo off all 　　　　　%关闭其后所有执行文件的显示

对于函数文件，当执行 echo 命令时，函数文件将不被编译执行，而是被解释执行。文件在执行的过程，每一行都可以被看到。由于这种解释执行速度慢、效率低，因此，对于函数文件，echo 命令一般只用于其调试阶段。

（2）input 命令

input 命令用来提示用户从键盘输入数据、字符串或表达式，并接收输入值。

（3）pause 命令

在 MATLAB 语言中，pause 命令用于使程序暂时终止执行，等待用户按任意键后继续执行。pause 命令在程序的调试过程中或者在用户需要查看中间结果时非常有用。pause 命令的基本调用格式如下：

pause 　　　　　　　%暂停程序等待回应

pause（n） 　　　　　%在程序运行中等待 n 秒后继续运行

pause on 　　　　　　%显示其后的 pause 命令，并且执行 pause 命令

pause off 　　　　　　%显示其后的 pause 命令，但不执行该命令

（4）keyboard 命令

在 MATLAB 语言中，keyboard 命令与 input 命令的作用相似。当程序遇到此命令时，MATLAB 就暂时停止运行程序，处于等待键盘输入状态且在屏幕上显示字符 K。键盘处理完毕后，输入字符串 return，程序将继续执行。在 M 文件中使用该命令，对于程序的调试和在程序运行中修改变量都很方便。

例如：使用用户提示命令 input（请在命令行或 M 文件中运行该命令）。

A = input（'How many books? '） 　　　%输入数值数据，否则提示错误并要求重新输入

B = input（'Are you a college student? ','s'） 　%输入字符串，如 Yes, I am a college student.

reply = input（'Do you want more? Y/N ［Y］: ', 's'）; 　%把输入的字符赋值给 reply

if isempty （reply）

　　reply = 'Y'; 　　　　　　　　　%默认值为 Y

end

reply

例如：使用用户提示命令 keyboard。 　　　（请在命令行或 M 文件中运行该命令）

disp（'please input a year: '） 　　　%显示提示信息

keyboard 　　　　　　　　　　%控制权交给键盘

leapyear （ans）

输入数字（如 2009 等）回车后，继续在命令行输入"return"，控制权返回给 MATLAB，即可显示 2009 是否为闰年。

1.4.3　程序调试与诊断

1. MATLAB 程序出错时的基本处理方法

MATLAB 程序出错主要是由于格式错误或算法错误导致程序不能够正常运行。其中，语法格式错误，如缺"（"或"）"等，在运行时可检测出大多数该类错误，并指出错在哪一

行。对于算法逻辑错误，这样的错误非常隐蔽，往往是对算法考虑不周全，程序可以顺利通过，也可以得到结果，但是与预期的结果不符合。

在包含函数调用的 MATLAB 程序运行时，当发生运行错误时，不会显示出错信息，而在执行结束或出错时，只能看到基本工作空间（即主程序执行空间）中的变量，各个函数工作空间已关闭，因此无法检测各个局部变量。为此，应采用调试技术来查找问题。遇到此类错误时需耐心，一般可考虑如下方法：

1）在可能发生错误的 M 文件中删去某些语句行末的分号，使其显示运行中间结果，从中可发现一些问题；或者利用 disp 显示中间变量的值。

2）在 M 文件的适当位置上加上 keyboard 命令，使在执行时在此暂停，从而检查局部工作空间中变量的内容，从中找到出错的线索，利用 return 命令可恢复程序的执行。

3）注释掉 M 函数文件的函数定义行，使函数文件转变成脚本文件，这样在程序运行出错时，可查看 M 文件产生的中间变量。注意，局部变量之间应避免冲突。

4）使用 MATLAB 调试器设置断点，或单步执行。

2. MATLAB 的代码编辑调试器

MATLAB 的代码编辑调试器是一个综合了代码编写与调试的集成开发环境。MATLAB 代码调试过程主要是通过调试器菜单 Debug 下的各子项进行的。有一部分在工具栏中有相对应的图标，如图 1-10 所示。调试选项及其功能见表 1-3。

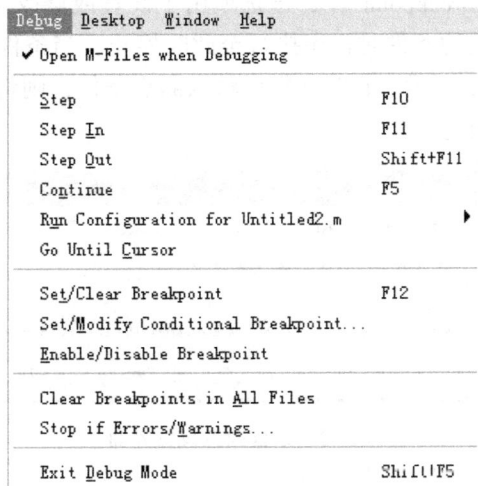

```
Debug  Desktop  Window  Help
✔ Open M-Files when Debugging

  Step                                    F10
  Step In                                 F11
  Step Out                          Shift+F11
  Continue                                 F5
  Run Configuration for Untitled2.m         ▶
  Go Until Cursor

  Set/Clear Breakpoint                    F12
  Set/Modify Conditional Breakpoint...
  Enable/Disable Breakpoint

  Clear Breakpoints in All Files
  Stop if Errors/Warnings...

  Exit Debug Mode                   Shift+F5
```

图 1-10　M 文件调试器 Debug 菜单

表 1-3　调试选项及其功能

选　项	图　标	功　能	快　捷　键
Open M-Files when Debugging		选择该选项后则在调试时打开 M 文件	无
Step	🗇	下一步	<F10>
Step In	🗈	进入被调用函数内部	<F11>
Step Out	🗐	跳出当前函数	<Shift + F11>

（续）

选　　项	图　标	功　　能	快　捷　键
Continue		执行，直至下一断点	< F5 >
Go Until Cursor		执行至当前光标处	无
Set/Clear Breakpoint		设置或删除断点	< F12 >
Set/Modify Conditional Breakpoint...		设置或修改条件断点	无
Enable/Disable Breakpoint		开启或关闭光标行的断点	无
Clear Breakpoints in All Files		删除所有文件中的断点	无
Stop if Errors/Warnings		遇到错误或者警告时停止	无

部分命令介绍如下：

Set/Clear Breakpoint，设置或清除断点。可以选择该选项对当前行进行操作，或者通过快捷键 < F12 >，或者直接单击该行左侧的"－"，如图 1-11 所示。

```
6 -    elseif n == 1
7 ◇       disp('error: n == 1!');
8 -       y = NaN;
9 -    else
```

图 1-11　断点设置

设置断点时该处显示为红点。再次进行相同的操作则删除该断点。

Set/Modify Conditional Breakpoint...，该选项用于设置或修改条件断点。条件断点为一种特殊的断点，当满足指定的条件时程序执行至此时停止，当条件不满足时程序继续进行。条件断点设置界面如图 1-12 所示。在输入框中输入断点条件，则将当前行设置为条件断点。此时设置的断点处显示为黄色。

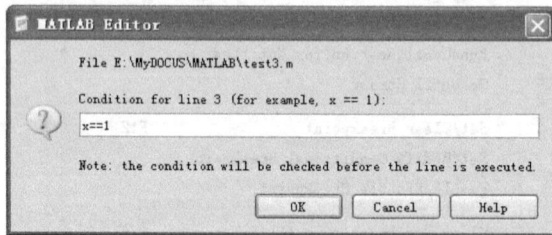

图 1-12　条件断点设置界面

Enable/Disable Breakpoint，该选项用于开启或关闭当前行的断点，如果当前行不存在断点，则设置当前行为断点；如果当前行是断点，则改变该断点的状态。在调试时，被关闭的断点将会被忽略。

在程序调试中，变量的值是查找错误的重要线索。在 MATLAB 中查看变量的值有 3 种方法：

1）在编辑器中将鼠标放置在待查看的变量处，停留，则在此处显示该变量的值。

2）在工作空间中查看该变量的值。

3）在命令窗口中输入该变量的变量名，则显示该变量的值。

以上介绍了程序调试的方法和工具，在真正编写程序时，需要根据不同的情况灵活应用这些功能，达到最高的调试效率。

本 章 小 结

本章简要介绍了控制系统仿真的基本概念及仿真工具 MATLAB 的语言特点，详细讲述了在系统仿真过程中可能用到的 MATLAB 基本功能，从数值计算功能入手，介绍了 MATLAB 中的数组、矩阵、绘图、函数、M 文件及编程控制等基础知识。希望通过本章的学习，读者能够掌握 MATLAB 的基本用法，为后续利用 MATLAB 进行仿真打下基础。

习　题

1. 查看 MATLAB 的目录结构，并检查计算机中安装了哪些 MATLAB 工具箱。

2. 使用 help 命令查找函数 plot( ) 和 plot3( ) 的帮助信息。

3. 已知矩阵 A 为四阶魔方矩阵，矩阵 $B = [1\,2\,3\,4;\,3\,4\,5\,6;\,5\,6\,7\,8;\,7\,8\,9\,0]$，求矩阵 A 和矩阵 B 的矩阵乘积和数组乘积。

4. 用符号计算验证三角等式 $\sin\varphi_1\cos\varphi_2 - \cos\varphi_1\sin\varphi_2 = \sin(\varphi_1 - \varphi_2)$。

5. 求 $f = \sin(x)^2$ 的倒数，并求 $f = \sin(x)^2 + \cos(y)^2$ 对 y 的倒数。

6. 求积分 $\displaystyle\int_{-\tau/2}^{\tau/2} A\mathrm{e}^{-i\omega t}\mathrm{d}t$。

7. 解方程 $x^3 - 6*x^2 + 11*x - 5 = 1$。

8. 绘图：$f = (x^2 + y^2)^4 - (x^2 - y^2)^2$，其中 $-1 < x < 1$。

9. 编程求 $1^2 + 2^2 + 3^2 + \cdots + 100^2$，并计算运算时间。

10. Fibonacci 数组的元素满足规则：$a_{k+2} = a_k + a_{k+1}$ $(k = 1, 2, \cdots)$，且 $a_1 = a_2 = 1$。试编程求该数组中第一个大于 10000 的元素及序号。

第2章 控制系统的数学描述

控制系统的数学模型是对系统运动规律的定量描述，是控制系统分析和设计的前提。控制系统仿真是借助计算机强大的绘图与计算能力，应用仿真软件，对系统进行分析与设计，并对设计结果进行模拟与验证，因此在仿真中也应首先建立系统的数学模型。

控制系统常用的数学模型有传递函数模型、状态方程模型、零极点增益模型和部分分式模型等，每种模型均有连续和离散之分，它们各有特点；同时，这些模型之间都有着内在的联系，可以进行相互转换。

2.1 控制系统数学模型与控制工具箱函数

MATLAB 工具箱是由一组复杂的 MATLAB 函数（M 文件）组成的，它扩展了 MATLAB 的功能，用以解决特定的问题。因此，用户可以通过对源文件进行修改和加入自己编写的文件去构建新的专用工具箱。MATLAB 的控制工具箱是 MATLAB 最早应用的工具箱之一，它建立在 MATLAB 对控制工程提供设计功能的基础上，为控制系统的建模、分析、仿真提供了丰富的函数与简便的图形用户界面。

MATLAB 的控制系统工具箱函数通常分为 10 类：模型建立、模型变换、模型简化、模型实现、模型特性、方程求解、时域响应、频域响应、根轨迹和估计器/调节器设计，为求解控制系统分析与设计问题提供了便利的工具。同时，控制系统工具箱允许使用经典控制理论和现代控制理论，对连续控制系统和离散控制系统进行仿真分析：建立系统的状态空间和传递函数的数学模型，以及模型之间的相互转换，能分析系统的频域响应和时域响应，频域响应有伯德（Bode）图、奈奎斯特（Nyquist）图和尼柯尔斯（Nichols）图等；时域响应有脉冲响应、阶跃响应和斜坡响应等，还可以采用根轨迹、极点配置进行系统仿真分析。

通常，控制系统可分成多个子系统，每个子系统可采用传递函数、零极点增益和状态方程 3 种表示形式。MATLAB 提供的模型变换函数可方便地实现这 3 种表示形式之间的转换。而且，利用模型建立函数可实现子系统的串联、并联、反馈等连接方式，从而得到复杂的控制系统。最后，利用模型简化和实现函数，可得到简化后的期望模型。因此，本章主要讲述控制系统的传递函数模型、状态方程模型、零极点增益模型和部分分式模型等数学模型的 MATLAB 描述，以及这些模型的相互变换和模型简化与连接。

2.1.1 传递函数模型

线性系统通常是以线性常微分方程来描述的。设系统的输入信号为 $u(t)$，输出信号为 $y(t)$，则系统的微分方程可写成

$$a_0 \frac{\mathrm{d}^n y(t)}{\mathrm{d}t^n} + a_1 \frac{\mathrm{d}^{n-1} y(t)}{\mathrm{d}t^{n-1}} + a_2 \frac{\mathrm{d}^{n-2} y(t)}{\mathrm{d}t^{n-2}} + \cdots + a_{n-1} \frac{\mathrm{d}y(t)}{\mathrm{d}t} + a_n y(t)$$

$$= b_0 \frac{\mathrm{d}^m u(t)}{\mathrm{d}t^m} + b_1 \frac{\mathrm{d}^{m-1} u(t)}{\mathrm{d}t^{m-1}} + \cdots + b_{m-1} \frac{\mathrm{d}u(t)}{\mathrm{d}t} + b_m u(t) \tag{2-1}$$

1. 传递函数模型

在零初始条件下，线性常微分方程经拉普拉斯变换后，即为线性系统的传递函数模型：

$$G(s) = \frac{Y(s)}{U(s)} = \frac{b_0 s^m + b_1 s^{m-1} + \cdots + b_{m-1} s + b_m}{a_0 s^n + a_1 s^{n-1} + \cdots + a_{n-1} s + a_n} \tag{2-2}$$

对于线性定常系统，式（2-2）中 s 的系数均为常数，且不等于零。这时，系统在 MAT-LAB 中可以方便地由分子（Numerator）和分母（Denominator）系数构成的向量组唯一地确定出来。

$$G(s) = \frac{Y(s)}{U(s)} = \frac{b_0 s^m + b_1 s^{m-1} + \cdots + b_{m-1} s + b_m}{a_0 s^n + a_1 s^{n-1} + \cdots + a_{n-1} s + a_n} = \frac{num}{den} \tag{2-3}$$

在 MATLAB 中，传递函数的分子、分母分别用 num 和 den 表示，表达方式为

num = [b0,b1,$\cdots$,b(m − 1),bm]

den = [a0,a1,$\cdots$,a(n − 1),an]

其中，它们都是按 s 的降幂进行排列的，缺项补零。如果 a_i，b_i 都为常数，这样的系统又称为线性时不变（Linear Time-Invariant，LTI）系统；系统的分母多项式称为系统的特征多项式。对物理可实现系统来说，一定要满足 $m \leqslant n$。

对于离散时间系统，其单输入单输出系统的 LTI 系统差分方程为

$$a_0 y(k+n) + a_1 y(k+n-1) + \cdots + a_{n-1} y(k+1) + a_n y(k)$$
$$= b_0 r(k+m) + b_1 r(k+m-1) + \cdots + b_{m-1} r(k+1) + b_m r(k) \tag{2-4}$$

对应的脉冲传递函数为

$$G(z) = \frac{Y(z)}{R(z)} = \frac{b_0 z^m + b_1 z^{m-1} + \cdots + b_m}{a_0 z^n + a_1 z^{n-1} + \cdots + a_n} \tag{2-5}$$

用不同的向量分别表示分子和分母多项式，就可以利用控制系统工具箱的函数表示传递函数变量 G：

num = [b0,b1,$\cdots$,b(m − 1),bm]

den = [a0,a1,$\cdots$,a(n − 1),an]

在 MATLAB 中，不论是连续时间系统还是离散时间系统，它们都用函数命令 tf( ) 来建立控制系统的传递函数模型，还可以将零极点模型或者状态空间模型转换为传递函数模型。tf( ) 函数的具体用法见表 2-1。

表 2-1 tf( ) 函数的具体用法

函 数 用 法	函数功能说明
sys = tf(num,den)	返回变量 sys 为连续系统传递函数模型
sys = tf(num,den,ts)	返回变量 sys 为离散系统传递函数模型。ts 为采样周期，当 $ts = -1$ 或者 $ts = [\ ]$ 时，表示系统采样周期未定义
s = tf('s')	定义拉普拉斯变换算子（Laplace Variable），以原形式输入传递函数
z = tf('z',ts)	定义 z 变换算子及采样时间 ts，以原形式输入传递函数
get(sys)	可获得传递函数模型对象 sys 的所有信息

（续）

函 数 用 法	函数功能说明
set(sys, 'Property', Value,…)	为系统的不同属性设定值
[num, den] = tfdata (sys, 'v')	以行向量的形式返回传递函数的分子、分母多项式
c = conv(a, b)	多项式 a, b 以系数行向量表示，进行相乘。结果 c 仍以系数行向量表示

采用 MATLAB 语言描述系统的传递函数，通常有两种方法：一种是先求出分子、分母多项式向量，再将其作为 tf( ) 函数的参数使用；另外一种是先定义 Laplace 算子符号变量，再将传递函数直接赋值给传递函数对象。

例 2-1 将已知系统的传递函数模型 $G(s) = \dfrac{s+1}{s^3 + 3s^2 + 2s}$ 输入到 MATLAB 工作空间中。

解：方法一：在 MATLAB 命令窗口中输入

num = [1 1];　　　　　　%分子多项式向量
den = [1 3 2 0];　　　　　%分母多项式向量
G = tf(num, den)　　　　　%系统传递函数模型

执行后结果如下：

Transfer function：

　　s + 1
----
s^3 + 3 s^2 + 2 s

方法二：在 MATLAB 命令窗口中输入

s = tf('s')　　　　　　　　　　%定义 Laplace 算子符号变量
G = (s + 1)/(s^3 + 3 * s^2 + 2 * s)　%直接给出系统传递函数表达式

执行后结果如下：

Transfer function：

　　s + 1
----
s^3 + 3 s^2 + 2 s

在第一种方法中，如果传递函数不是以"sys = tf(num, den)"的结构形式给出，可以用手工或 conv( ) 函数将传递函数分子、分母转化成多项式，再使用 tf( ) 函数。conv( ) 函数的功能是实现多个多项式相乘的运算，结果为多项式系统的降幂排列，conv( ) 函数可以嵌套使用。第二种方法对多项式形式没有要求，只需要在得到 Laplace 算子符号变量后直接按照原格式输入传递函数，就可以得到系统函数的 MATLAB 表示。可见，如果传递函数不是 sys = tf(num, den)的结构形式，采用第二种方法要比采用第一种方法方便。

例 2-2 已知传递函数模型 $G(s) = \dfrac{10(2s+1)}{s^2(s^2 + 7s + 13)}$，将其输入到 MATLAB 工作空间中。

解：方法一：在 MATLAB 命令窗口中输入

num = conv(10, [2 1]);　　　　　　%分子向量多项式
den = conv([1 0 0], [1 7 13]);　　　%分母向量多项式

G = tf(num，den)　　　　　　　　　% 系统传递函数模型

执行后结果如下：

Transfer function：

　　20 s + 10

----

s^4 + 7 s^3 + 13 s^2

方法二：在 MATLAB 命令窗口中输入

s = tf('s)；　　　　　　　　　　　% 定义 Laplace 算子符号变量

G = 10 * (2 * s + 1)/(s^2 * (s^2 + 7 * s + 13))　% 直接给出系统传递函数表达式

执行后结果如下：

Transfer function：

　　20 s + 10

----

s^4 + 7 s^3 + 13 s^2

例 2-3　*RLC* 电路如图 2-1 所示，试建立以电容上电压 $U_c(t)$ 为输出变量，输入电压 $U_r(t)$ 为输入变量的运动方程；如果 $R = 1.6\Omega$，$L = 1.0H$，$C = 0.40F$ 时，试建立其传递函数模型。

解：第一步：建立系统的微分方程。

设回路电流为 $i(t)$，根据基尔霍夫电压定律和电流定律得到系统的回路方程为

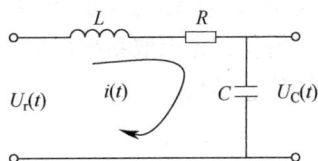

$$u_r(t) = Ri(t) + L\frac{di(t)}{dt} + u_c(t) \tag{2-6}$$

$$i(t) = c\frac{du_c(t)}{dt} \tag{2-7}$$

将式 (2-7) 代入式 (2-6)，消去中间变量 $i(t)$，得到描述 *RLC* 网络输入/输出关系的微分方程为

$$LC\frac{d^2u_c(t)}{dt^2} + RC\frac{du_c(t)}{dt} + u_c(t) = u_r(t) \tag{2-8}$$

第二步：根据微分方程写出传递函数。

在零初始条件下对上述方程中的各项求拉普拉斯变换，并令 $U_c(s) = L[u_c(t)]$，$U_r(s) = L[u_r(t)]$，可得 s 的代数方程为

$$(LCs^2 + RCs + 1)U_c(s) = U_r(s) \tag{2-9}$$

由传递函数定义，得系统传递函数为

$$G(s) = \frac{U_c(s)}{U_r(s)} = \frac{1}{LCs^2 + RCs + 1} \tag{2-10}$$

将 $R = 1.6\Omega$，$L = 1.0H$，$C = 0.40F$ 代入式 (2-10)，得

$$G(s) = \frac{1}{(1.0 \times 0.4)s^2 + (1.6 \times 0.4)s + 1} = \frac{25}{10s^2 + 16s + 25} \tag{2-11}$$

图 2-1　*RLC* 电路

第三步：将系统模型输入到 MATLAB 工作空间中。

程序如下：

```
clear
clc
s = tf('s');                      % 定义 Laplace 算子符号变量
G = 25/(10 * s^2 + 16 * s + 25)   % 直接给出系统传递函数表达式
```

程序运行结果为

Transfer function：

$$\frac{25}{10\ s^2 + 16\ s + 25}$$

例 2-4 某一以微分方程描述系统的传递函数，其微分方程描述如下：

$$\frac{\mathrm{d}y^3(t)}{\mathrm{d}t^3} + 6\frac{\mathrm{d}y^2(t)}{\mathrm{d}t^2} + 11\frac{\mathrm{d}y(t)}{\mathrm{d}t} + 6y(t) = \frac{\mathrm{d}u^2(t)}{\mathrm{d}t^2} + 6u(t)$$

试使用 MATLAB 建立其模型。

解： 首先求取系统传递函数。在零初始条件下，对微分方程两边取拉普拉斯变换，可得系统传递函数：

$$G(s) = \frac{Y(s)}{U(s)} = \frac{s^2 + 6}{s^3 + 6s^2 + 11s + 6}$$

然后建立系统模型，MATLAB 程序如下：

```
num = [1 0 6];          % 分子多项式系数行向量
den = [1 6 11 6];       % 分母多项式系数行向量
G = tf(num, den)        % 建立传递函数模型
```

程序运行结果如下：

Transfer function：

$$\frac{s^2 + 6}{s^3 + 6\ s^2 + 11\ s + 6}$$

例 2-5 已知传递函数的分子项为 $(s+1)$，分母项为 $(s^3 + 4s^2 + 2s + 6)$，时滞为 2，试建立系统的传递函数模型。

解： 方法一：由于系统有时滞项，除设置分子项 num 和分母项 den 外，还要在 tf( ) 函数中设置输入传输延时 'iodelay' 的属性，其值赋给变量 dt，具体的 MATLAB 程序如下：

```
num = [1 1];
den = [1 4 2 6];
dt = 2;
G = tf(num, den, 'iodelay', dt)
```

程序运行结果为

Transfer function：

$$\exp(-2*s) * \frac{s+1}{s^3 + 4 s^2 + 2 s + 6}$$

方法二：也可以采用 Laplace 算子的符号变量直接建立传递函数模型，程序为

s = tf('s');

G = (s + 1)/(s^3 + 4 * s^2 + 2 * s + 6);

set(G, 'iodelay', 2); G

程序运行结果与方法一相同。

2. 零极点增益模型

零极点增益模型是传递函数模型的另一种表现形式，其原理是分别对原系统传递函数的分子、分母进行因式分解处理，获得系统的零点和极点的表示形式。

$$G(s) = K \frac{(s - z_1)(s - z_2)\cdots(s - z_m)}{(s - p_1)(s - p_2)\cdots(s - p_n)} \tag{2-12}$$

式中，K 为系统增益；$z_i (i = 1, 2, \cdots, m)$ 为零点；$p_j (j = 1, 2, \cdots, n)$ 为极点。显然，对系数为实数的传递函数模型来说，系统的零极点或者为实数，或者以共轭复数的形式出现。

离散系统的传递函数也可表示为零极点增益模式：

$$G(z) = K \frac{(z - z_1)(z - z_2)\cdots(z - z_m)}{(z - p_1)(z - p_2)\cdots(z - p_n)} \tag{2-13}$$

在 MATLAB 中，零极点增益模型用 $[z, p, k]$ 矢量组表示，即

z = [z1, z2, \cdots, zm]

p = [p1, p2, \cdots, pn]

k = [K]

调用 zpk( ) 函数就可以输入这个零极点增益模型，还可以将传递函数模型或者状态空间模型转换为零极点增益模型。zpk( ) 函数的具体用法见表 2-2。

表 2-2 zpk( ) 函数的具体用法

函 数 用 法	函数功能说明
sys = zpk(z, p, k)	得到连续系统的零极点增益模型
sys = zpk(z, p, k, Ts)	得到连续系统的零极点增益模型，采样时间为 Ts
s = zpk('s')	得到 Laplace 算子，按原格式输入系统，得到系统的 zpk 模型
z = zpk('z', Ts)	得到 z 变换算子和采样时间 Ts，按原格式输入系统，得到系统的 zpk 模型
[z, p, k] = zpkdata(sys, 'v')	得到系统的零极点和增益，参数 'v' 表示以向量形式表示
[p, z] = pzmap(sys)	返回系统零极点
pzmap(sys)	得到系统零极点分布图

例 2-6 双 T 网络如图 2-2 所示，试求以 u_C 为输出、u_r 为输入的传递函数和零极点增益模型。其中 $R_1 = 40\Omega$、$R_2 = 80\Omega$、$C_1 = 100\mu F$、$C_2 = 50\mu F$。

解： 首先，根据基尔霍夫电压定律和电流定律建立各元件的微分方程。方程如下：

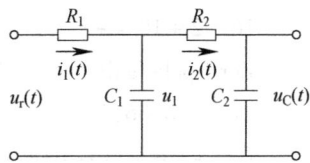

图 2-2 双 T 网络

$$\begin{cases} i_1(t) = \dfrac{u_r(t) - u_1(t)}{R_1} \\[2mm] u_1(t) = \dfrac{1}{C_1}\displaystyle\int (i_1(t) - i_2(t)) \, \mathrm{d}t \\[2mm] i_2(t) = \dfrac{u_1(t) - u_c(t)}{R_2} \\[2mm] u_c(t) = \dfrac{1}{C_2}\displaystyle\int i_2(t) \, \mathrm{d}t \end{cases} \qquad (2\text{-}14)$$

再求取系统传递函数。将式（2-14）中各元件的微分方程进行拉普拉斯变换，并改写成以下形式：

$$\begin{cases} [u_r(s) - u_1(s)]\dfrac{1}{R_1} = I_1(s) \\[2mm] [I_1(s) - I_2(s)]\dfrac{1}{sC_1} = u_1(s) \\[2mm] [u_1(s) - u_c(s)]\dfrac{1}{R_2} = I_2(s) \\[2mm] I_2(s)\dfrac{1}{sC_2} = u_c(s) \end{cases} \qquad (2\text{-}15)$$

消去中间变量 $I_1(s)$ 和 $I_2(s)$，得到系统的传递函数为

$$G(s) = \frac{U_r(s)}{U_C(s)} = \frac{1}{R_1 C_1 R_2 C_2 s^2 + (R_1 C_1 + R_2 C_2 + R_1 C_2)s + 1} \qquad (2\text{-}16)$$

将 $R_1 = 40\Omega$，$R_2 = 80\Omega$，$C_1 = 100\mu F$，$C_2 = 50\mu F$ 代入式（2-16），可得系统的传递函数为

$$G(s) = \frac{U_r(s)}{U_C(s)} = \frac{1}{16s^2 + 10s + 1}$$

最后，编写 MATLAB 程序。程序如下：

```
num = [1];
den = [16 10 1];
G = tf(num,den)
G1 = zpk(G)
```

运行后，可获得系统的传递函数和零极点增益模型，结果为

Transfer function：

```
        1
---------------------
16 s^2 + 10 s + 1
```

Zero/pole/gain：

```
        0.0625
----------------------------
(s + 0.5)(s + 0.125)
```

例 2-7　已知系统的传递函数为 $G(s) = \dfrac{7s^2 + 2s + 8}{4s^3 + 12s^2 + 4s + 2}$，将零极点增益模型输入 MAT-

LAB 工作空间。

解：在 MATLAB 的命令窗口输入

```
z1 = [ -5; -5];                          %零点向量
p1 = [ -1; -2; -2 - 2 * j; -2 + 2 * j];  %极点向量
k = 4;                                   %增益向量
G1 = zpk( z1, p1, k)                     %得到系统的零极点增益模型
```

执行后得到的结果如下：

Zero/pole/gain：

$$
\frac{4\ (s+5)^2}{(s+1)(s+2)(s^2+4s+8)}
$$

例 2-8　已知系统的传递函数为 $G(s) = \dfrac{4(s+5)}{(s+1)(s+2)(s+6)}$，求系统的零极点向量和

增益值，并绘制系统的零极点分布图。

解：在 MATLAB 的命令窗口输入

```
s = zpk( 's');                           %定义算子
G = 4 * ( s + 5)/( s + 1)/( s + 2)/( s + 6)   %直接得到系统模型
[ z, p, k] = zpkdata( G, 'v')            %得到系统的零极点向量和增益值
pzmap( G)                                %绘制系统的零极点分布图
```

执行后得到的系统传递函数及零极点向量和增益值如下：

Zero/pole/gain：

$$
\frac{4\ (s+5)}{(s+1)(s+2)(s+6)}
$$

```
z =    -5
p =    -1
       -2
       -6
k =    4
```

同时可得到系统的零极点分布图，如图 2-3
所示。

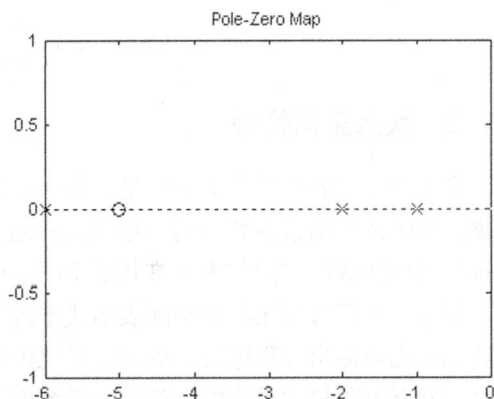

图 2-3　系统的零极点分布图

3. 部分分式模型

控制系统的传递函数还可以用部分分式之和的形式表示，便于应用拉普拉斯反变换求系统的输出响应。在 MATLAB 中，利用函数 $[r, p, k] = \text{residue}(b, a)$ 可以求出传递函数的部分分式之和形式。

传递函数的部分分式之和形式为

$$G(s) = K \sum_{i=1}^{n} \frac{r_i}{(s - p_i)} + h(s) \tag{2-17}$$

使用函数 $[r,p,k] = \text{residue}(b,a)$ 时，余数返回到向量 r，极点返回到列向量 p，常数项返回到 k。另外，函数 $[b,a] = \text{residue}(r,p,k)$ 也可以将部分分式转化为多项式比 $p(s)/q(s)$。

例 2-9 已知系统的传递函数为 $G(s) = \dfrac{2s^3 + 9s + 1}{s^3 + s^2 + 4s + 4}$，求取系统的部分分式模型。

解：在 MATLAB 命令窗口中输入

num = [2,0,9,1];
den = [1,1,4,4];
[r,p,k] = residue(num,den)

执行后得到的结果如下：

r =

　　0.0000 - 0.2500i

　　0.0000 + 0.2500i

　　-2.0000

p =

　　-0.0000 + 2.0000i

　　-0.0000 - 2.0000i

　　-1.0000

k =

　　2

根据 MATLAB 程序的运行结果，可写出系统的部分分式模型：

$$G(s) = 2 + \frac{-0.25i}{s - 2i} + \frac{0.25i}{s + 2i} + \frac{-2}{s + 1}$$

2.1.2　状态空间模型

系统中存在着若干个动态信息，称为状态。在表征系统动态信息的所有变量中，能够完全描述系统运行的最少数目的一组独立变量（不唯一）称为系统的状态向量。以 n 维状态变量为基所构成的空间称为 n 维状态空间。由状态向量表征的模型称为状态空间模型。

任何系统都可以用状态空间表达式来进行数学描述，状态空间表达式（又称动态方程）由状态方程与输出方程组成，揭示了系统内部状态对系统性能的影响。与传递函数模型不同的是，状态方程描述更广的一类控制系统模型，包括非线性系统和时变系统等。

具有 n 个状态、m 个输入和 p 个输出的线性时不变系统，状态空间模型即状态空间表达式为

$$\begin{cases} \dot{x} = Ax + Bu \\ y = Cx + Du \end{cases} \tag{2-18}$$

对于一个时不变系统，A、B、C、D 都是常数矩阵。

状态向量 $x(t)$ 是 n 维，输入向量 $u(t)$ 是 m 维，输出向量 $y(t)$ 是 p 维；状态矩阵 A（又称系统矩阵）是 $n \times n$ 方阵，输入矩阵 B（又称控制矩阵）是 $n \times m$ 矩阵，输出矩阵 C

是 $p \times n$ 矩阵，直接传输矩阵 $\boldsymbol{D}$ 是 $p \times m$ 矩阵。

离散系统的状态空间模型为

$$x(k+1) = \boldsymbol{A}x(k) + \boldsymbol{B}u(k)$$
$$y(k) = \boldsymbol{C}x(k) + \boldsymbol{D}u(k) \tag{2-19}$$

式中，u、x、y 分别为控制输入向量、状态向量、输出向量；k 表示采样点，$\boldsymbol{A}$ 为状态矩阵，由控制对象的参数决定；$\boldsymbol{B}$ 为控制矩阵；$\boldsymbol{C}$ 为输出矩阵；$\boldsymbol{D}$ 为直接传输矩阵。

在 MATLAB 中，用函数 ss( ) 来建立控制系统的状态空间模型。连续系统和离散系统状态空间模型的建立有所区别。ss( ) 函数的具体用法见表 2-3。另外，要得到状态空间模型，还可以从传递函数模型或者零极点模型转换过来。

表 2-3　ss( ) 函数的具体用法

函 数 用 法	函数功能说明
sys = ss(A,B,C,D)	由 $\boldsymbol{A}$、$\boldsymbol{B}$、$\boldsymbol{C}$、$\boldsymbol{D}$ 矩阵直接得到连续系统状态空间模型
sys = ss(A,B,C,D,Ts)	由 $\boldsymbol{A}$、$\boldsymbol{B}$、$\boldsymbol{C}$、$\boldsymbol{D}$ 矩阵和采样时间 Ts 直接得到离散系统状态空间模型
[A,B,C,D] = ssdata(sys)	得到连续系统参数
[A,B,C,D,Ts] = ssdata(sys)	得到离散系统参数

例 2-10　RLC 电路如图 2-1 所示，$u_r(t)$ 为输入，$u_c(t)$ 为输出，若选择 $i(t)$，$u_c(t)$ 为状态变量，试建立系统的状态空间模型，并用 MATLAB 实现。

解：第一步：求取系统的状态空间模型。由图 2-1 可列出系统微分方程：

$$\frac{di(t)}{dt} = -\frac{R}{L}i(t) - \frac{1}{L}u_c(t) + \frac{1}{L}u_r(t) \tag{2-20}$$

$$\frac{du_c(t)}{dt} = \frac{1}{C}i(t) \tag{2-21}$$

$$u_c(t) = u_c(t) \tag{2-22}$$

写成矩阵形式：

$$\begin{cases} \begin{bmatrix} \dfrac{di(t)}{dt} \\[2mm] \dfrac{du_c(t)}{dt} \end{bmatrix} = \begin{bmatrix} -\dfrac{R}{L} & -\dfrac{1}{L} \\[2mm] \dfrac{1}{C} & 0 \end{bmatrix} \begin{bmatrix} i(t) \\ u_c(t) \end{bmatrix} + \begin{bmatrix} \dfrac{1}{L} \\ 0 \end{bmatrix} u_r(t) \\[6mm] u_c(t) = \begin{bmatrix} 0 & 1 \end{bmatrix} \begin{bmatrix} i(t) \\ u_c(t) \end{bmatrix} \end{cases} \tag{2-23}$$

若选择 $y = u_c(t)$，$\boldsymbol{x} = \begin{bmatrix} i(t) \\ u_c(t) \end{bmatrix}$，则系统的状态空间模型为

$$\begin{cases} \dot{x} = \boldsymbol{A}x + \boldsymbol{b}u \\ y = \boldsymbol{c}x \end{cases} \tag{2-24}$$

式中，$\boldsymbol{A} = \begin{bmatrix} -\dfrac{R}{L} & -\dfrac{1}{L} \\[2mm] \dfrac{1}{C} & 0 \end{bmatrix}$；　$\boldsymbol{b} = \begin{bmatrix} \dfrac{1}{L} \\ 0 \end{bmatrix}$；　$\boldsymbol{c} = \begin{bmatrix} 0 & 1 \end{bmatrix}$。

将 $R=1.6\Omega$，$L=1.0\text{H}$，$C=0.40\text{F}$ 代入，得

$$A=\begin{bmatrix} -\dfrac{R}{L} & -\dfrac{1}{L} \\[2mm] \dfrac{1}{C} & 0 \end{bmatrix}=\begin{bmatrix} -\dfrac{1.6}{1.0} & -\dfrac{1}{1.0} \\[2mm] \dfrac{1}{0.4} & 0 \end{bmatrix}=\begin{bmatrix} -16 & -1 \\ 2.5 & 0 \end{bmatrix}$$

$$b=\begin{bmatrix} \dfrac{1}{L} \\[2mm] 0 \end{bmatrix}=\begin{bmatrix} \dfrac{1}{1.0} \\[2mm] 0 \end{bmatrix}=\begin{bmatrix} 1 \\ 0 \end{bmatrix}$$

$$c=\begin{bmatrix} 0 & 1 \end{bmatrix}$$

则系统的状态空间模型为

$$\begin{cases} \dot{x}=Ax+bu=\begin{bmatrix} -16 & -1 \\ 2.5 & 0 \end{bmatrix}x+\begin{bmatrix} 1 \\ 0 \end{bmatrix}u \\ y=cx=\begin{bmatrix} 0 & 1 \end{bmatrix}x \end{cases} \tag{2-25}$$

第二步：MATLAB 实现。在 MATLAB 命令窗口中输入

A = [-16 -1;25 0];   %给状态矩阵 **A** 赋值
B = [1;0];   %给输入矩阵 **B** 赋值
C = [0 1];   %给输出矩阵 **C** 赋值
D = [0];   %给前馈矩阵 **D** 赋值
G = ss(A,B,C,D)   %输入并显示系统状态空间模型

执行后得到如下结果：

a =
          x1   x2
   x1   -16   -1
   x2   25   0
b =
          u1
   x1   1
   x2   0
c =
          x1   x2
   y1   0   1
d =
          u1
   y1   0

Continuous-time model.

例 2-11 将如下系统的状态空间模型输入到 MATLAB 工作空间中。

$$\dot{x}(t)=\begin{bmatrix} 6 & 5 & 4 \\ 1 & 0 & 0 \\ 0 & 1 & 0 \end{bmatrix}x(t)+\begin{bmatrix} 1 \\ 0 \\ 0 \end{bmatrix}u(t) \qquad y(t)=\begin{bmatrix} 0 & 6 & 7 \end{bmatrix}x(t)$$

解：在 MATLAB 命令窗口中输入

A = [6 5 4;1 0 0;0 1 0]; B = [1;0;0];

C = [0 6 7]; D = [0];

G = ss(A,B,C,D)　　　　　　　　　　%输入并显示系统状态空间模型

执行后得到如下结果：

a =

```
        x1   x2   x3
   x1    6    5    4
   x2    1    0    0
   x3    0    1    0
```

b =

```
        u1
   x1    1
   x2    0
   x3    0
```

c =

```
        x1   x2   x3
   y1    0    6    7
```

d =

```
        u1
   y1    0
```

Continuous-time model.

例 2-12　将如下一个两输入两输出系统的状态空间模型输入到 MATLAB 工作空间中，并求其系统参数。

$$\dot{x} = \begin{bmatrix} 1 & 6 & 9 & 10 \\ 3 & 12 & 6 & 8 \\ 4 & 7 & 9 & 11 \\ 5 & 12 & 13 & 14 \end{bmatrix} x + \begin{bmatrix} 4 & 6 \\ 2 & 4 \\ 2 & 2 \\ 1 & 0 \end{bmatrix} u \qquad y = \begin{bmatrix} 0 & 0 & 2 & 1 \\ 8 & 0 & 2 & 2 \end{bmatrix} x$$

解：首先，在 MATLAB 命令窗口中输入以下程序，将状态空间模型输入到 MATLAB 工作空间：

A = [1 6 9 10; 3 12 6 8; 4 7 9 11; 5 12 13 14];

B = [4 6; 2 4; 2 2; 1 0]; C = [0 0 2 1; 8 0 2 2];

D = zeros(2,2);　　　　　　　　　　%**D** 为一个 2×2 的零方阵

Gss = ss(A,B,C,D)　　　　　　　　　%得到系统状态空间模型

程序执行后结果如下：

a =

```
        x1   x2   x3   x4
   x1    1    6    9   10
   x2    3   12    6    8
```

```
    x3    4    7    9    11
    x4    5   12   13    14
b =
         u1   u2
    x1    4    6
    x2    2    4
    x3    2    2
    x4    1    0
c =
         x1   x2   x3   x4
    y1    0    0    2    1
    y2    8    0    2    2
d =
         u1   u2
    y1    0    0
    y2    0    0
```

Continuous-time model.

然后在 MATLAB 命令窗口输入以下语句, 可获取系统模型参数:

$[A,B,C,D] = ssdata(Gss)$

执行后结果如下:

```
A =
     1     6     9    10
     3    12     6     8
     4     7     9    11
     5    12    13    14
B =
     4     6
     2     4
     2     2
     1     0
C =
     0     0     2     1
     8     0     2     2
D =
     0     0
     0     0
```

在 MATLAB 命令窗口中输入以下语句还可获得所有参数的属性值:

get(Gss)

执行后结果如下:

$$a: \begin{bmatrix} 4\text{x}4 & \text{double} \end{bmatrix}$$
$$b: \begin{bmatrix} 4\text{x}2 & \text{double} \end{bmatrix}$$
$$c: \begin{bmatrix} 2\text{x}4 & \text{double} \end{bmatrix}$$
$$d: \begin{bmatrix} 2\text{x}2 & \text{double} \end{bmatrix}$$
$$e: [\ ]$$
$$\text{StateName}: \{4\text{x}1 \ \text{cell}\}$$
$$\text{InternalDelay}: [0\text{x}1 \ \text{double}]$$
$$\text{Ts}: 0$$
$$\text{InputDelay}: [2\text{x}1 \ \text{double}]$$
$$\text{OutputDelay}: [2\text{x}1 \ \text{double}]$$
$$\text{InputName}: \{2\text{x}1 \ \text{cell}\}$$
$$\text{OutputName}: \{2\text{x}1 \ \text{cell}\}$$
$$\text{InputGroup}: [1\text{x}1 \ \text{struct}]$$
$$\text{OutputGroup}: [1\text{x}1 \ \text{struct}]$$
$$\text{Name}: "$$
$$\text{Notes}: \{\}$$
$$\text{UserData}: [\ ]$$

2.2　控制系统模型的转换及连接

2.2.1　模型转换函数

在实际工程中，解决自动控制问题所需要的数学模型与该问题所给定的已知数学模型往往不一致，或者要解决问题最简单而又最方便的方法所用到的数学模型与该问题所给定的已知数学模型不同，此时就要对控制系统的数学模型进行转换了。

同一个控制系统都可用传递函数模型、零极点模型和状态空间模型中的一种表示，这 3 种模型之间也可以进行相互转换。MATLAB 的信号处理和控制系统工具箱中提供了模型转换的函数：ss2tf( )、ss2zp( )、tf2ss( )、tf2zp( )、zp2ss( )、zp2tf( )，它们的关系可用图 2-4 所示的结构来表示。数学模型转换函数及其功能见表 2-4。

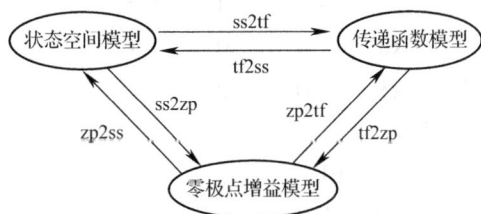

图 2-4　系统模型转换

表 2-4　数学模型转换函数及其功能

函　数	函数功能说明
ss2tf( )	将系统状态空间模型转换为传递函数模型
ss2zp( )	将系统状态空间模型转换为零极点增益模型
tf2ss( )	将系统传递函数模型转换为状态空间模型
tf2zp( )	将系统传递函数模型转换为零极点增益模型

（续）

函　　数	函数功能说明
zp2ss( )	将系统零极点增益模型转换为状态空间模型
zp2tf( )	将系统零极点增益模型转换为传递函数模型
residue( )	传递函数模型与部分分式模型互换

例 2-13　已知系统的传递函数为 $G(s) = \dfrac{9}{(s^2 + 4s + 4)(s + 3)}$，试求其零极点增益模型及状态空间模型。

解： 在 MATLAB 命令窗口中输入

num = [9]；den = conv([1　3]，[1　4　4])；

Gtf = tf(num，den)；

Gzpk = zpk(Gtf)

Gss = ss(Gtf)

执行后结果如下：

Transfer function：

$$\frac{9}{s^3 + 7 s^2 + 16 s + 12}$$

Zero/pole/gain：

$$\frac{9}{(s + 3)(s + 2)^2}$$

a =

	x1	x2	x3
x1	−7	−4	−1.5
x2	4	0	0
x3	0	2	0

b =

	u1
x1	1
x2	0
x3	0

c =

	x1	x2	x3
y1	0	0	1.125

d =

	u1
y1	0

Continuous – time model.

例 2-14　已知某系统的零极点增益模型为 $G(s) = \dfrac{3(s+1)(s+2)}{(s+3)(s+5)}$，求其传递函数模型及状态空间模型。

解： 在 MATLAB 命令窗口中输入

```
z = [ -1; -2];                 % 零点向量
p = [ -3  -5]';                % 极点向量
k = 3;                         % 增益
Gzpk = zpk(z,p,k)             % 零极点模型
[a,b,c,d] = zp2ss(z,p,k)      % 将零极点模型转换为状态空间模型
[num,den] = zp2tf(z,p,k)      % 由零极点模型得到传递函数的分子向量和分母向量
```

执行后结果如下：

Zero/pole/gain:

3 (s + 1) (s + 2)

(s + 3) (s + 5)

a =

　　 -8.0000　 -3.8730

　　 3.8730　　　 0

b =

　　 1

　　 0

c =

　　 -15.0000　 -10.0698

d =

　　 3

num =

　　 3　　 9　　 6

den =

　　 1　　 8　　 15

例 2-15　将双输入单输出的系统模型转换为多项式传递函数模型。

$$\dot{x}(t) = \begin{bmatrix} 0 & 1 \\ -3 & -2 \end{bmatrix} x(t) + \begin{bmatrix} 1 & 0 \\ 0 & 1 \end{bmatrix} u(t)$$

$$y = \begin{bmatrix} 1 & 0 \end{bmatrix} x(t) + \begin{bmatrix} 0 & 0 \end{bmatrix} u(t)$$

解： 在 MATLAB 命令窗口中输入

```
a = [0 1; -3 -2]; b = [1 0;0 1]; c = [1 0]; d = [0 0];
[num,den] = ss2tf(a,b,c,d,1)
[num2,den2] = ss2tf(a,b,c,d,2)
Gss = ss(a,b,c,d);
```

Gtf = tf(Gss)

执行后得到如下结果：

num =

            0   1. 0000   2. 0000

den =

        1. 0000   2. 0000   3. 0000

num2 =

            0   0   1. 0000

den2 =

        1. 0000   2. 0000   3. 0000

Transfer function from input 1 to output：

    s +2

\-\-\-\-\-\-\-\-\-\-\-\-\-\-\-

s^2 +2 s +3

Transfer function from input 2 to output：

    1

\-\-\-\-\-\-\-\-\-\-\-\-\-\-\-

s^2 +2 s +3

例 2-16　造纸工业中的一加压液流箱系统的状态变量是箱中的液位 $h(t)$ 与料浆的总压头 $H(t)$，输入变量是料浆流入量 $u_1(t)$ 与空气流入量 $u_2(t)$，输出变量是状态变量 $H(t)$ 与 $h(t)$ 的和。系统状态空间模型为

$$\begin{bmatrix}\dot{H}(t)\\\dot{h}(t)\end{bmatrix}=\begin{bmatrix}-0.5620 & 0.05114\\-0.254 & 0\end{bmatrix}\begin{bmatrix}H(t)\\h(t)\end{bmatrix}+\begin{bmatrix}0.03247 & 1.145\\0.112541 & 0\end{bmatrix}\begin{bmatrix}u_1(t)\\u_2(t)\end{bmatrix}$$

$$y(t)=\begin{bmatrix}1 & 1\end{bmatrix}\begin{bmatrix}H(t)\\h(t)\end{bmatrix}+\begin{bmatrix}0 & 0\end{bmatrix}\begin{bmatrix}u_1(t)\\u_2(t)\end{bmatrix}$$

试求系统的状态空间模型、传递函数模型及零极点增益模型。

解： 由系统的状态空间模型，编写如下 MATLAB 程序：

a = [-0. 5620 0. 05114; -0. 254 0]; b = [0. 03247 1. 145;0. 112541 0];

c = [1 1]; d = [0 0]; G = ss(a,b,c,d);

G1 = tf(G);

G2 = zpk(G);

运行后结果如下：

a =

            x1   x2

   x1   -0. 562 0. 05114

   x2   -0. 254   0

b =

```
              u1         u2
      x1   0.03247    1.145
      x2   0.1125       0
c =
          x1   x2
    y1    1    1
d =
        u1   u2
    y1   0    0
```

Continuous – time model.

Transfer function from input 1 to output：　　% 系统从 u_1 到 y 的传递函数模型

0. 145 s + 0. 06076

----

s^2 + 0. 562 s + 0. 01299

Transfer function from input 2 to output：　　% 系统从 u_2 到 y 的传递函数模型

1. 145 s – 0. 2908

----

s^2 + 0. 562 s + 0. 01299

Zero/pole/gain from input 1 to output：　　% 系统从 u_1 到 y 的零极点增益模型

0. 14501 (s + 0. 419)

(s + 0. 5378) (s + 0. 02415)

Zero/pole/gain from input 2 to output：　　% 系统从 u_2 到 y 的零极点增益模型

1. 145 (s – 0. 254)

(s + 0. 5378) (s + 0. 02415)

2.2.2　模型连接与化简

在实际应用中，整个控制系统是由多个环节按一定的结构组合而成的，每一个环节都可建立自己独立的数学模型。因此，控制系统的数学模型可由组成系统的环节模型进行相应的数学运算而获得，当构成系统的环节不同或环节的连接方式不同时，都将影响到系统的数学模型。

模型间的基本连接方式主要有串联连接、并联连接和反馈连接 3 种。对系统的复杂连接情况，可以进行模型的化简。MATLAB 中提供了 3 个函数 series( )、parallel( )、feedback( )，实现上述 3 种连接方式的等效传递函数的求取。系统模型函数及功能说明见表 2-5。

表 2-5　系统模型函数及功能说明

函 数 用 法	函数功能说明
sys = parallel(sys1 , sys2)	两个系统并联，等效模型为 sys = sys1 + sys2
sys = parallel(sys1 , sys2 , inp1 , inp2 , out1 , out2)	对 MIMO 系统，表示 sys1 的输入 inp1 与 sys2 的输入 inp2 相连，sys1 的输出 out1 与 sys2 的输出 out2 相连

（续）

函 数 用 法	函数功能说明
sys = series(sys1, sys2)	两个系统串联，等效模型为 sys = sys2 * sys1
sys = feedback(sys1, sys2)	两系统负反馈连接，默认格式
sys = feedback(sys1, sys2, sign)	sign = -1 表示负反馈，sign = 1 表示正反馈 等效模型为 sys = sys1/(1 ± sys1 * sys2)

1. 模型串联

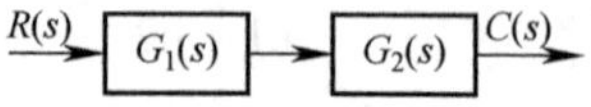

若控制系统由几个环节串联而成，即环节按照信号传递的方向串联在一起（见图 2-5），并且各环节之间没有负载效应和返回影响，则系统可以等效为一个环节，其等效传递函数为各环节传递函数的乘积，即 $G(s) = \dfrac{C(s)}{R(s)} = G_1(s) G_2(s)$。在 MATLAB 中，series( ) 函数可完成等效传递函数的求取。

图 2-5 串联连接结构

例 2-17 已知两个系统的传递函数 $G_1(s) = \dfrac{10}{20s^2 + s}$ 和 $G_2(s) = \dfrac{s + 1}{s^2 + 6s + 1}$，求其 $G_1(s)$ 和 $G_2(s)$ 进行串联后的系统模型。

解： MATLAB 程序为

num1 = [10]; den1 = [20 1 0];

num2 = [1 1]; den2 = [1 6 1];

[num, den] = series(num1, den1, num2, den2);

printsys(num, den)   %将系统模型写成"num/den"格式

程序运行后的结果为

num/den =

            10 s + 10

----

   20 s^4 + 121 s^3 + 26 s^2 + s

2. 模型并联

若组成控制系统的环节具有相同的输入信号，且各环节输出信号的代数和作为系统的输出，则这几个环节的连接方式为并联，如图 2-6 所示，此时系统可等效为一个环节，其等效传递函数为各环节传递函数的和，即 $G(s) = \dfrac{C(s)}{R(s)} = G_1(s) + G_2(s)$。在 MATLAB 中，parallel( ) 函数可完成等效传递函数的求取。

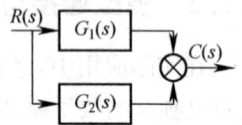

图 2-6 并联连接结构

例 2-18 已知两个系统的传递函数 $G_1(s) = \dfrac{10}{20s^2 + s}$ 和 $G_2(s) = \dfrac{s + 1}{s^2 + 6s + 1}$，求 $G_1(s)$ 和 $G_2(s)$ 进行并联后的系统模型。

解： MATLAB 的程序为

num1 = [10]; den1 = [20 1 0];

num2 = [1 1]; den2 = [1 6 1];

[num,den] = parallel(num1,den1,num2,den2);

printsys(num,den)

程序运行后的结果为

num/den =

$$\frac{20\ s^3 + 31\ s^2 + 61\ s + 10}{20\ s^4 + 121\ s^3 + 26\ s^2 + s}$$

3. 反馈连接

在自动控制系统中，若两个环节具有如图 2-7 所示的结构形式，则称为反馈连接。反馈连接是重要的连接方式之一。对于图 2-7a 所示的正反馈系统，其等效传递函数 $\varPhi(s) = \dfrac{G(s)}{1 - G(s)H(s)}$；

对于图 2-7b 所示的负反馈系统，其等

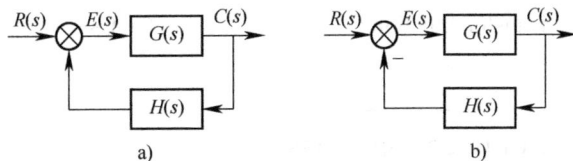

图 2-7 反馈连接结构

a）正反馈连接 b）负反馈连接

效传递函数 $\varPhi(s) = \dfrac{G(s)}{1 + G(s)H(s)}$。在 MATLAB 中，feedback( )函数可用于计算闭环传递函数。

例 2-19 已知系统 $G_1(s) = \dfrac{s+1}{s^2 + 4s + 26}$ 和 $G_2(s) = \dfrac{1}{s+6}$，求 $G_1(s)$ 和 $G_2(s)$ 分别进行串联、并联和反馈连接后的系统模型。

解：由系统的传递函数模型编写 MATLAB 程序，程序 1 如下：

num1 = [1 1]; den1 = [1 4 26]; G1 = tf(num1,den1);

num2 = 1; den2 = [1 6]; G2 = tf(num2,den2);

Gs = series(G1,G2),   % 求取 $G_1(s)$ 和 $G_2(s)$ 串联的等效传递函数

Gp = parallel(G1,G2),   % 求取 $G_1(s)$ 和 $G_2(s)$ 并联的等效传递函数

Gf = feedback(G1,G2)   % 求取负反馈的等效传递函数，前向通道传递函数为 $G_1(s)$，

                           % 反馈通道传递函数为 $G_2(s)$

程序 1 执行后的结果如下：

Transfer function：   % 串联等效传递函数为 $G_s = G_1(s) * G_2(s)$

$$\frac{s+1}{s^3 + 10\ s^2 + 50\ s + 156}$$

Transfer function：   % 并联等效传递函数为 $G_p = G_1(s) + G_2(s)$

$$\frac{2\ s^2 + 11\ s + 32}{s^3 + 10\ s^2 + 50\ s + 156}$$

Transfer function：   % 反馈等效传递函数为 $G_f = G_1 / (1 + G_1 * G_2)$

$$s^2 + 7 s + 6$$

$$s^3 + 10 s^2 + 51 s + 157$$

本例还可以用如下程序（程序 2）完成：

num1 = [1 1]; den1 = [1 4 26]; G1 = tf(num1,den1);

num2 = 1; den2 = [1 6]; G2 = tf(num2,den2);

Gs = G2 * G1, Gp = G1 + G2, Gf = G1/(1 + G1 * G2)

程序 2 执行后的结果为

Transfer function：   % Gs

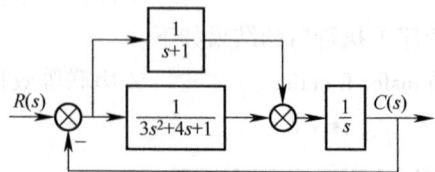

$$s + 1$$

$$s^3 + 10 s^2 + 50 s + 156$$

Transfer function：   % Gp

$$2 s^2 + 11 s + 32$$

$$s^3 + 10 s^2 + 50 s + 156$$

Transfer function：   % Gf

$$s^4 + 11 s^3 + 60 s^2 + 206 s + 156$$

$$s^5 + 14 s^4 + 117 s^3 + 621 s^2 + 1954 s + 4082$$

程序 2 执行后的结果 G_f 与程序 1 执行后的结果 G_f 的表达式不同，这是因为程序 2 的 G_f 分子和分母存在公约项，这里可用函数 Gf = minreal(Gf) 来获得系统的最小实现模型。

说明：对于反馈连接，虽然运算式与 feedback( ) 函数等效，但得到的系统阶次可能高于实际系统阶次，需通过 minreal( ) 函数进一步求其最小实现。严格意义上的传递函数定义为经过零极点对消之后的输入-输出关系，当分子、分母有公因式时，必须消除。

minreal( )函数，即最小实现是一种模型的实现，它消除了模型中过多的或不必要的状态。对传递函数或零极点增益模型，这等价于将可彼此对消的零极点对进行对消。

例 2-20　给定一个多回路控制系统的结构框图如图 2-8 所示，试求系统的传递函数。

解：方法一：在 MATLAB 命令窗口中输入

G1 = tf(1,[1 1]); G2 = tf(1,[3 4 1]);

Gp = G1 + G2;

G3 = tf(1,[1 0]); Gs = series(G3,Gp);

Gc = Gs/(1 + Gs);

Gc1 = minreal(Gc)

执行结果为

Transfer function：

图 2-8　例 2-20 多回路控制系统的结构框图

$$s + 0.6667$$

$$s^3 + 1.333\ s^2 + 1.333\ s + 0.6667$$

方法二：新建一个空的 M 文件，将上述程序写在 Editor 窗口中，完成后单击"Run"图标或选择 Debug 菜单栏中的 Run 运行，打开"Workspace"窗口中相应的变量，即可看到运行结果。例如，打开变量 Gc，可看到

Transfer function：

$$9\ s^6 + 36\ s^5 + 56\ s^4 + 42\ s^3 + 15\ s^2 + 2\ s$$

$$9\ s^8 + 42\ s^7 + 88\ s^6 + 112\ s^5 + 95\ s^4 + 52\ s^3 + 16\ s^2 + 2\ s$$

打开变量 Gc1，可看到

Transfer function：

$$s + 0.6667$$

$$s^3 + 1.333\ s^2 + 1.333\ s + 0.6667$$

2.3　控制系统建模工程实例

例 2-21　组合机床动力滑台铣平面时的情况如图 2-9a 所示，试分析并求该系统的微分方程和传递函数。

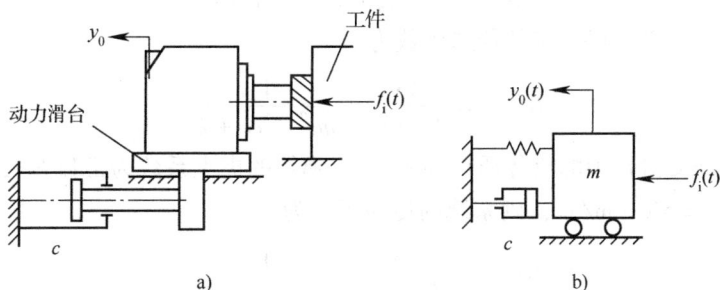

图 2-9　例 2-21 中组合机床动力滑台及其力学模型

a）动力滑台　b）动力滑台力学模型

解：第一步：建立系统的微分方程并求取系统的传递函数。

任何一个机械振动系统一般都由若干具有不同弹性和质量的元件组成。在研究机械振动时，需要将实际的振动系统抽象为力学模型，这是一种简化过程。

在机械系统中，有些部件具有较大的惯性和刚度，而另一些部件则惯性较小、柔性较大。我们将前一类部件的弹性忽略，将相对变形小而惯性大的元件（如重物和机身等）看成没有弹性的质量，将其视为质量块；而把后一类部件的惯性忽略，将弹件变形比较大而质量较小的元件（如钢丝绳或细长横梁等）看成是没有质量的弹簧。这样，在机械系统中以各种形式出现的物理现象就可以用质量、弹性和阻尼这三个理想化的要素来描述，再通过牛顿第二定律将质量—弹簧—阻尼系统中的运动（位移、速度和加速度）与力联系起来，建

立机械系统的动力学方程，即机械系统的微分方程。

分析图 2-9a 所示组合机床动力滑台铣平面时的情况，当切削刀 $f_i(t)$ 变化时，滑台可能产生振动，从而降低被加工工件的表面质量。为了分析和研究这个系统，设动力滑台的质量为 m，液压缸的刚度为 k，粘性阻尼系数为 c，输入切削力为 $f_i(t)$，$y_o(t)$ 为输出位移，若不计动力滑台与支承之间的摩擦，可将动力滑台连同铣刀抽象成图 2-9b 所示的质量—弹簧—阻尼系统的力学模型。

牛顿定律、虎克定律等物理定律是建立机械系统数学模型的基础。根据牛顿第二定律知

$$\sum F = ma \tag{2-26}$$

可得

$$f_i(t) - c\frac{\mathrm{d}y_o(t)}{\mathrm{d}t} - ky_o(t) = m\frac{\mathrm{d}^2 y_o(t)}{\mathrm{d}t^2} \tag{2-27}$$

将输出变量项写在等号的左边，将输入变量项写在等号的右边，并将各阶导数项按降幂排列，得

$$m\frac{\mathrm{d}^2 y_o(t)}{\mathrm{d}t^2} + c\frac{\mathrm{d}y_o(t)}{\mathrm{d}t} + ky_o(t) = f_i(t) \tag{2-28}$$

式（2-28）就是组合机床动力滑台铣平面时的机械系统的数学模型，即动力微分方程。

第二步：根据微分方程写出传递函数。

在零初始条件下，对式（2-28）中的各项求拉普拉斯变换，并令 $F_i(s) = L[f_i(t)]$，$Y_o(s) = L[y_o(t)]$，可得 s 的代数方程为

$$(ms^2 + cs + k)Y_o(s) = F_i(s) \tag{2-29}$$

由传递函数的定义，得系统的传递函数为

$$G(s) = \frac{Y_o(s)}{F_i(s)} = \frac{1}{ms^2 + cs + k} \tag{2-30}$$

若组合机床动力滑台中的物体质量 $m = 1\mathrm{kg}$，弹簧的虎克系数为常数 $k = 20\mathrm{N/m}$，粘性阻尼系数也为常数 $c = 5\mathrm{N/(m/s)}$，则系统的传递函数为

$$G(s) = \frac{Y_o(s)}{F_i(s)} = \frac{1}{s^2 + 5s + 20} \tag{2-31}$$

第三步：将系统模型输入到 MATLAB 工作空间中。

程序如下：

```
clear
clc
s = tf ('s');                    %定义拉普拉斯算子符号变量
G = 1/(s^2 + 5 * s + 20)        %直接给出系统传递函数表达式
```

程序运行结果为

Transfer function：

```
       1
 --------------
 s^2 + 5 s + 20
```

例 2-22　图 2-10 所示为电枢控制直流电动机原理图，图中的 R_a、L_a 分别是电枢电路的电阻和漏磁电感，M_l 是折合到电动机轴上的总负载转矩，励磁磁通为常值，若电动机的各参数分别为 $R_a = 2.0\Omega$，$L_a = 0.5\mathrm{H}$，$C_m = 0.1$，$C_e = 0.1$，$f_m = 0.2\mathrm{Nm \cdot s}$，$J_m = 0.02\mathrm{kg \cdot m^2}$，分别以电动机电枢电压 $U_a(t)$ 和负载力矩 $M_l(t)$ 为输入变量，以电动机的转动速度 $\omega_m(t)$ 为输出变量，在 MAT-LAB 中建立电动机的数学模型。

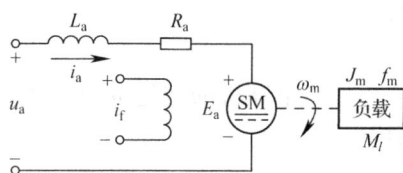

图 2-10　例 2-22 的电枢控制
直流电动机原理图

解：第一步：分析系统，绘制系统结构图。

电枢控制直流电动机的工作实质是将输入的电能转换为机械能，也就是由输入的电枢电压 $U_a(t)$ 在电枢回路中产生电枢电流 $i_a(t)$，再由电流 $i_a(t)$ 与励磁磁通相互作用产生电磁转矩 $M_e(t)$，从而拖动负载运动。因此，根据直流电动机的工作原理及基尔霍夫定律，直流电动机的运动方程可由电枢回路电压平衡方程、电磁转矩方程和电动机轴上的转矩平衡方程 3 部分组成，分别如下所示。

（1）电枢回路电压平衡方程

$$U_a(t) = L_a \frac{\mathrm{d}i_a(t)}{\mathrm{d}t} + R_a i_a(t) + E_a \tag{2-32}$$

E_a 是电枢反电动势，它是当电枢旋转时产生的反电动势，其大小与励磁磁通及转速成正比，方向与电枢电压 $U_a(t)$ 相反，即

$$E_a(t) = C_e \omega_m(t) \tag{2-33}$$

式中，C_e 为反电动势系数。

（2）电磁转矩方程

$$M_e(t) = C_m i_a(t) \tag{2-34}$$

式中，C_m 是电动机转矩系数；$M_e(t)$ 是由电枢电流产生的电磁转矩。

（3）电动机轴上的转矩平衡方程

$$J_m \frac{\mathrm{d}\omega_m(t)}{\mathrm{d}t} + f_m \omega_m(t) = M_e(t) - M_l(t) \tag{2-35}$$

式中，J_m 为（电动机和负载折合到电动机轴上的）转动惯量；f_m 为电动机和负载折合到电动机轴上的粘性摩擦系数。

$$L_a J_m \frac{\mathrm{d}^2\omega_m(t)}{\mathrm{d}t} + (L_a f_m + R_a J_m)\frac{\mathrm{d}\omega_m(t)}{\mathrm{d}t} + (R_a f_m + C_m C_e)\omega_m(t)$$
$$= C_m U_a(t) - L_a \frac{\mathrm{d}M_l(t)}{\mathrm{d}t} - R_a M_l(t) \tag{2-36}$$

在工程应用中，由于电枢电路电感 L_a 较小，通常忽略不计，因而式（2-36）可简化为

$$T_m \frac{\mathrm{d}\omega_m(t)}{\mathrm{d}t} + \omega_m(t) = K_1 U_a(t) - K_2 M_l(t) \tag{2-37}$$

式中，T_m 为电动机机电时间常数，$T_m = \dfrac{R_a J_m}{R_a f_m + C_m C_e}$；$K_1 = \dfrac{C_m}{R_a f_m + C_m C_e}$；$K_2 = \dfrac{R_a}{R_a f_m + C_m C_e}$。

如果电枢电阻 R_a 和电动机的转动惯量 J_m 都很小而忽略不计时，式（2-37）还可进一步简

化为

$$C_e\omega_m(t) = U_a(t) \tag{2-38}$$

由于电动机的转速 $\omega_m(t)$ 与电枢电压 $U_a(t)$ 成正比,于是电动机可作为测速发电机使用。

根据式 (2-32)~式 (2-38),得到如图 2-11 所示的电枢控制直流电动机结构图。

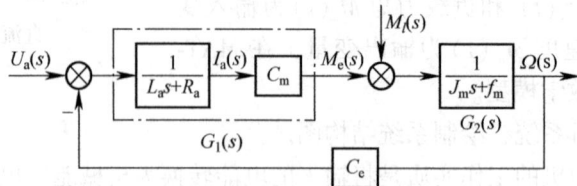

图 2-11 例 2-22 的电枢控制直流电动机结构图

第二步:根据系统结构图,求取系统传递函数。

若选取电动机的各参数分别为 $R_a = 2.0\Omega$, $L_a = 0.5H$, $C_m = 0.1$, $C_e = 0.1$, $f_m = 0.2\text{Nm} \cdot \text{s}$, $J_m = 0.02\text{kg} \cdot \text{m}^2$,分别以电动机电枢电压 $U_a(t)$ 和负载力矩 $M_l(t)$ 为输入变量,以电动机的转动速度 $\omega_m(t)$ 为输出变量,在 MATLAB 中建立电动机的数学模型。

在 MATLAB 命令窗口中输入

```
Ra = 2;La = 0.5;Cm = 0.1;
Ce = 0.1;fm = 0.2;Jm = 0.02;
G1 = tf(Cm,[La Ra]);
G2 = tf(1,[Jm fm]);
dcm = ss(G2) * [G1,1];              % 前向通路数学模型
dcm = feedback(dcm,Ce,1,1);          % 闭环系统数学模型
dcm1 = tf(dcm);
```

程序运行结果如下:

Transfer function from input 1 to output:

```
       10
-------------------
s^2 + 14 s + 41
```

Transfer function from input 2 to output:

```
50 s + 200
-------------------
s^2 + 14 s + 41
```

即电动机的传递函数分别为

$$\frac{\Omega(s)}{U_a(s)} = \frac{1}{s^2 + 14s + 41}$$

$$\frac{\Omega(s)}{M_c(s)} = \frac{50s + 200}{s^2 + 14s + 41}$$

可见,直流电动机的传递函数为二阶系统数学模型形式。

同时，由上述得到的传递函数，可以得到电枢电压 $u_a(t)$ 作用下的单位阶跃响应。在 MATLAB 命令窗口中输入

step(dcm(1));

运行后得到直流电动机的单位阶跃响应曲线，如图 2-12 所示。

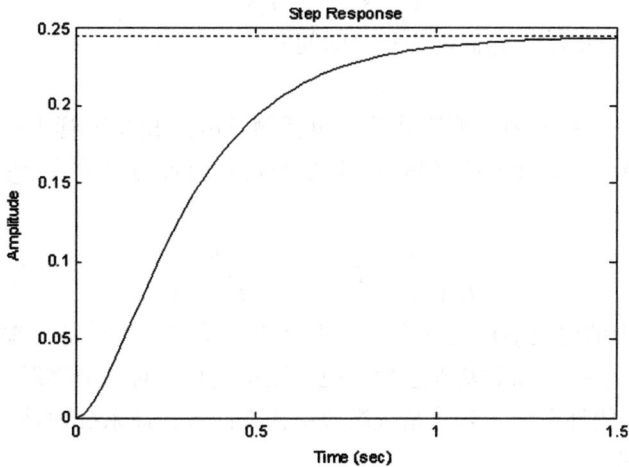

图 2-12 例 2-22 直流电动机的单位阶跃响应曲线

例 2-23 采用 PI 调节器的晶闸管-直流电动机单闭环调速系统（V-M 系统）原理示意图如图 2-13 所示，试建立该系统的传递函数，其系统参数如下：

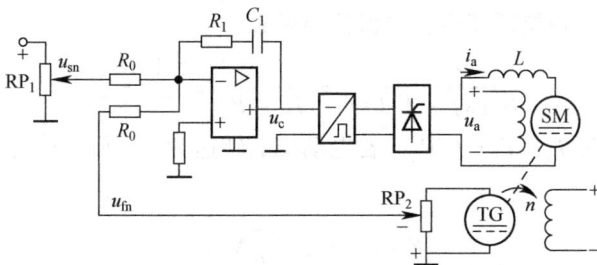

图 2-13 例 2-23 采用 PI 调节器的晶闸管-直流电动机单闭环调速系统原理示意图

直流电动机：$P_e - 10\text{kW}$，$U_e = 220\text{V}$，$I_e - 55\text{A}$，$n_e = 1000\text{r/min}$，电枢电阻 $R_a = 0.5\Omega$，V-M 电路的总电阻 $R = 1\Omega$，电动机电动势常数 $C_e = 0.1925$，电磁时间常数 $T_a = 0.017\text{s}$，机电时间常数 $T_m = 0.075\text{s}$，转速反馈系数 $K_t = 0.01178\text{V}/(\text{r/min})$，晶闸管触发整流装置放大系数 $K_g = 44$，其平均失控时间 $T_g = 0.00167\text{s}$，PI 调节器参数 $T_1 = 0.049\text{s}$，$T_2 = 0.088\text{s}$。

解： 通过分析系统工作原理可知，控制系统由给定电位器 RP_1、PI 调节器、功率放大器、测速发电机以及被控对象直流电动机等组成，控制系统的输入量是 u_{sn}，输出量是转速 n。

第一步：分析系统，建立系统各环节的微分方程。

（1）比例积分调节器

比例积分调节器（PI 调节器）的输入/输出关系为

$$U_c = -\left(\frac{R_1}{R_0}U_{sn} + \frac{1}{R_0 C_1}\int U_{sn}\mathrm{d}t\right) \tag{2-39}$$

将式 (2-39) 取拉普拉斯变换，得 PI 调节器的传送函数为

$$\frac{U_c(s)}{U_{sn}(s)} = \frac{T_1 s + 1}{T_2 s} \tag{2-40}$$

式中，$T_1 = R_1 C_1$，$T_2 = R_0 C_1$，它们均为积分时间常数。

（2）功率放大器

在 V-M 系统中，采用晶闸管整流装置，包括触发电路和晶闸管主回路。由于滞后时间 T_g 很小，所以可按照工程设计方法将晶闸管触发整流管装置的数学模型近似为一阶环节，传递函数为

$$\frac{U_a(s)}{U_c(s)} = K_g e^{-T_g s} \approx \frac{K_g}{T_g s + 1} \tag{2-41}$$

另外，图 2-13 中的内反馈环是额定励磁下直流电动机的电动势反馈，由直流电动机的工作原理决定。从调节—控制的基本过程上说，该系统是针对一个物理量——电动机转速进行控制的，故称为单闭环系统。若从系统组成结构方面看，该系统则是一个双环系统。

（3）直流电动机

设电动机电枢电压为 U_a，E_a 是电枢反电动势，L 为平波电抗器与漏磁电感的总和，则电枢回路电压平衡方程为

$$U_a = R_a i_a + L \frac{\mathrm{d}}{\mathrm{d}t} i_a + E_a \tag{2-42}$$

将式 (2-42) 作拉普拉斯变换，可得传递函数

$$\frac{I_a(s)}{U_a(s) - E_a(s)} = \frac{1}{Ls + R_a} = \frac{1/R_a}{T_a s + 1} \tag{2-43}$$

式中，电磁时间常数为 T_a，$T_a = L/R_a$。若电动机的转速为 n，则电动机感应电动势与转速的关系为

$$E_a(s) = C_e \frac{2\pi}{60} N(s) \tag{2-44}$$

电动机运动方程（转矩平衡方程）为

$$M_e - L_l = J_G \frac{\mathrm{d}}{\mathrm{d}t} n \tag{2-45}$$

式中，电磁转矩为 $M_e = C_m i_a$；负载转矩为 $M_l = C_m i_l$；J_G 称为转速惯量，$J_G = \frac{2\pi}{60} J_m$。

因机电常数为 $T_m = \frac{R_a J_m}{C_m C_e}$，考虑到式 (2-44) 所示感应电动势与转速的关系，由式 (2-45) 可得式 (2-46)：

$$\begin{cases} M_e - M_l = \dfrac{J_G}{C_e} \dfrac{\mathrm{d}}{\mathrm{d}t} e_a \\[2mm] i_a - i_l = \dfrac{J_m}{C_m C_e} \dfrac{\mathrm{d}}{\mathrm{d}t} e_a = \dfrac{T_m}{R_a} \dfrac{\mathrm{d}}{\mathrm{d}t} e_a \end{cases} \tag{2-46}$$

式 (2-46) 经拉普拉斯变换后为式 (2-47)：

$$\frac{E_a(s)}{I_a(s) - I_l(s)} = \frac{R_a}{T_m s} \tag{2-47}$$

（4）测速发电机

测速发电机的输出电压与其转速成正比，即有

$$U_{fn}(s) = K_t N(s) \tag{2-48}$$

第二步：根据系统各环节的微分方程，画出系统的动态结构图。

在该单闭环直流调速系统中采用比例-积分（PI）调节器，可构造如图 2-14 所示的系统动态结构图。

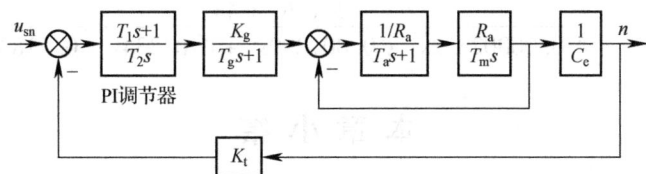

图 2-14 例 2-23 的直流电动机单闭环调速系统动态结构图

第三步：根据系统结构图，代入相应参数，利用 MATAB 求取系统传递函数。

将系统参数代入后，系统结构如图 2-15 所示。

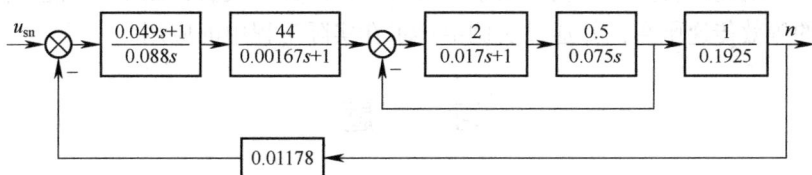

图 2-15 例 2-23 的直流电动机单闭环调速系统

第四步：将系统模型输入到 MATLAB 工作空间中。

程序如下：

```
n1 = 2;d1 = [0.017 1];s1 = tf(n1,d1);
n2 = 0.5;d2 = [0.075 0];s2 = tf(n2,d2);
sys1 = feedback(s1 * s2,1),              % 内环等效传递函数
n3 = [0.049 1];d3 = [0.088 0];s3 = tf(n3,d3);
n4 = 44;d4 = [0.00167 1];s4 = tf(n4,d4);
n5 = 1;d5 = 0.1925;s5 = tf(n5,d5);
n6 = 0.01178;d6 = 1;s6 = tf(n6,d6);      % 最外环反馈通道上的传递函数
sysq = sys1 * s3 * s4 * s5;
sys = feedback(sysq,s6)
```

程序运行结果为

Transfer function：

$$\frac{1}{0.001275\ s^2 + 0.075\ s + 1}$$

Transfer function：

$$2.156\ s + 44$$

$$3.607e-008\ s^4 + 2.372e-005\ s^3 + 0.001299\ s^2 + 0.04234\ s + 0.5183$$

由以上运行数据可得单闭环系统内环的等效传递函数为

$$\Phi_1(s) = \frac{1}{0.001275s^2 + 0.075s + 1}$$

单闭环系统的等效传递函数（略去分母的 s^4 项）为

$$\Phi(s) \approx \frac{2.156s + 44}{0.00002372s^3 + 0.001299s^2 + 0.04234s + 0.5183}$$

本 章 小 结

在控制系统分析与设计中，建立控制系统的数学模型是非常关键的。本章讲述了传递函数、零极点增益模式、部分分式展开和状态空间模型等控制系统常用数学模型在 MATLAB 中的表达方法，并给出了相应的 MATLAB 函数的用法及实例；除此之外，本章还讲述了控制系统各种模型之间的转换，以及控制系统模型转换函数；最后介绍了串联连接、并联连接和反馈连接的等效传递函数，并通过实例讲述了在实际工程中的应用。

习　　题

1. 描述系统的微分方程是：$\dfrac{\mathrm{d}^3}{\mathrm{d}t^3}y(t) + 12\dfrac{\mathrm{d}^2}{\mathrm{d}t^2}y(t) + 5\dfrac{\mathrm{d}}{\mathrm{d}t}y(t) + 6y(t) = 5u(t)$，请用传递函数、零极点模型描述该系统。

2. 已知某系统的传递函数为 $G(s) = \dfrac{s+1}{s^3 + 3s^2 + 2s}$，试用 MATLAB 表示其传递函数模型和零极点模型。

3. 已知某系统的传递函数为 $G(s) = \dfrac{2(s+1)}{s(s+1)(s+3)}$，试用 MATLAB 表示系统的状态空间模型。

4. 已知系统的传递函数模型为 $G(s) = \dfrac{5(s+1)}{s^2(s^2 + 6s + 13)}$，时间延迟常数 $\tau = 4$，即系统模型为 $G(s)\mathrm{e}^{-4s}$，试在 MATLAB 工作空间建立系统模型。

5. 将如下双输入单输出的系统模型转换为多项式传递函数模型。

$$\dot{x}(t) = \begin{bmatrix} 0 & 1 \\ -2 & -3 \end{bmatrix} x(t) + \begin{bmatrix} 1 & 0 \\ 0 & 1 \end{bmatrix} u(t)$$

$$y = \begin{bmatrix} 1 & 0 \end{bmatrix} x(t) + \begin{bmatrix} 0 & 0 \end{bmatrix} u(t)$$

6. 将系统 $G_1(s) = \dfrac{4(s+1)(s+2)}{(s+5)(s+8)(s+9)}$ 和 $G_2(s) = \dfrac{5s+1}{s^2 + 5s + 4}$ 进行串联、并联和反馈连接后，试求各自的系统模型。

第3章　控制系统分析

在控制系统的数学模型建立以后，就要进行系统性能的分析了。通过这一环节，获得原有系统的各方面性能定性或定量的描述，为系统控制器设计提供重要依据。因此，控制系统分析是系统设计的重要环节。系统性能主要有系统稳定性、稳态性能、动态性能以及能控性、能观性等。经典控制理论中常用的分析方法有时域分析法、根轨迹分析法以及伯德图分析法。

3.1　控制系统的时域分析

时域分析法是直接在时间域上研究控制系统性能的方法，是根据系统的微分方程，用拉普拉斯变换求解系统动态响应的曲线，从而求解系统的性能指标。这种方法的优点是对系统的分析结果直接而全面，缺点是计算量大，尤其是对高阶系统。应用 MATLAB 进行时域分析使计算量大不再成为问题。

3.1.1　时域分析基础

1. 典型输入信号

控制系统中常用的典型输入信号有单位阶跃函数、单位斜坡（速度）函数、单位加速度（抛物线）函数、单位脉冲函数及正弦函数。在典型输入信号作用下，任何一个控制系统的时间响应都由动态过程和稳态过程这两部分组成。相应地，控制系统在典型输入信号作用下的性能指标，通常也由动态性能指标和稳态性能指标两部分组成。

2. 动态过程与动态性能

动态过程又称过渡过程或瞬态过程，是指系统在典型输入信号作用下，其输出量从初始状态到最终状态的响应过程。系统在动态过程中所提供的系统响应速度和阻尼情况等用动态性能指标描述。

通常，在单位阶跃函数作用下，稳定系统的动态过程随时间变化的指标称为动态性能指标。通常定义动态性能指标为以下几种。

（1）上升时间（Rise Time）t_r

对于无振荡的系统，定义系统响应从终值的 10% 上升到 90% 所需要的时间为上升时间；对于有振荡的系统，定义系统响应从 0 到第一次到达终值所需要的时间为上升时间。默认情况下，MATLAB 按照第一种定义方式计算上升时间，但可以通过设置得到第二种方式定义的上升时间。

（2）峰值时间（Peak Time）t_p

响应超过其终值到达第一个峰值所需要的时间定义为峰值时间。

（3）超调量（Over Shoot）$\sigma\%$

响应的最大偏差量 $h(t_p)$ 与终值 $h(\infty)$ 的差与终值 $h(\infty)$ 之比的百分数，定义为超调

量，即

$$\sigma\% = \frac{h(t_{\mathrm{p}}) - h(\infty)}{h(\infty)} \times 100\% \tag{3-1}$$

超调量也称为最大超调量或百分比超调量。

（4） 调节时间（Settling Time）t_{s}

响应到达并保持在终值 ±2% 或 ±5% 内所需要的最短时间定义为调节时间。默认情况下，MATLAB 计算动态性能时，取误差范围为 ±2%，可以通过设置得到误差范围为 5% 时的调节时间。

3. 稳态过程与稳态性能

稳态过程又称为稳态响应，指系统在典型输入信号作用下，当时间趋于无穷大时，系统输出量的表现方式。它表征系统输出量最终复现输入量的程度，提供系统有关稳态误差的信息。稳态误差是控制系统控制准确度（或控制精度）的一种度量，也称为稳态性能。若时间趋于无穷时，系统的输出量不等于输入量或输入量的确定函数，则系统存在稳态误差。对于图 3-1 所示控制系统的典型结构图，由输入信号 $R(s)$ 至误差信号 $E(s)$ 之间的误差传递函数为

$$\Phi_{\mathrm{e}}(s) = \frac{E(s)}{R(s)} = \frac{1}{1 + G(s)H(s)} \tag{3-2}$$

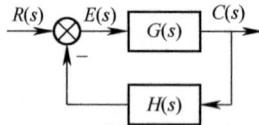

图 3-1　控制系统的典型结构图

则系统的误差信号为

$$e(t) = L^{-1}[E(s)] = L^{-1}[\Phi_{\mathrm{e}}(s)R(s)] \tag{3-3}$$

当 $sE(s)$ 的极点均位于 s 左半平面（包括原点）时，应用拉普拉斯变换的终值定理可以求出系统的稳态误差为

$$e_{\mathrm{ss}} = \lim_{t \to \infty}(t) = \lim_{s \to 0} sE(s) = \lim_{s \to 0} \frac{sR(s)}{1 + G(s)H(s)} \tag{3-4}$$

3.1.2　系统的稳态性能分析

线性控制系统的稳态性能分析主要是指稳态误差的计算。如前所示，只有当 $sE(s)$ 的极点均位于 s 左半平面（包括原点）时，才可以根据拉普拉斯变换的终值定理，应用式（3-4）求取系统的稳态误差。计算稳态误差通常采用静态误差系数方法。

设控制系统的开环传递函数为 $G(s)H(s)$，则静态误差系数的定义如下。

（1） 静态位置误差系数 K_{p}

$$K_{\mathrm{p}} = \lim_{s \to 0} G(s)H(s) \tag{3-5}$$

（2） 静态速度误差系数 K_{v}

$$K_{\mathrm{v}} = \lim_{s \to 0} sG(s)H(s) \tag{3-6}$$

（3）静态加速度误差系数 K_a

$$K_a = \lim_{s \to 0} s^2 G(s) H(s) \tag{3-7}$$

可见，计算稳态误差问题实质上是求极限问题。MATLAB 符号数学工具箱中提供了求极限的函数 limit( )。

3.1.3　阶跃响应分析

1. step( ) 函数

功能：求线性定常系统（单输入单输出或多输入多输出）的单位阶跃响应（多输入多输出系统需要对每一个输入通道施加独立的阶跃输入指令）。

格式：

step(sys)	%绘制系统 sys 的单位阶跃响应曲线
step(sys,T)	%时间向量 **T** 由用户指定
step(sys1,sys2,…,sysN)	%在一个图形窗口中同时绘制 N 个 sys1，sys2，…，sysN 的单位阶跃响应曲线
step(sys1,sys2,…,sysN,T)	%时间向量 **T** 由用户指定
step(sys1,PlotStylel,…,sysN,'PlotStyleN')	%曲线属性用 PlotStyle 定义
[y,t] = step(sys)	%求系统 sys 单位阶跃响应的数据值，包括输出向量 **y** 及相应时间向量 **t**
[y,t,x] = step(sys)	%求系统 sys 单位阶跃响应的数据值，包括输出向量 **y**、状态向量 **x** 及相应时间向量 **t**

说明：

1）线性定常系统 sys1，sys2，…，sysN 可以为连续时间传递函数、零极点增益及状态空间等模型形式。

2）默认时，响应时间由函数根据系统的模型自动确定，也可以由用户指定，由零开始，至 T 秒结束。

3）若系统为状态空间模型，则只求其零状态响应。

4）不包含返回值时，只在屏幕上绘制曲线。

5）也可以绘制离散时间系统的单位阶跃响应曲线。

例 3-1　已知典型二阶系统的传递函数为

$$\Phi(s) = \frac{\omega_n^2}{s^2 + 2\zeta\omega_n s + \omega_n^2}$$

其中，自然频率 $\omega_n = 6$，绘制当阻尼比 $\zeta = 0.1$，0.2，0.707，1.0，2.0 时系统的单位阶跃响应曲线。

解：在 MATLAB 命令窗口中输入：

```
wn = 6;
kosi = [0.1,0.2,0.707,1.0,2.0];
hold on;
for kos = kosi
```

```
        num = wn^2;
        den = [1,2 * kos * wn,wn^2];
        step(num,den)
end
```

程序运行后，得到系统的单位阶跃响应曲线如图 3-2 所示。也可以将"step（num，den）"语句换成"step（tf（num，den））"语句，运行结果相同。

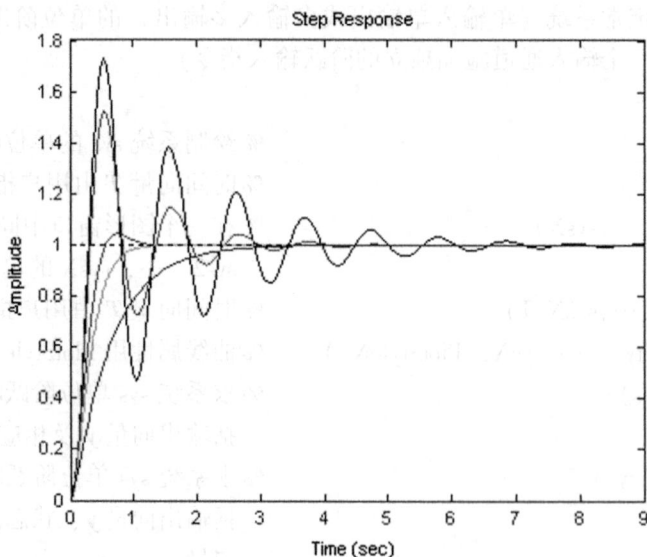

图 3-2　例 3-1 系统的单位阶跃响应曲线

例 3-2　已知线性定常系统的状态空间模型为

$$\dot{x} = \begin{bmatrix} -1.6 & -0.9 & 0 & 0 \\ 0.9 & 0 & 0 & 0 \\ 0.4 & 0.5 & -5.0 & -2.45 \\ 0 & 0 & 2.45 & 0 \end{bmatrix} x + \begin{bmatrix} 1 \\ 0 \\ 1 \\ 0 \end{bmatrix} u$$

$$y = \begin{bmatrix} 1 & 1 & 1 & 1 \end{bmatrix} x$$

试绘制其单位阶跃响应曲线。

解：在 MATLAB 命令窗口中输入：

```
a = [ -1.6, -0.9,0,0;0.9,0,0,0;0.4,0.5, -5.0, -2.45;0,0,2.45,0];
b = [1;0;1;0]
c = [1,1,1,1];
d = [0];
sys = ss(a,b,c,d);
step(sys)
```

程序运行后，得到的单位阶跃响应曲线如图 3-3 所示。

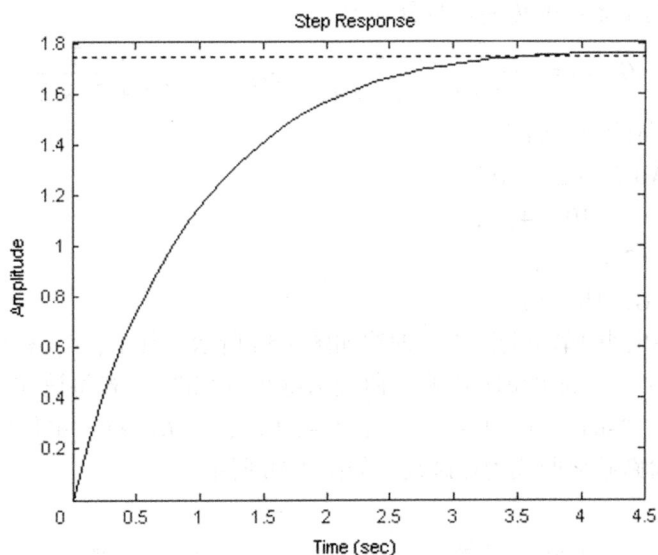

图 3-3　例 3-2 系统的单位阶跃响应曲线

例 3-3　已知双输入单输出线性定常系统的状态空间模型为

$$\dot{x} = \begin{bmatrix} -0.5572 & -0.7814 \\ 0.7814 & 0 \end{bmatrix} x + \begin{bmatrix} 1 & -1 \\ 0 & 2 \end{bmatrix} u$$

$$y = \begin{bmatrix} 1.9691 & 6.4493 \end{bmatrix} x$$

试绘制其单位阶跃响应曲线。

解：在 MATLAB 命令窗口中输入：

a = [-0.5572 -0.7814;0.7814 0]; b = [1 -1;0 2];c = [1.9691 6.4493];d = [0,0];

sys = ss(a,b,c,d);

step(sys)

程序运行后，得到的单位阶跃响应曲线如图 3-4 所示。

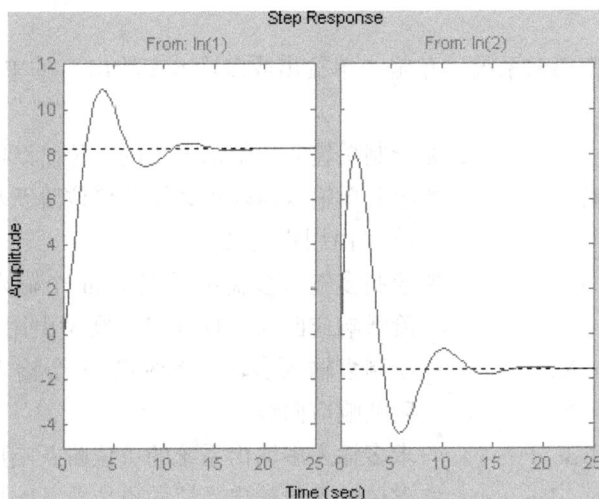

图 3-4　例 3-3 系统的单位阶跃响应曲线

例 3-4 已知两个系统的传递函数分别为

$$G_1(s) = \frac{s^2 + 2s + 4}{s^3 + 10s^2 + 5s + 4}, \qquad G_2(s) = \frac{3s + 2}{2s^2 + 7s + 2}$$

试绘制它们的单位阶跃响应曲线。

解： 在 MATLAB 命令窗口中输入：

G1 = tf([1 2 4],[1 10 5 4]);

G2 = tf([3 2],[2 7 2]);

step(G1,'ro',G2,'b * ')

程序运行后，得到的单位阶跃响应曲线如图 3-5a 所示。其中，$G_1(s)$ 的单位阶跃响应曲线为红色（"r"）；$G_2(s)$ 的单位阶跃响应曲线为绿色（"b"）。若将语句 "step(G1, 'ro', G2, 'b * ')" 换成 "step(G1, ' - ', G2, ' - .')"，则 $G_1(s)$ 的单位阶跃响应曲线为实线，$G_2(s)$ 的单位阶跃响应曲线为点画线，如图 3-5b 所示。

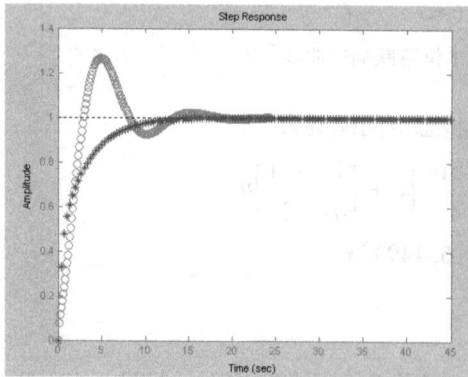

a)设置了颜色和线型　　　　　　　　　b)设置了数据点的线型

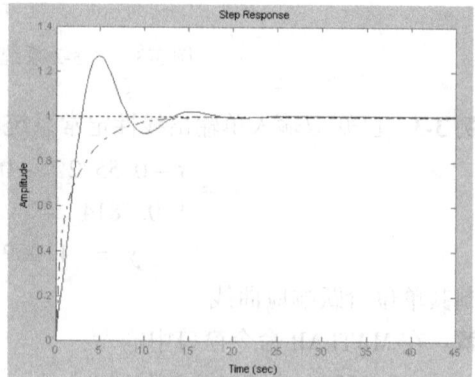

图 3-5　例 3-4 系统的单位阶跃响应曲线

2. dstep( ) 函数

功能：求线性定常离散系统（单输入单输出或多输入多输出）的单位阶跃响应。

格式：

dstep(num,den)	%绘制单输入单输出系统的单位阶跃响应曲线
dstep(nem,den,N)	%绘制单输入单输出系统的单位阶跃响应曲线，且响应点数 N 由用户定义
dstep(a,b,c,d,iu)	%绘制多输入多输出系统第 iu 个输入信号作用下的单位阶跃响应曲线，且响应点数 N 由用户定义
dstep(a,b,c,d,iu,N)	%绘制多输入多输出系统第 iu 个输入信号作用下的单位阶跃响应曲线
[y,x] = dstep(a,b,c,d,…)	%求多输入多输出系统的单位阶跃响应数据值
[y,x] = dstep(num,den,…)	%求单输入单输出系统的单位阶跃响应数据值

说明：

1）这里的系统指线性定常离散系统。

2）单输入单输出系统只需要给出传递函数的分子向量 num 和分母向量 den；多输入多输出系统只需要给出 **a**、**b**、**c** 的和矩阵即可。

3）默认时，响应点数由 MATLAB 自动选取。

4）不包含返回值时，只在屏幕上绘制响应曲线；包含返回值 y 和 x 时，分别表示输出向量 **y** 和状态向量 **x** 的时间序列矩阵，此时不绘制曲线，只给出响应数据值。

例 3-5　已知线性定常离散系统的脉冲传递函数为

$$G(z) = \frac{2z^2 - 3.4z + 1.5}{z^2 - 1.6z + 0.8}$$

试绘制其单位阶跃响应曲线。

解：在 MATLAB 命令窗口中输入：

num = [2, -3.4, 1.5];

den = [1, -1.6, 0.8];

dstep(num, den)

程序运行后，得到的单位阶跃响应曲线如图 3-6a 所示。用户可根据实际需要定义响应点数 N。若语句 "dstep（num，den）" 改写为 "dstep（num，den，70）"，运行后得到的单位阶跃响应曲线如图 3-6b 所示。

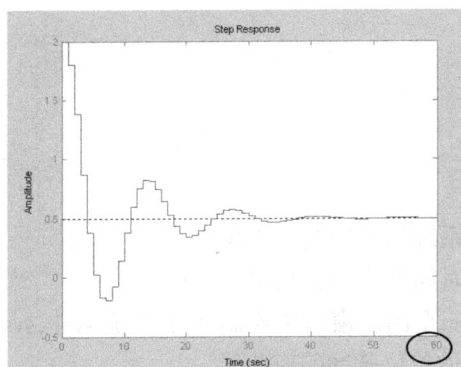

a）采用默认离散点数　　　　　　b）指定离散点数

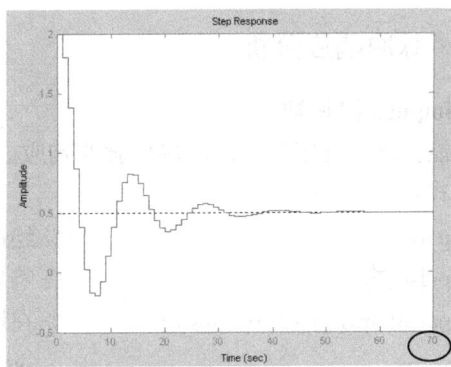

图 3-6　例 3-5 系统的运行结果

例 3-6　线性定常离散系统的状态空间模型为

$$x(k+1) = \begin{bmatrix} -0.5572 & -0.7814 \\ 0.7814 & 0 \end{bmatrix} x(k) + \begin{bmatrix} 1 & -1 \\ 0 & 2 \end{bmatrix} u(k)$$

$$y(k) = \begin{bmatrix} 1.9691 & 6.4493 \end{bmatrix} x(k)$$

试绘制其单位阶跃响应曲线。

解：在 MATLAB 命令窗口中输入：

a = [-0.5572 -0.7814; 0.7814 0];

b = [1 -1; 0 2];

c = [1.9691 6.4493]; d = [0];

dstep(a,b,c,d)

程序运行后，得到的单位阶跃响应曲线如图 3-7a 所示。若只需要绘制在第 1 个输入信号作用下的阶跃响应，则可将语句"dstep(a,b,c,d)"改为"dstep(a,b,c,d,1)"，运行后得到的曲线如图 3-7b 所示。

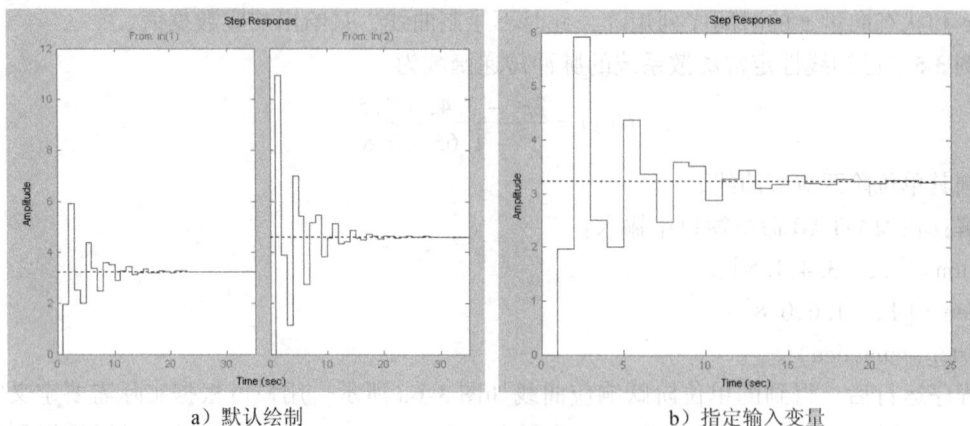

a）默认绘制   b）指定输入变量

图 3-7 例 3-6 系统的单位阶跃响应曲线

3.1.4 脉冲响应分析

1. impulse( ) 函数

功能：求线性定常系统的单位脉冲响应。

格式：

impulse(sys)   % 绘制系统的脉冲响应曲线

impulse(sys,T)   % 响应时间 T 由用户指定

impulse(sys1,sys2,$\cdots$,sysN)   % 在同一个图形窗口中绘制 N 个系统 sys1,sys2,$\cdots$, sysN 的单位脉冲响应曲线

impulse(sys1,sys2,$\cdots$,sysN,T)   % 响应时间 T 由用户指定

impulse(sys1,'PlotStyle1',$\cdots$,sysN,'PlotStyleN')   % 曲线属性用 PlotStyle 定义

[y,t] = impulse(sys)   % 求系统 sys 单位脉冲响应的数据值，包括输出向量 y 及相应时间向量 t

[y,t,x] = impulse(sys)   % 求状态空间模型 sys 单位脉冲响应的数据值，包括输出向量 y，状态向量 x 及相应时间向量 t

说明：

1）线性定常系统 sys1，sys2，$\cdots$，sysN 可为传递函数、零极点增益及状态空间等模型形式。

2）默认时，响应由函数根据系统的模型自动确定，也可以由用户指定，由零开始，至 T 秒结束。

3）对于连续时间系统模型，输入信号为单位脉冲函数；对于离散时间系统模型，输入函数为单位脉冲序列。

4）其他参数与函数 step() 相同。

例 3-7 已知两个线性定常连续系统的传递函数分别为

$$G_1(s) = \frac{s^2 + 2s + 4}{s^3 + 10s^2 + 5s + 4}, \quad G_2(s) = \frac{3s + 2}{2s^2 + 7s + 2}$$

试绘制它们的脉冲响应曲线。

解：在 MATLAB 命令窗口中输入：

G1 = tf([1 2 4],[1 10 5 4]);

G2 = tf([3 2],[2 7 2]);

impulse(G1,G2)

程序运行后，得到的单位脉冲响应曲线如图 3-8 所示。

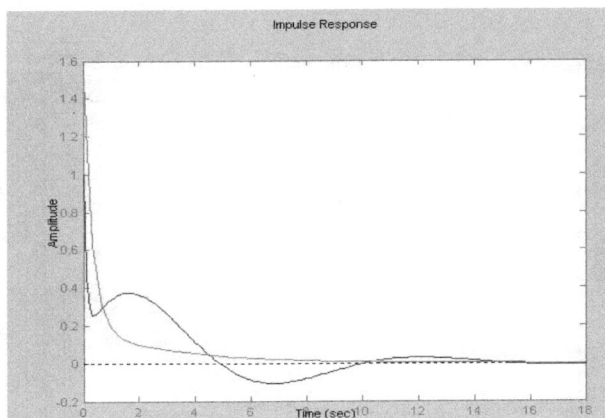

图 3-8　例 3-7 系统的单位脉冲响应曲线

2. dimpulse() 函数

功能：求线性定常离散系统的单位脉冲响应。

格式：

dimpulse(num,den)　　　　　　　　%绘制单输入单输出系统的单位脉冲响应曲线

dimpulse(num,den,N)　　　　　　　%绘制单输入单输出系统的阶跃响应曲线，且响应点数由用户定义

dimpulse(a,b,c,d,iu)　　　　　　　%绘制多输入多输出系统第 iu 个输入信号作用下的单位脉冲响应曲线

dimpulse(a,b,c,d,iu,N)　　　　　　%绘制多输入多输出系统第 iu 个输入信号作用下的单位脉冲响应曲线，且响应点数由用户定义

[y,x] = dimpulse(a,b,c,d,…)　　　%求多输入多输出系统的单位阶跃响应数据值

[y,x] = dimpulse(num,den,…)　　　%求单输入多输出系统的单位阶跃响应数据值

说明：

1）这里的系统指线性定常离散系统。

2）num，den，a，b，c 和 d 的含义与函数 dstep() 的相同。

3）默认时，响应点数由 MATLAB 自动选取。

4）不包含返回值时，只在屏幕上绘制响应曲线；包含返回值 y 和 x 时，分别表示输出向量 y 和状态向量 x 的时间序列矩阵，此时不绘制曲线，只给出响应数据值。

例 3-8 已知线性定常离散系统的脉冲传递函数为

$$G(z) = \frac{z^2 + 2z + 4}{z^3 + 10z^2 + 5z + 4}$$

计算并绘制其脉冲响应曲线。

解： 在 MATLAB 命令窗口中输入：

num = [1 2 4];

den = [1 10 5 4];

dimpulse(num,den)

程序运行后，得到的离散时间系统的单位脉冲响应曲线如图 3-9 所示。

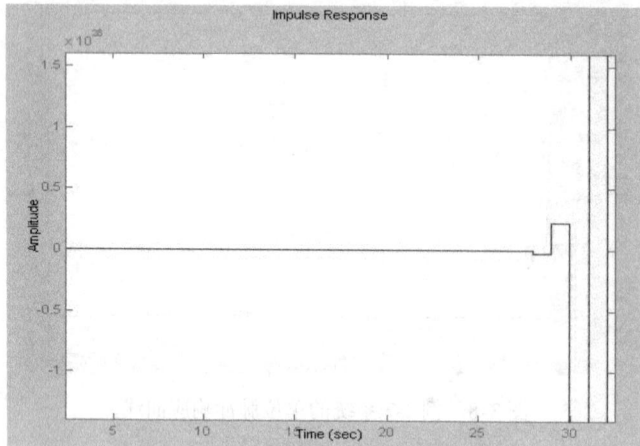

图 3-9   例 3-8 系统的单位脉冲响应曲线

例 3-9 线性定常离散系统的状态空间模型为

$$x(k+1) = \begin{bmatrix} -0.5572 & -0.7814 \\ 0.7814 & 0 \end{bmatrix} x(k) + \begin{bmatrix} 1 & -1 \\ 0 & 2 \end{bmatrix} u(k)$$

$$y(k) = \begin{bmatrix} 1.9691 & 6.4493 \end{bmatrix} x(k)$$

计算并绘制其脉冲响应曲线。

解： 在 MATLAB 命令窗口中输入：

a = [-0.5572 -0.7814;0.7814 0];

b = [1 -1;0 2];

c = [1.9691 6.4493];d = [0];

dimpulse(a,b,c,d)

程序运行后，得到的单位脉冲响应曲线如图 3-10a 所示。若只需要绘制图 3-10a 中两条曲线中的第一条，则可将语句"dimpulse（a，b，c，d）"改写为"dimpulse（a，b，c，d，1）"。

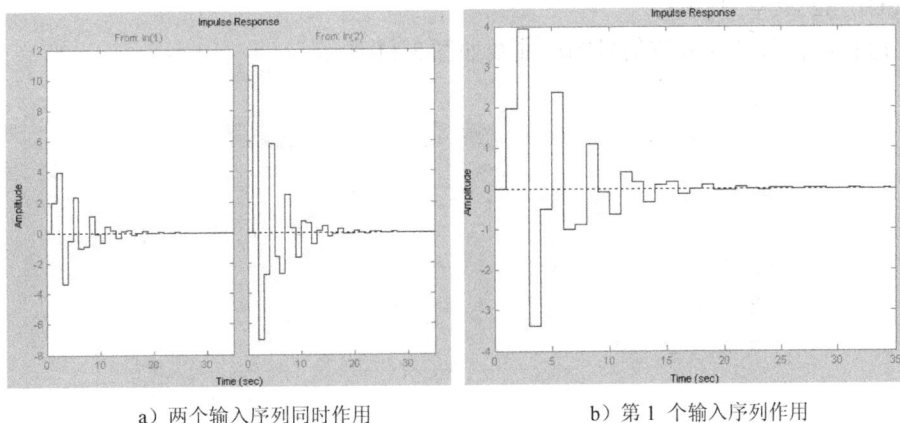

<table>
<tr><td>a）两个输入序列同时作用</td><td>b）第 1 个输入序列作用</td></tr>
</table>

图 3-10　例 3-9 系统的单位脉冲响应曲线

3.1.5　任意输入的时域响应分析

1. lsim( ) 函数

功能：求线性定常系统在任意输入信号作用下的时间响应。

格式：

lsim(sys,u,t)	%绘制系统 sys 的时间响应曲线，输入信号由 u 和 t 定义，其含义见信号生成函数 gensig( ) 的返回值
lsim(sys,u,t,x0)	%绘制系统在给定信号和初始条件 x0 同时作用下的响应曲线
lsim(sys,u,t,x0,'zoh')	%指定采样点之间的插值方法为零阶保持器（zoh）
lsim(sys,u,t,xo,'foh')	%指定采样点之间的插值方法为一阶保持器（foh）
lsim(sys1,sys2,…,sysN,u,t)	%绘制 N 个系统的时间响应曲线
lsim(sys1,'PlotStyle1',…,sysN,'PlotStyleN',u,t)	%曲线属性用 PlotStyle 定义
[y,t,x] = lsim(sys,u,t,x0)	%y，t，x 的含义同函数 step( )

说明：

1）u 和 t 由函数 gensig( ) 产生，用来描述输入信号特性，t 为时间区间，u 为输入向量，其行数应与输入信号个数相等。

2）默认时，函数 lsim( ) 根据输入信号 u 的平滑度自动选择采样点之间的插值方法。用户也可以指定采样点之间的插值方法。

3）在所绘制的响应曲线中还绘制了输入信号的波形。

例 3-10　已知线性定常系统的传递函数如下，求其在指定方波信号作用下的响应。

$$G_1(s) = \frac{2s^2 + 5s + 1}{s^2 + 2s + 3}, \qquad G_2(s) = \frac{s - 1}{s^2 + s + 5}$$

解：在 MATLAB 命令窗口中输入：

```
[u,t] = gensig('square',4,10,0.1);
G1 = tf([2 5 1],[1 2 3]);
G2 = tf([1 -1],[1 1 5]);
```

lsim(G1 , G2 , ' – . ' , u , t)

程序运行后，得到的方波信号响应曲线如图 3-11 所示。

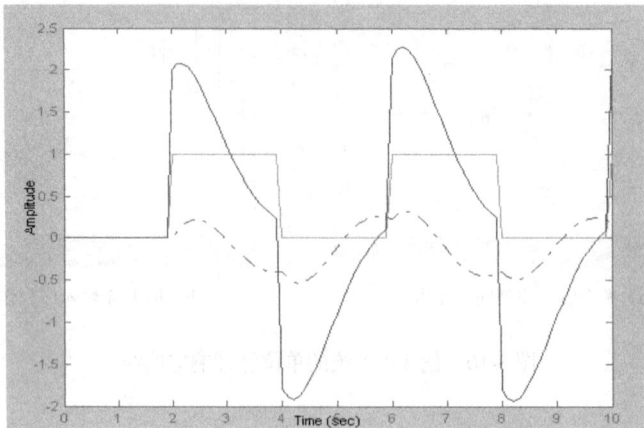

图 3-11　例 3-10 系统的方波信号响应曲线

2. dlsim( )函数

功能：求线性定常离散系统在任意输入下的响应。

格式：

dlsim(a , b , c , d , u)　　　　　 % 绘制系统（a，b，c，d）在输入序列 u 作用下的响应曲线

dlsim(num , den , u)　　　　　 % 绘制分子向量和分母向量分别为 num 和 den 的脉冲传递函

　　　　　　　　　　　　　　　　数模型在输入序列 u 作用下的响应曲线

$[y , x] = $ dlsim(a , b , c , d , u)

$[y , x] = $ dlsim(num , den , u)

其中，返回值 y、x 分别表示在 MATLAB 的命令窗口中分别得到的输出向量 y 和状态向量 x 数据值，此时不绘制曲线，只给出解析结果。

3.1.6　控制系统时域分析综合实例

例 3-11　已知某闭环系统的传递函数为

$$G(s) = \frac{10s + 25}{0.16s^3 + 1.96s^2 + 10s + 25}$$

试判断系统的稳定性，并求其单位阶跃信号输入下，系统的超调量、调节时间和稳态误差。

解：第一步：判断系统的稳定性。

在 MATLAB 命令窗口中输入：

num = [10 , 25] ; den = [0.16 , 1.96 , 10 , 25] ;

[p z] = pzmap(num , den)

执行结果为：

p = – 6.2500　　　　　　　 % 极点

–3.0000 + 4.0000i

–3.0000 – 4.0000i

z = – 2.5000　　　　　　% 零点

结论：系统有 3 个极点，均具有负实部，因此系统是稳定的。

第二步：求取系统的性能指标。

在 MATLAB 命令窗口中继续输入：

step（num，den），title（'Step Response'）

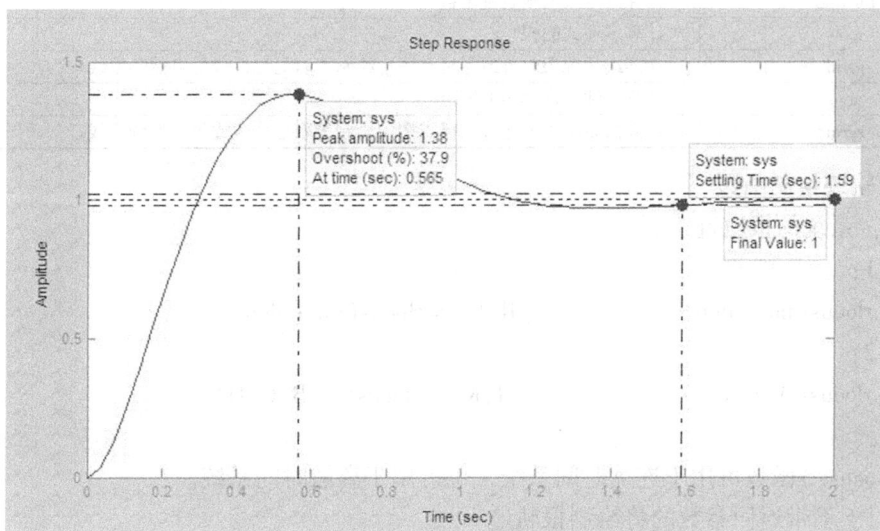

图 3-12　例 3-11 系统的响应曲线及系统性能

　　程序运行后得到系统的单位响应曲线如图 3-12 所示，在 "Step Response" 的曲线显示区域，单击鼠标右键，选择 "Characteristics" 功能下的 "Peak Respose" "Settling Time" 和 "Final Value" 选项，即可获取系统的动态性能，本例中性能指标为：$\sigma\% = 37.9\%$，$t_s = 1.59$，$e_{ss} = 0$。

3.2　控制系统的根轨迹分析

　　控制系统的根轨迹是当开环系统的某一参数（一般为系统的开环增益）从负无穷到正无穷变化时，闭环系统特征方程的根在复平面上留下的轨迹。根轨迹分析方法是利用绘制出的根轨迹来分析闭环系统稳定性和其他性能指标的方法。

3.2.1　函数指令方式

　　MATLAB 的控制系统工具箱提供的系统根轨迹绘制及分析函数见表 3-1。

表 3-1　系统根轨迹绘制及分析函数

函 数 名 称	功　　能
damp	计算自然频率及阻尼比
dcgain	计算低频（稳态）增益（DC）
dsort	离散时间模型排序
esort	连续时间模型根据实部排序
pole，eig	计算线性定常模型的极点
pzmap	绘制线性定常模型的零极点图
rlocus	计算并绘制根轨迹
rlocusplot	绘制根轨迹并返回句柄
rlocfind	计算给定根的根轨迹增益
roots	计算多项式的根
sgrid	在连续系统根轨迹或零极点图中绘制等阻尼比线或等自然频率线
zero	计算线性定常模型的零点
zgrid	在离散系统根轨迹或零极点图中绘制等阻尼比线或等自然频率线

1. 根轨迹绘制函数

功能：系统的根轨迹绘制

格式 1：

　　　rlocus(num, den)　　　　　[R, K] = rlocus(num, den)

格式 2：

　　　rlocus(A, B, C, D)　　　　[R, K] = rlocus(A, B, C, D)

说明：

1）rlocus( ) 函数可用于连续时间系统，也可用于离散时间系统。

2）对于不带返回参数的将绘制根轨迹。

3）对于带返回参数的将不作图，其中返回参数 K 和 R 分别是根轨迹增益 K 的值及其所对应的闭环极点。

例 3-12　绘制如下系统的根轨迹图，其中 K 为根轨迹增益。

$$G_2(s) = \frac{K}{(s^2 + 3s + 2)(s + 5)}$$

解：在 MATLAB 命令窗口中输入：

num = [1]; den = [conv([1, 3, 2], [1, 5])];

rlocus(num, den)

程序运行后，得到的根轨迹如图 3-13a 所示。将鼠标停在曲线显示区域，单击鼠标右键，在弹出的菜单中单击选择 "Grid"，就可以加入网格线了（也可以通过在 MATLAB 命令窗口中键入 "Grid" 命令并运行来增加网格线）。注意，根轨迹中的网格线并不是直线，而是由等阻尼比线和等自然频率线组成的，如图 3-13b 所示。

用鼠标左键（或右键）单击根轨迹上的某一点，也可以得到当前点的根轨迹增益（Gain）、闭环极点坐标（Pole）、阻尼比（Damping）、超调量（Overshoot）及频率（Frequence）等信息，如图 3-13c 所示。

以上所绘制的是根轨迹增益 K 由 0 变化到 +∞ 时的根轨迹。若将例 3-12 中的 "rlocus（num, den）" 语句换成 "rlocus（num, den，[1, 200]）"，也可以绘制根轨迹增益 K 在 1 ~ 200 之间取值时的根轨迹，如图 3-14 所示。

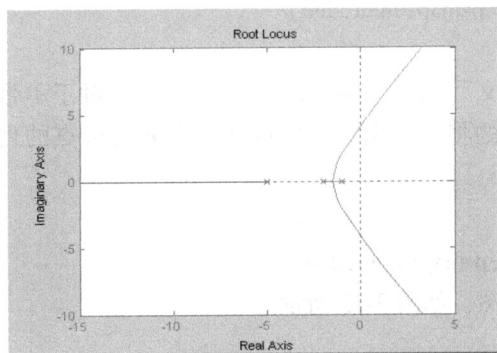

a）

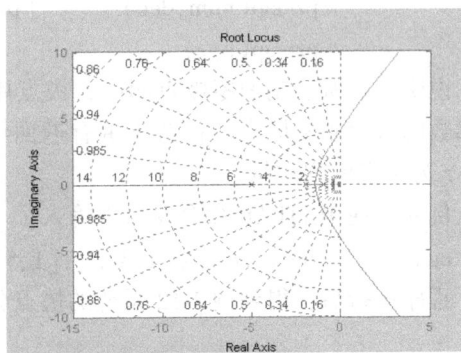

b）

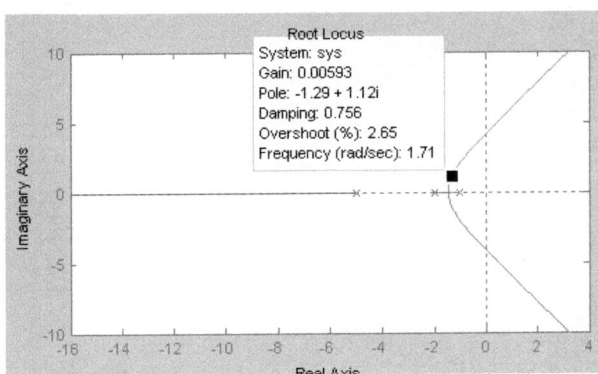

c）

图 3-13 例 3-12 的根轨迹图

a）缺省绘制的根轨迹 b）包含网格线的根轨迹 c）根轨迹上性能参数的确定

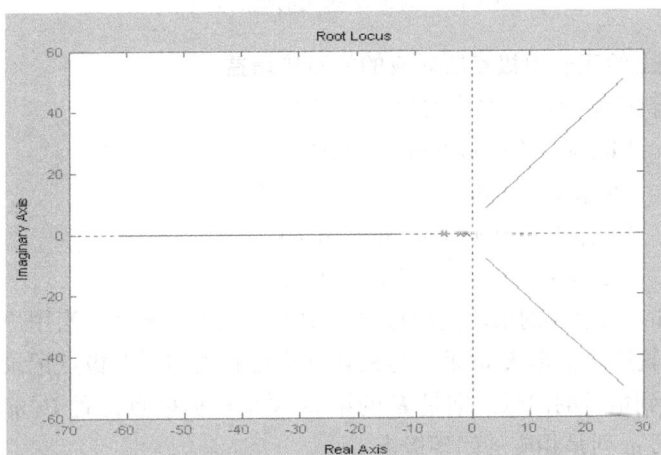

图 3-14 K 在 1～200 之间取值时的根轨迹

2. 系统的零极点图绘制

功能：绘制系统的零极点

格式：　　　　　　pzmap(A,B,C,D)　　　　　　[p,z] = pzmap(A,B,C,D)

$$\text{pzmap}(\text{num},\text{den}) \qquad [\text{p},\text{z}] = \text{pzmap}(\text{num},\text{den})$$
$$\text{pzmap}(\text{p},\text{z})$$

说明：在所绘制的零极点图中，极点用"×"表示，零点用"〇"表示。对于不带返回参数的将绘制零极点图；对于带有返回参数的将不作图，其中返回参数 **p** 为极点的列向量，**z** 为零点的列向量。

例如：在 MATLAB 命令窗口中输入：

$\text{num} = [1];\text{den} = [\text{conv}([1,3,2],[1,5])];\text{pzmap}(\text{num},\text{den})$

程序运行后，得到例 3-12 系统的极点分布图，如图 3-15 所示。

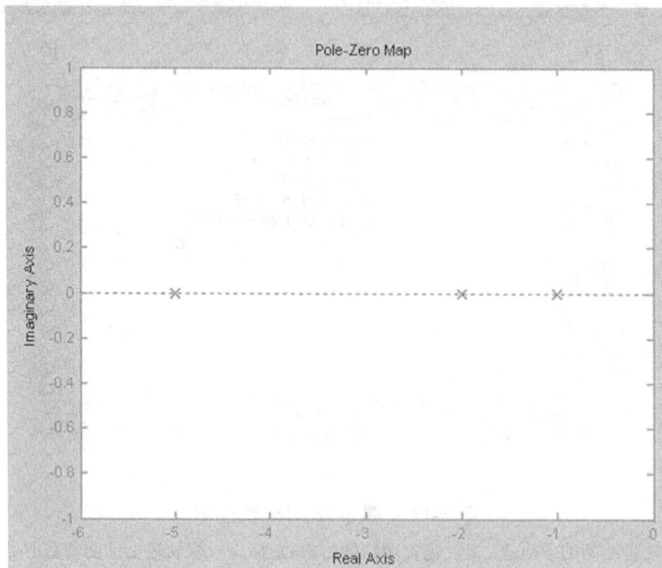

图 3-15　例 3-12 系统的极点分布图

3. 计算根轨迹上给定一组极点所对应的根轨迹增益

功能：计算根轨迹给定极点对应的根轨迹增益

格式 1：　　　　　$[\text{K},\text{poles}] = \text{rlocfind}(\text{A},\text{B},\text{C},\text{D})$

　　　　　　　　$[\text{K},\text{poles}] = \text{rlocfind}(\text{A},\text{B},\text{C},\text{D},\text{P})$

格式 2：　　　　　$[\text{K},\text{poles}] = \text{rlocfind}(\text{num},\text{den})$

　　　　　　　　$[\text{K},\text{poles}] = \text{rlocfind}(\text{num},\text{den},\text{P})$

说明：由 rlocfind( ) 绘制的根轨迹图形窗口中将显示十字光标，当用户选择其中一点时，该极点所对应的根轨迹增益由 **K** 记录，与根轨迹增益有关的所有极点记录在 poles 中。也可通过指定极点 **P** 得到增益的向量。向量 **K** 的第 m 项是根据极点位置 $P(m)$ 计算的根轨迹增益，矩阵 poles 的第 m 列是相应的闭环极点。

以例 3-12 中的系统为例，在 MATLAB 命令窗口中输入：

$\text{num} = [1];\text{den} = [\text{conv}([1,3,2],[1,5])];[\text{K},\text{poles}] = \text{rlocfind}(\text{num},\text{den})$

程序运行后，显示提示语"Select a point in the graphics window"，当用鼠标单击图上某一点时，会出现所选择的 3 个闭环极点，如图 3-16 所示。同时，在 MATLAB 命令窗口中显示以下信息：

selected_point = 0.4804 + 0.8816i   % 鼠标选择点的坐标

K = 0.0252   % 此时所对应的根轨迹增益

poles =   −6.1686   % 此时闭环系统的极点（3 个）

    −0.9157 + 2.2055i

    −0.9157 − 2.2055i

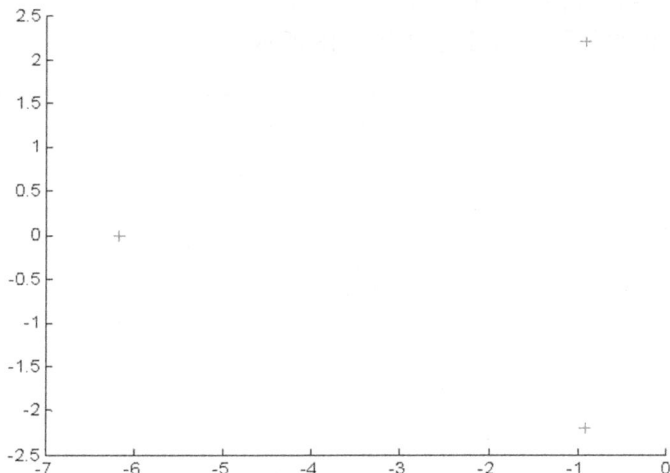

图 3-16 例 3-12 系统在 $K = 0.0252$ 时的闭环极点分布

4. sgrid( ) 函数

功能：为连续时间系统的根轨迹添加网格线，包括等阻尼比线和等自然频率线。

格式：sgrid   % 为根轨迹添加网格线

   sgrid(z,wn)   % 为根轨迹添加网格线，等阻尼比范围和等自然频率范围分别由向量 **z** 和向量 **wn** 确定

说明：默认情况下，等阻尼比步长为 0.1，范围为 0 ~ 1，等自然频率步长为 1，范围为 0 ~ 10。也可以由向量 **z** 和向量 **wn** 分别指定其范围。

例如，若要在例 3-13 中系统的根轨迹中添加网格线，可以在 MATLAB 命令窗口中输入：

num = [1];den = [conv([1,3,2],[1,5])];rlocus(num,den),sgrid

程序运行后，得到的根轨迹图如图 3-13b 所示。

5. zgrid( ) 函数

功能：为离散时间系统的根轨迹添加网络线，包括等阻尼比线和等自然频率线。

格式：zgrid   % 为根轨迹添加网络线

   zgrid(z,wn) % 为根轨迹添加网络线，等阻尼比范围和等自然频率范围分别由向量 **z** 和向量 **wn** 确定

说明：默认情况下，等阻尼比步长为 0.1，范围为 0 ~ 1，等自然频率步长为 1，范围为 0 ~ 10。也可以由向量 **z** 和向量 **wn** 分别指定其范围。

例 3-13 离散时间控制系统如图 3-17 所示。已知 $G(z) = \dfrac{0.5z + 0.04}{z^2 - 0.4z + 0.5}$，采样周期 $T_s = 0.01s$，绘制其根轨迹并添加网络线。

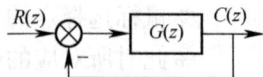

图 3-17 离散时间控制系统

解：在 MATLAB 命令窗口中输入：

A = tf([0.5,0.04],[1, -0.4,0.5],0.01);rlocus(A)

程序运行后，得到的系统根轨迹，如图 3-18 所示。

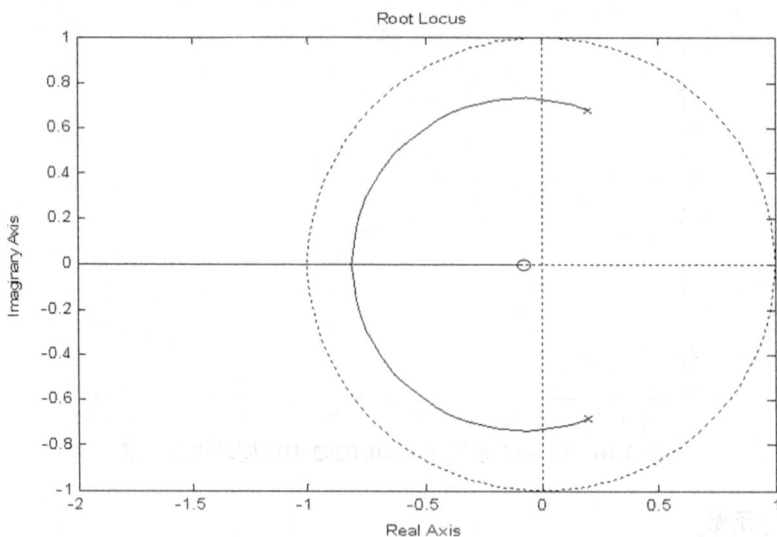

图 3-18 离散系统根轨迹

在上述程序末尾添加语句"zgrid"，运行后可给得到的根轨迹添加网格，如图 3-19 所示。

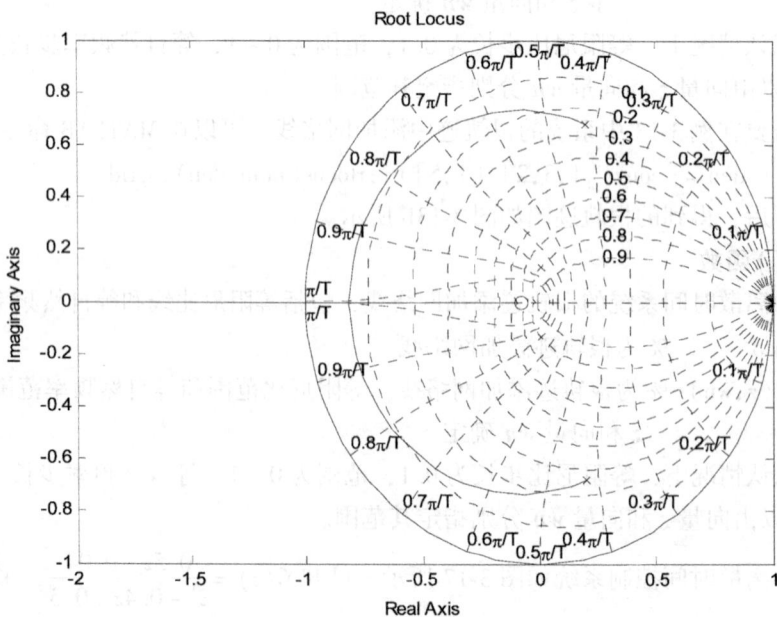

图 3-19 添加网格线后的离散系统根轨迹

例 3-14 已知系统开环传递函数如下，试分析闭环系统的稳定性。

$$G(s) = \frac{10K}{(s^2 + 3s + 2)(s + 5)}$$

解：在 MATLAB 命令窗口中输入如下命令，可得到系统的根轨迹如图 3-20 所示。

num = [10];den = [conv([1,3,2],[1,5])];G = tf(num,den);

rlocus(G)   % 绘制根轨迹

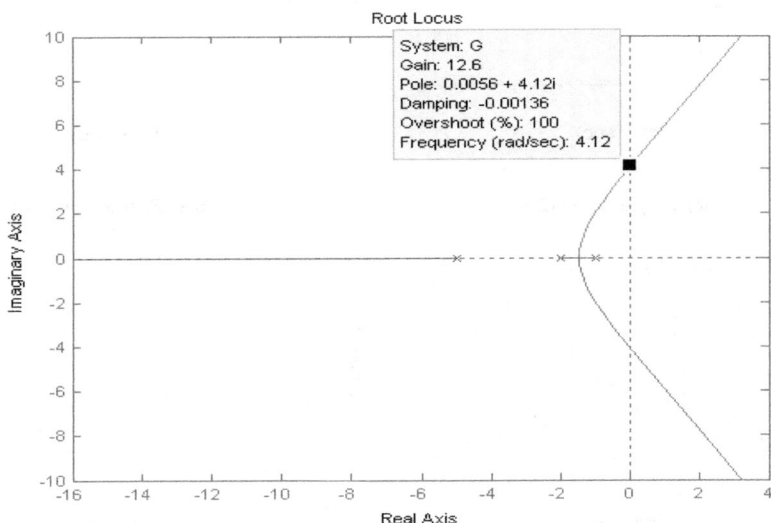

图 3-20 例 3-14 系统的根轨迹及临界增益值

单击并拖动根轨迹和虚轴相交的点，可得到临界增益 $K = 12.6$，若超过该值，则闭环系统将不稳定。可以通过不同 K 值所对应的闭环系统的阶跃响应来验证该结论。例如，选择 K 值分别为 1，10，12.6，15 时，绘制闭环系统的单位阶跃响应曲线，在 MATLAB 命令窗口中输入如下命令，程序运行后，得到的阶跃响应曲线如图 3-21 所示。

figure   % 新建图形窗口
k = 1;G_close1 = feedback(G * k,1);   % 增益为 1 时的闭环传递函数
subplot(2,2,1);step(G_close1)   % 在 2 × 2 图形界面的第一个窗口
title('Step Response K = 1');   % 绘制 K = 1 时的阶跃响应
k = 10;G_close10 = feedback(G * k,1);
subplot(2,2,2);step(G_close10)
title('Step Response K = 10');
k = 12.6;G_close12 = feedback(G * k,1);
subplot(2,2,3);step(G_close12)
title('Step Response K = 12.6');
k = 15;G_close15 = feedback(G * k,1);
subplot(2,2,4);step(G_close15)
title('Step Response K = 15');

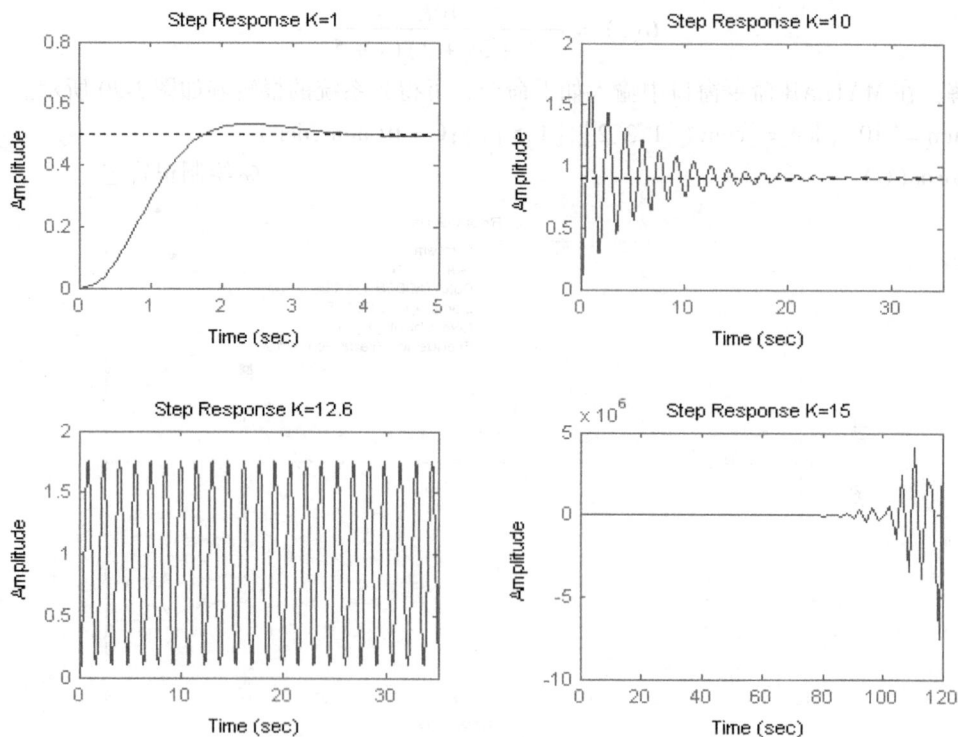

图 3-21　例 3-14 中 K 取不同值时系统的响应情况

3.2.2　单输入单输出设计工具

SISO Design Tool 是 MATLAB 中一个图形用户界面（GUI）的设计工具，可用来分析和调整单输入单输出反馈控制系统。它能用根轨迹图或伯德（Bode）图等进行系统的分析与控制器的设计，目前已经集成了 MATLAB 早期版本中根轨迹设计工具 rltool 的功能。由于 SISO Design Tool 采用了 GUI，用户无需从键盘输入操作命令，导入系统的模型后就能自动绘制根轨迹图和伯德图，可以用鼠标直接对屏幕上的对象进行操作，并且在与 SISO 实时连接的可视分析工具 LTI viewer 中马上显示出系统响应的结果。这样，用户就可以一边看闭环响应，一边调整控制器的增益、极点和零点，直到设计出满足要求的控制器为止。本节主要介绍该工具用于系统分析的基本使用方法，下一章将利用该工具进行系统的校正设计。

下面以例 3-14 中的系统为例，说明 SISO Design Tool 的基本使用方法。

1. 打开 SISO Design Tool，导入系统模型

方法一：在 MATLAB 命令窗口输入 "num = [10]；den = [conv([1,3,2]，[1,5])]；G = tf(num，den)；sisotool(G)" 可在 MATLAB 的 Workspace 中建立系统的传递函数，并打开设计工具的 "Control and Estimation Tools Manager" 窗口（见图 3-22），此时系统 G 已导入设计工具。

方法二：在 MATLAB 命令窗口输入命令 "sisotool"，可打开设计工具的 "Control and

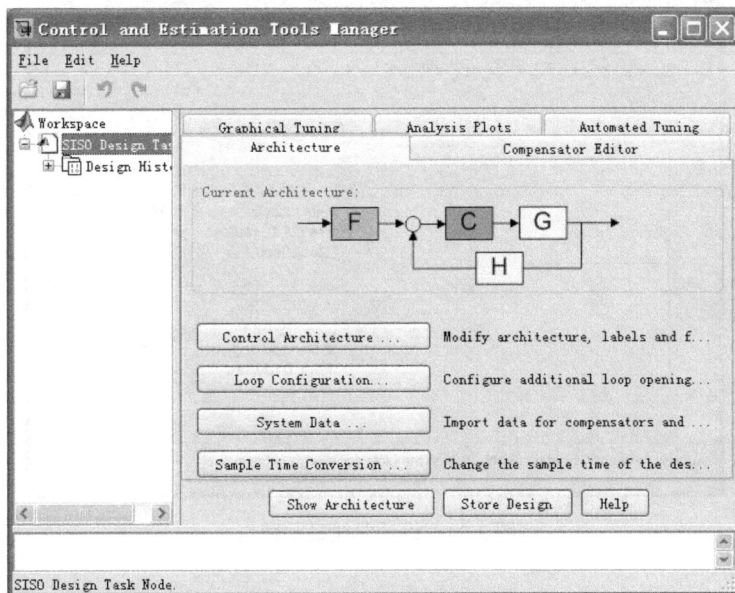

图 3-22　控制和估算工具管理器

Estimation Tools Manager", 如图 3-22 所示。"Control and Estimation Tools Manager" 的左边部分为任务区, 显示当前的设计任务和所有已保存的设计任务; 右边为编辑区, 共有 5 个功能模块: 系统结构 (Architecture)、校正装置编辑器 (Compensator Editor)、实时仿真图运行 (Graphical Tuning)、分析图设置 (Analysis Plots) 和自动运行 (Automated Tuning)。单击系统结构 (Architecture) 功能界面上的 "System Data" 按钮, 从 "Workspace" 中输入系统数据 G, 输入成功后的界面如图 3-23 所示。

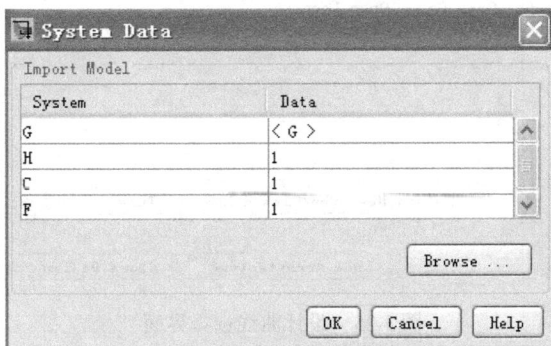

图 3-23　系统模型输入后的界面

当系统模型输入后, 设计工具会自动弹出 "SISO Design for SISO Design Task" 窗口 (见图 3-24), 其中显示的曲线是系统 G 的根轨迹和开环伯德图。该界面可显示根轨迹、Bode 图和 Nichols 图等 6 种图形, 可以根据需要在 "Graphical Tuning" 功能中进行选择, 如图 3-25 所示。

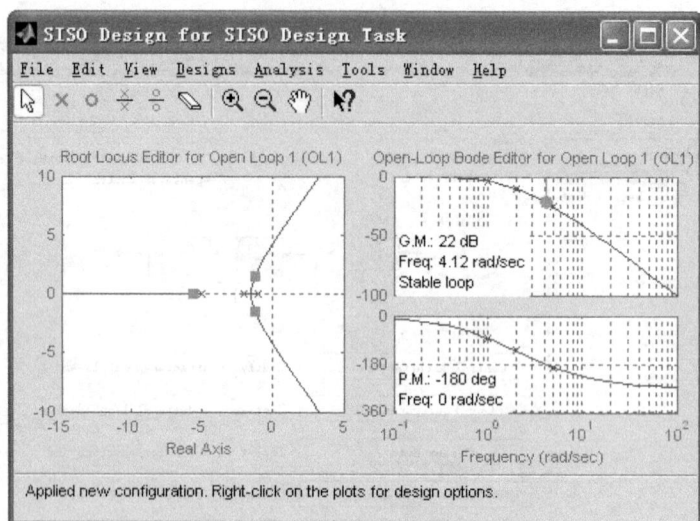

图 3-24　设计曲线显示窗口

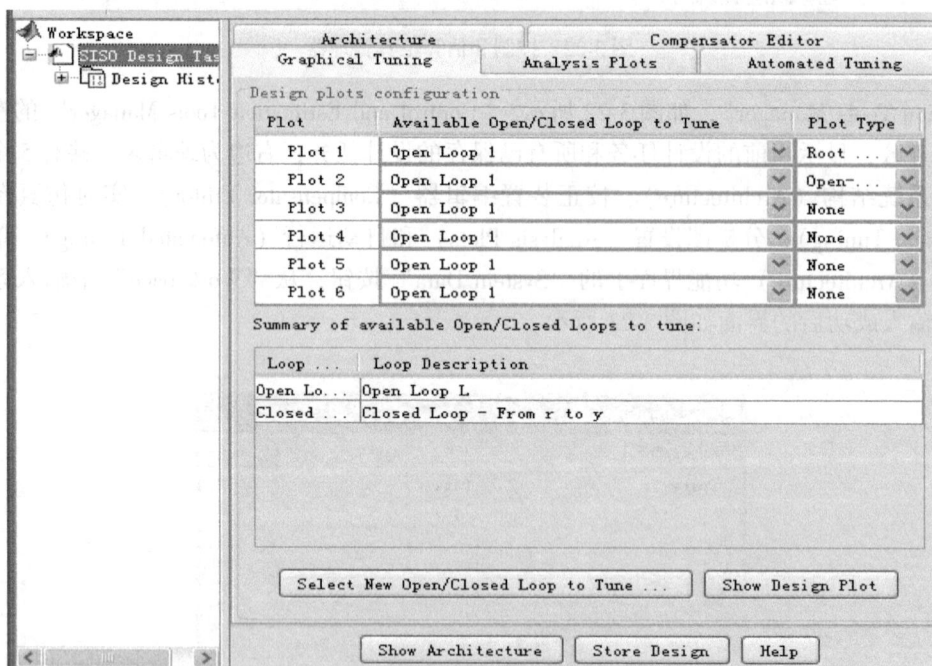

图 3-25　设计曲线选择界面

2. 设置 LTI Viewer 相关信息，获取系统曲线及性能指标

　　MATLAB 还提供了用于进行系统性能分析的图形用户工具 "LTI Viewer"（即线性时不变系统观测器），可以方便地绘出系统的多种特性曲线，如阶跃响应曲线、脉冲响应曲线、伯德图和 Nyquist 图等，并可得到系统的性能指标。在 "LTI Viewer" 中显示的特性曲线，可在 "Control and Estimation Tools Manager" 设计工具的 "Analysis Plots" 功能中进行设置。这里，在 "Analysis Plots" 设置区内将 Plot 1 选为 Step，即阶跃响应，如图 3-26 所示；在

"Contents of Plots"设置区内选中"Closed Loop r to y",此时即可在弹出的 LTI Viewer 窗口中观测到当前单位负反馈闭环系统的阶跃响应曲线,如图 3-27 所示。

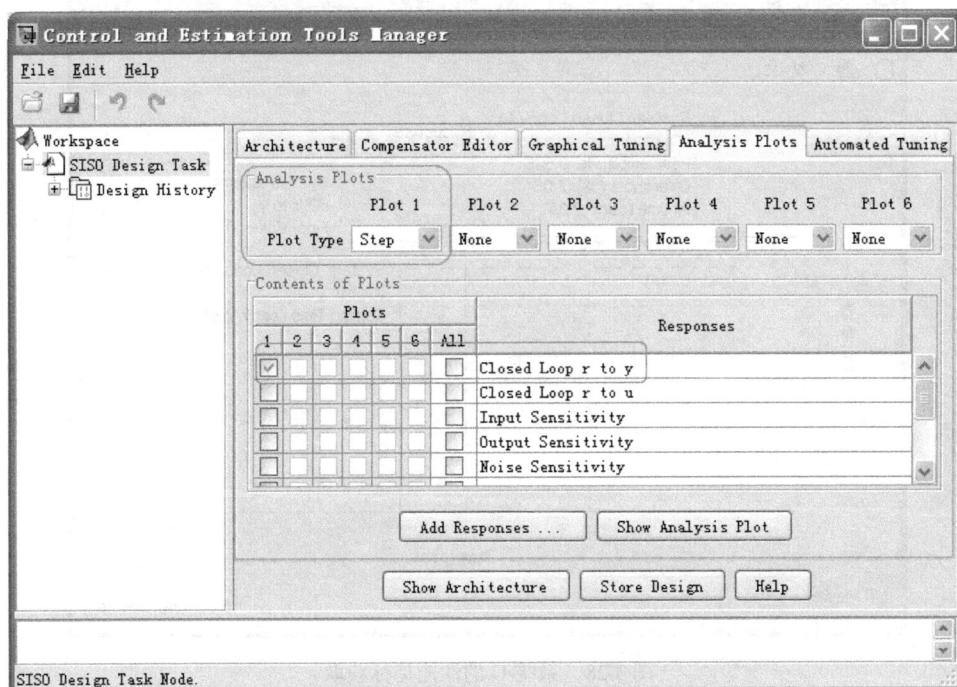

图 3-26 系统分析图选择功能

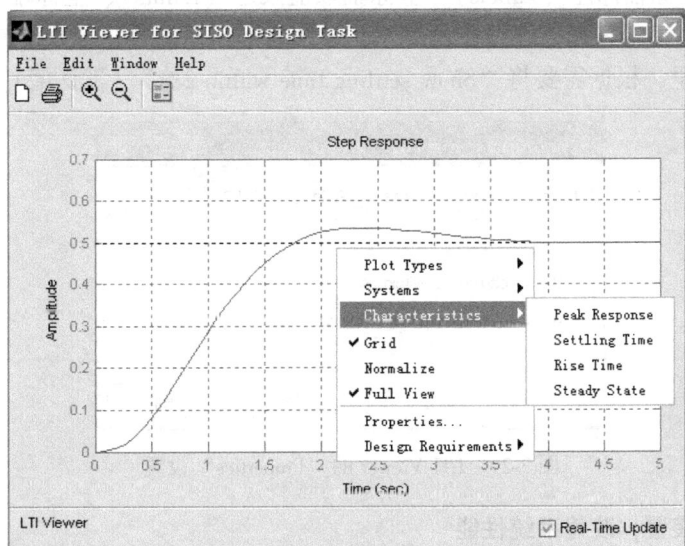

图 3-27 系统 G 的单位阶跃响应曲线

在图 3-27 所示的曲线区域内,单击鼠标右键,选择"Characteristics"的"Peak Response""Settling Time"和"Steady State",可获取系统的最大超调量、调整时间和稳态值,如图 3-28 所示,系统 G 的最大超调量为 7.05%,调整时间为 2.87s,稳态值为 0.5。从系统的性能指标可以看到，系统的稳态误差较大（输出期望值为 1）。

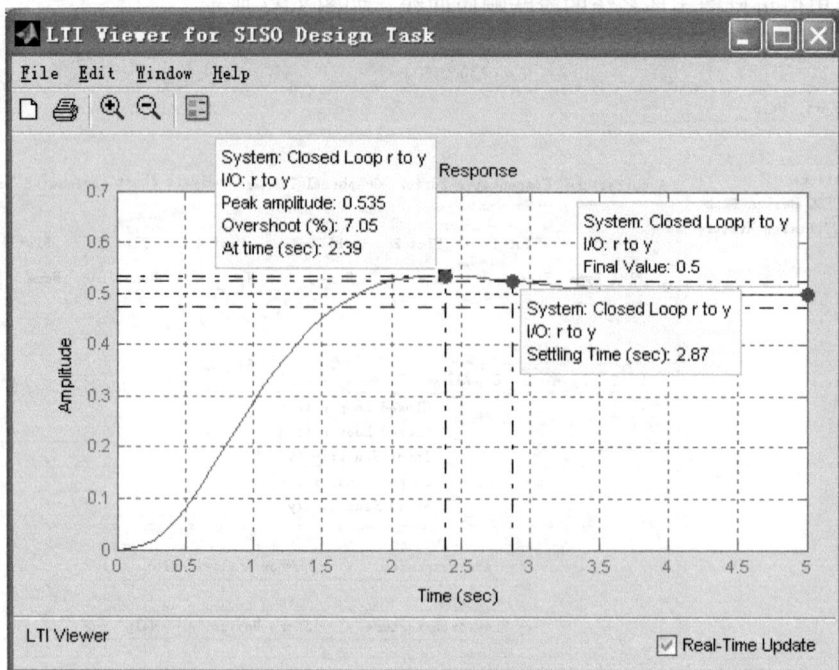

图 3-28　系统 G 的性能指标获取

另外，在曲线区域内单击鼠标右键，选择"Properties"可进入"Properties Editer"界面，在此可进行坐标轴标注（Labels）、坐标轴取值限定（Limits）、坐标轴单位（Units）和参数设置（Options）等操作。在这些设置中，与性能指标相关的有参数设置（Options），如图 3-29 所示。这里，根据需要将"Show settling time within 2%"（默认值）改为 5%。

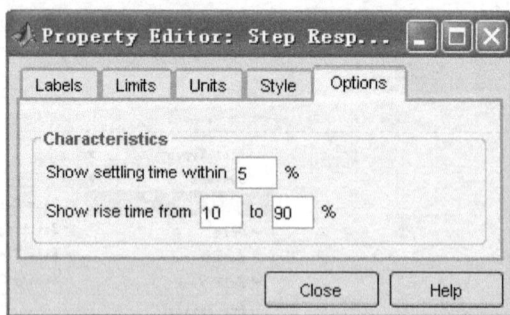

图 3-29　LTI Viewer 的"Properties"设置

3. 加入补偿装置，改善系统性能

在"Control and Estimation Tools Manager"设计工具中设置了校正装置编辑器（Compensator Editor），可在此输入补偿器的数学模型。输入方法是：进入"Compensator Editor"界面（见图 3-30），在"Compensator"选项中编辑比例系数，在"Pole/Zero"的"Dynamics"区域添加补偿器的零极点，并在"Compensator"选项中显示出来。本例中的补偿器数学模型设为 $G_c(s) = 2$，在打开的控制器设计界面修改 C 的值为 2，即改变了系统的增益。

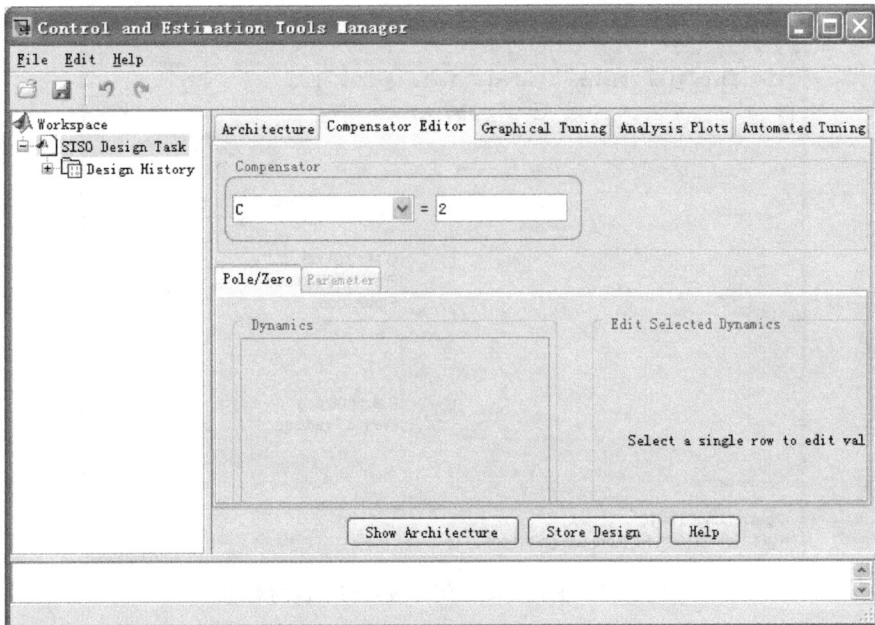

图 3-30　控制器设计界面

　　当系统增益改变后，在"SISO Design for SISO Design Task"窗口中显示的系统的根轨迹曲线和伯德图发生相应的改变；同时在"LTI Viewer"窗口中显示的系统的阶跃响应曲线也会随之变化，如图 3-31 所示。从图 3-31 可以看到，系统的增益变大后，最大超调量为 19.1%，调整时间为 2.52s，稳态值为 0.667。与增益改变前相比，系统的稳态误差和调整时间变小了，但最大超调量却变大了。要想使系统的稳态误差为 0，必须增加积分环节，具体设计方法将在第 4 章中介绍。

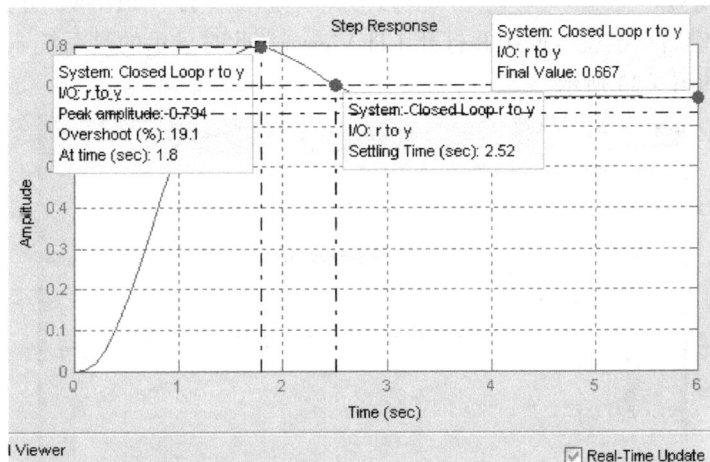

图 3-31　系统增益改变后的单位阶跃响应曲线

　　此外，在打开的 SISO Design for SISO Design Task 界面中，通过拖动根轨迹上的红色方块（某一增益时的闭环极点），或者拖动伯德图上下平移，同样可以改变增益值，在图的左下角显示当前的增益值，如图 3-32 所示。

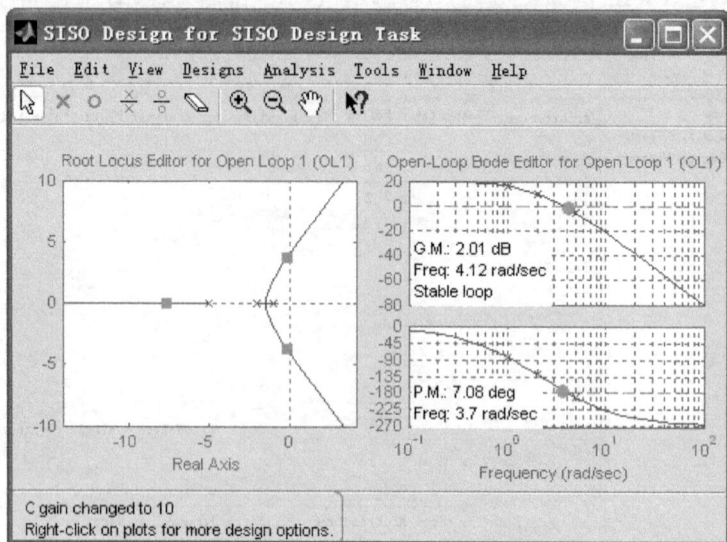

图 3-32　根轨迹图上闭环极点与增益的对应

总之，SISO Design Tool 能够帮助用户用根轨迹法或频率法分析和设计经典控制系统，分析过程省略了复杂的命令和计算，参数改变后所带来的效果可及时观察到，从而可以提高系统分析的效率。

4. LTI Viewer 的独立使用

(1) LTI Viewer 工具的调用

方法一：在 Command Window 中键入以下命令：

　　sys = tf([10,25],[0.16,1.96,10,25])　　　　%建立系统模型

　　ltiview(sys)　　　　　　　　　　　　　　%打开 ltiview，并分析系统 sys

按 <Enter> 键后系统就可调用并打开 LTI Viewer，此时显示的是系统 sys 的阶跃响应曲线（默认值），如图 3-33 所示。

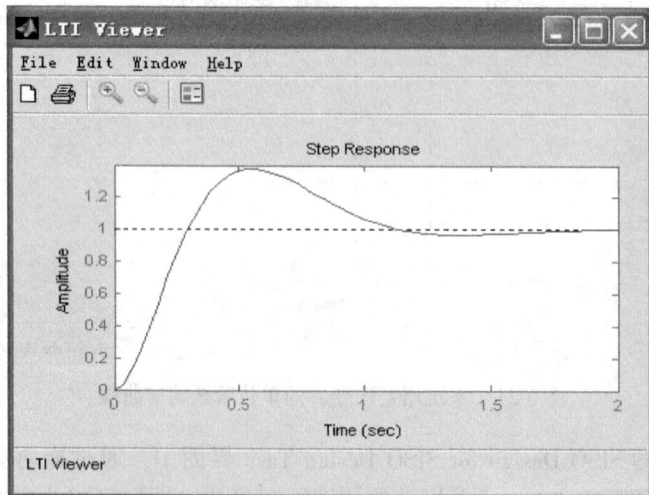

图 3-33　LTI Viewer 显示界面

方法二：在 Command Window 中键入 "ltiview" 命令，打开一个空的 LTI Viewer，单击 "file" 功能中的 "Import" 选项，可从 "Workspace" 或 MAT 文件导入系统模型，如图 3-34 所示。注意：系统模型应提前输入到 "Workspace"。

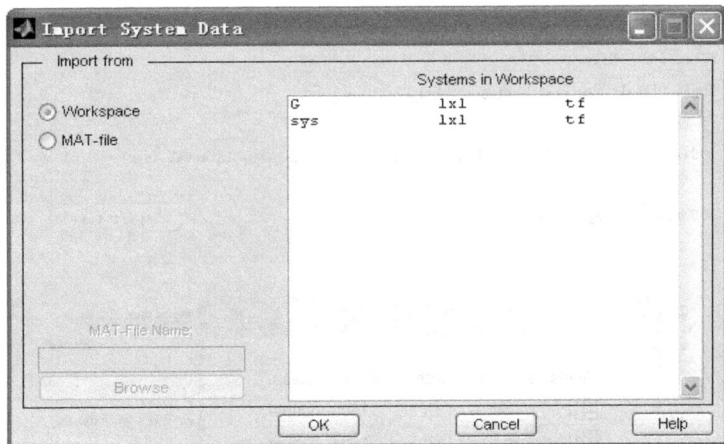

图 3-34　LTI Viewer 从 Workspace 导入系统模型

（2）LTI Viewer 工具的响应曲线类型设置

打开 LTI Viewer 的 "Edit" 下拉菜单，选择 "Plot Configurations" 选项，可出现响应类型设置对话框，如图 3-35 所示，先在左边选择响应曲线的个数，然后在右边的 "Response type" 中依次定义响应曲线的类型，最多可设置 6 种不同的响应曲线类型。在图 3-35 中选择了 3 个响应曲线，响应曲线的类型分别为阶跃响应（Step）、脉冲响应（Impulse）和线性系统仿真（Linear Simulation）。当响应曲线的类型选择为 Step、Impulse、Bode、Bode Magnitude、Nyquist、Nichols 和 Pole/Zero 等选项时，单击 "OK" 按钮可直接显示相应的响应曲线，当响应曲线的类型选择为 Linear Simulation 时，单击 "OK" 按钮则进入线性系统仿真工具 Linear Simulation Tool 的设置界面，如图 3-36 所示，在此可任意设置输入信号与初始状态。

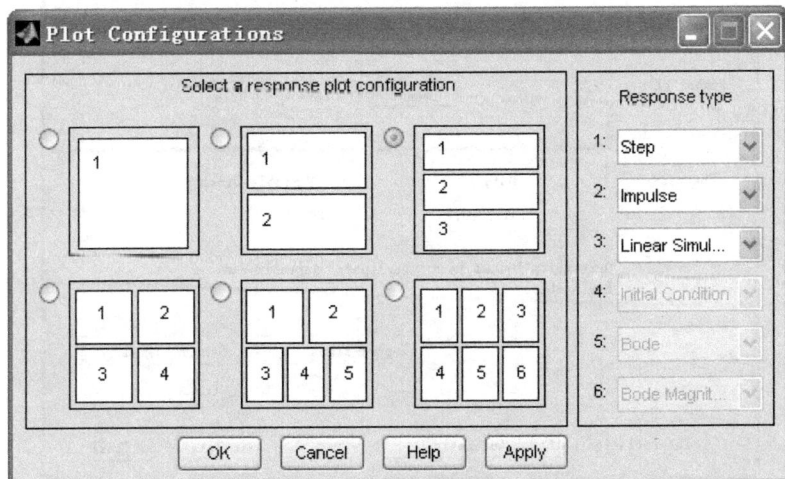

图 3-35　响应类型设置对话框

例如，在 Command Window 中键入命令 "t = [0:0.01:2];r = 1 + t;"，运行后在 "Work-space" 中生成变量 t 和 r，当选择 "Linear Simulation" 作为响应曲线类型时，先导入时间 t（Import Time），如图 3-36 所示，然后导入输入信号 r，如图 3-37 所示。

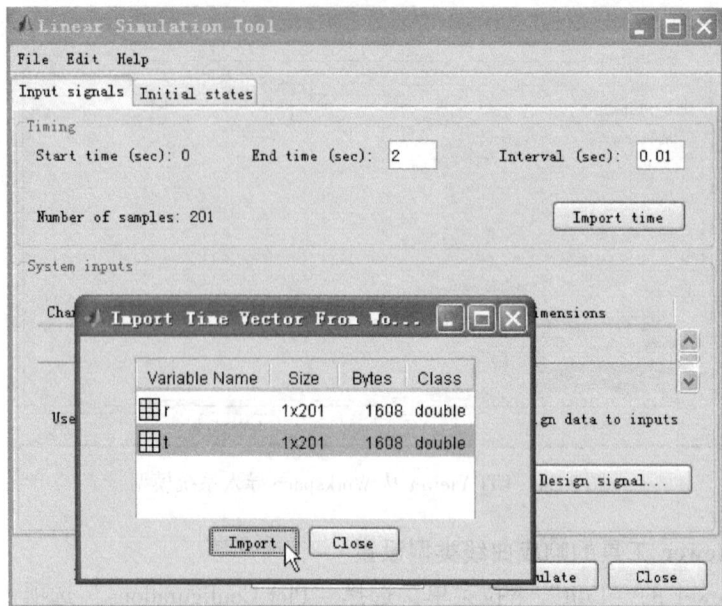

图 3-36　任意输入信号设置界面——时间导入

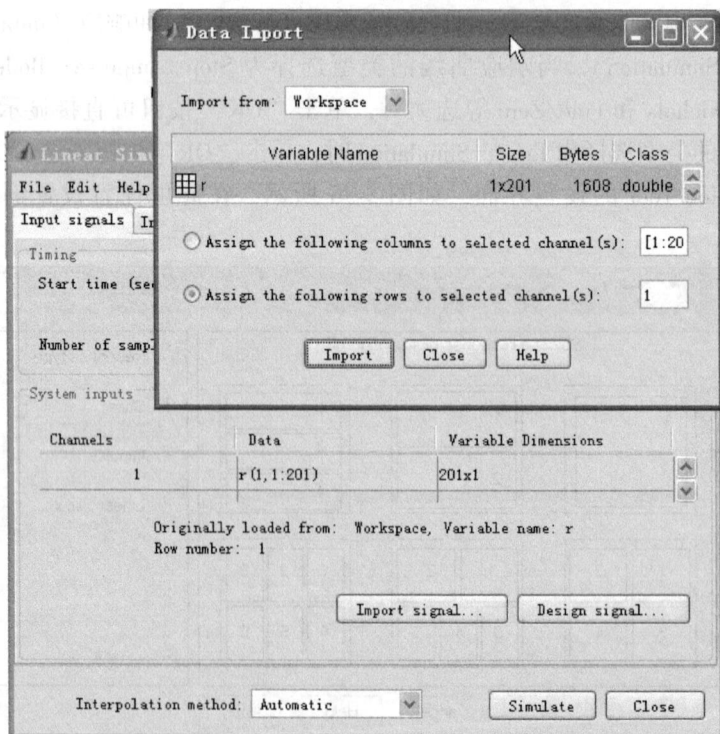

图 3-37　任意输入信号设置界面——输入信号导入

此外，利用该工具还可以从 MAT 文件，Microsoft Excel 电子表格，ASCII 码文本文件，逗号分隔的变量文件（CSV）或文本文件中导入信号数据。也可以利用 Design Signal…来设计正弦波、方波、阶跃函数以及白噪声等几种常用的作用信号。

（3）仿真运行

所有的设置完成后，单击图 3-37 所示右下方的"Simulate"按钮即可启动仿真，在 LTI Viewer 中看到在输入信号作用下的系统响应曲线，如图 3-38 中的第三条曲线所示。图 3-38 中的第一、二条曲线分别为单位阶跃响应曲线和单位脉冲响应曲线。同样，在系统响应曲线上可以获取性能指标。

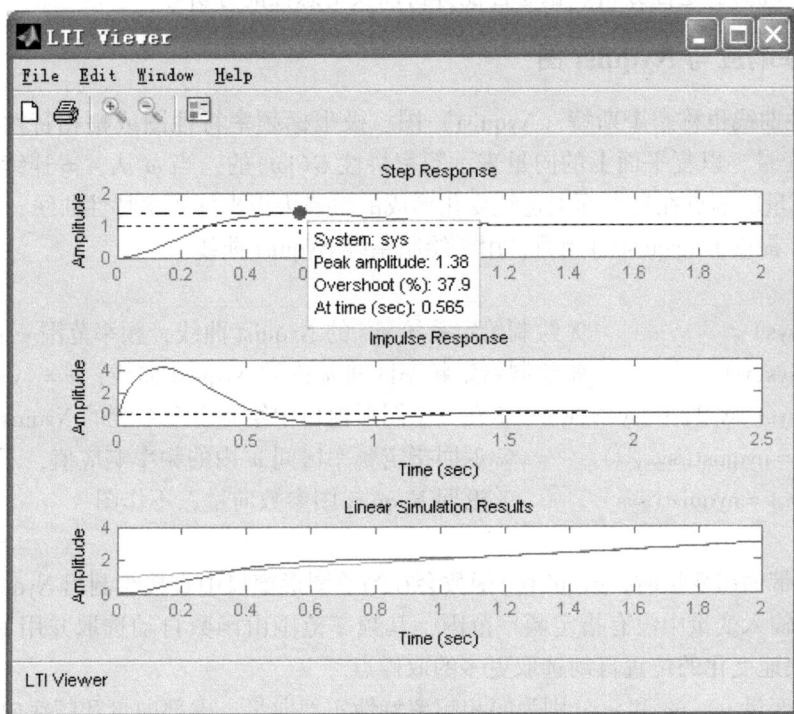

图 3-38　利用 LTI Viewer 观察 3 种信号响应曲线

可以看出，MATLAB 提供了命令行以及图形用户界面等多种方式对系统进行分析，用户可以选择自己感兴趣的方式，以提高控制系统分析的效率。

3.3　控制系统的频域分析

频域分析法主要适用于线性定常系统，是一种实用的系统分析和设计的工程方法，它克服了求解高阶系统时域响应十分困难的缺点，可直观地表达出系统的频率特性，可以根据系统的开环频率特性去判断闭环系统的性能，分析系统参数对系统性能的影响。对于诸如防止结构谐振、抑制噪声、改善系统稳定性和暂态性能等问题，都可以从系统的频率特性上明确地看出其物理实质和解决途径，应用尤为广泛。

设稳定线性定常系统的传递函数为 $G(s)$，在谐波输入信号 $r(t) = R\sin\omega t$ 作用下，其稳

态输出为

$$c_{ss}(t) = R \mid G(j\omega) \mid \sin(\omega t + \angle G(j\omega)) \tag{3-8}$$

定义在谐波输入作用下，式（3-8）中与输入同频率的谐波分量与谐波输入的幅值之比 $A(\omega) = \mid G(j\omega) \mid$ 为幅频特性，相位之差 $\phi(\omega) = \angle G(j\omega)$ 为相频特性，并称 $\mid G(j\omega) \mid \angle G(j\omega)$（即 $G(j\omega)$）为系统的频率特性。$G(j\omega)$ 还可以表示为

$$G(j\omega) = G(s) \mid_{s=j\omega} = \mid G(j\omega) \mid \angle G(j\omega) = \mid G(j\omega) \mid e^{j\angle G(j\omega)} \tag{3-9}$$

常用的频率特性曲线有 3 种，分别是幅相特性曲线（Nyquist 曲线）、对数频率特性曲线（伯德图）和对数幅相曲线（Nichols 图）。当绘制完频率特性曲线后，就可以进行系统性能分析了，如系统的稳定性分析、稳态性能分析以及动态性能分析等。

3.3.1 频率响应与 Nyquist 图

幅相特性曲线也称奈奎斯特（Nyquist）图、极坐标频率特性图或幅相特性图。它是以频率 ω 为参变量，以复平面上的向量表示频率特性 $G(j\omega)$ 的，当 ω 从 $-\infty$ 连续变化至 $+\infty$ 时，$G(j\omega)$ 向量的端点在复平面上连续变化形成的轨迹为极坐标频率特性曲线。

MATLAB 提供了 nyquist( ) 函数，用于绘制系统 Nyquist 曲线。

格式：

nyquist(sys)   % 绘制给定系统 sys 的 Nyquist 曲线，频率范围 w 自动给定

nyquist(sys,w)   % 绘制指定频率区间 w 内的 Nyquist 曲线，$w = \{wmin, wmax\}$

nyquist(sys1,sys2,$\cdots$,sysN,w)   % 在一个图形窗口中绘制多个系统的 Nyquist 曲线

[re,im] = nyquist(sys,w)   % 返回指定频率区间 w 内的频率响应值，不作图

[re,im,w] = nyquist(sys)   % 返回 Nyquist 图参数向量，不作图

说明：

1) 当不带输出变量时，nyquist( ) 函数会在当前图形窗口中直接绘制出 Nyquist 曲线。

2) 如果输入变量中没有指定频率范围，其频率范围由函数自动选取并用 w 变量返回，而且在响应快速变化的位置自动选取更多的取样点。

3) 输出变量 re、im 和 w 分别为幅相频率特性实部向量、虚部向量和频率向量的数值。

4) 如果只给出一个返回变量，则返回的变量为复数阵列，其实部和虚部可以用来绘制系统的 Nyquist 图。

例 3-15 系统的开环传递函数如下，试绘制其 Nyquist 曲线。

$$G(s) = \frac{2s^2 + 5s + 1}{s^2 + 2s + 3}$$

解： 在 MATLAB 命令窗口中输入：H = tf([2 5 1],[1 2 3]); nyquist(H)，程序运行后，得到系统的 Nyquist 曲线，如图 3-39 所示。

在图 3-39 上单击鼠标右键选择"Grid"选项，或者在命令窗口中输入"grid"命令，得到带有网格线的 Nyquist 曲线，此时的网格线是等分贝线，如图 3-40 所示。

默认情况下，MATLAB 绘制的是当 ω 从 $-\infty$ 连续变化至 $+\infty$ 时的 Nyquist 曲线，如果只需要 ω 从 $0 \sim +\infty$ 时的部分，那么在图中单击鼠标右键，将"Show > Negative Frequencies"选项中的"√"去掉即可，得到的曲线如图 3-40 所示。

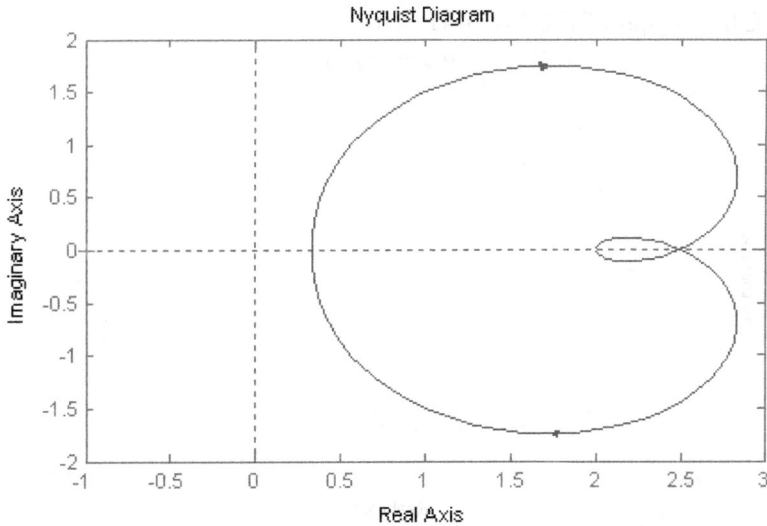

图 3-39　例 3-15 的 Nyquist 曲线

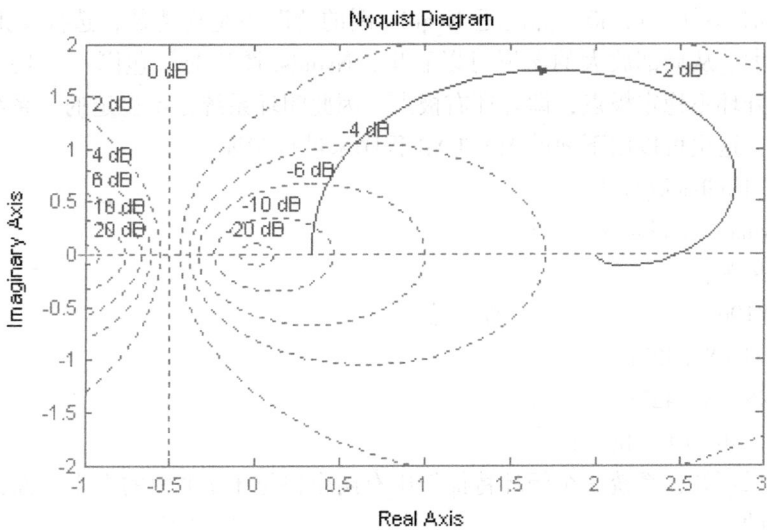

图 3-40　ω 从 0 ~ +∞ 时带有网格的 Nyquist 曲线

例 3-16　系统的开环传递函数如下，试绘制其 Nyquist 曲线，并讨论其稳定性。

$$G(s) = \frac{1000}{(s^2 + 3s + 2)(s + 5)}$$

解：在 MATLAB 命令窗口输入：

G = tf(1000, conv([1,3,2],[1,5]));

[p z] = pzmap(G), nyquist(G)

运行后得到了系统的开环零、极点为：

p = -5.0000　　　　　　　　%极点

　　-2.0000

　　-1.0000

z = Empty matrix：0 - by - 1　　%没有开环零点

绘制的系统开环 Nyquist 曲线如图 3-41 所示。

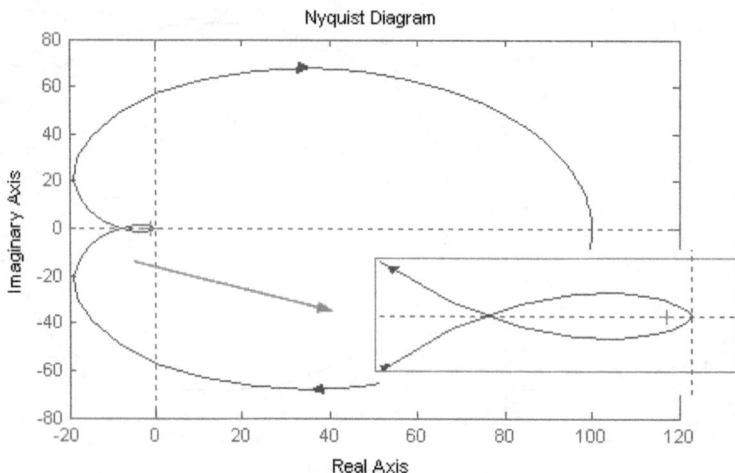

图 3-41　例 3-16 的 Nyquist 曲线

由于图 3-41 中（-1，j0）点附近 Nyquist 图的情况不是很清楚，选择图形窗口中的放大按钮进行放大。从局部放大的图形可以看出，Nyquist 图逆时针包围（-1，j0）点 2 次，而系统中没有开环不稳定极点，即开环右极点，因此闭环系统是不稳定的。系统有 2 个不稳定的闭环极点，这也可以由下面的 MATLAB 程序来进行验证。

G - close = feedback(G,1),

[p z] = pzmap(G_close),

运行后结果为：

p = - 12. 8196　　　　　　　% 极点

　　2. 4098 + 8. 5427i

　　2. 4098 - 8. 5427i

z = Empty matrix：0 - by - 1

由运行结果可知，系统 3 个闭环特征根中有两个根位于 s 平面的右半平面，由此可见该系统是不稳定的。

例 3-17　已知系统的开环传递函数如下，试绘制其 Nyquist 曲线，并讨论其稳定性。

$$G(s) = \frac{s^2 + 2s + 1}{s^3 + 0.2s^2 + s + 1}$$

解：在 MATLAB 命令窗口输入：

num = [1 2 1]; den = [1 0.2 1 1]; G = tf(num,den),

[p z] = pzmap(G), nyquist(G),

运行后得到了系统的开环零、极点为：

p = 0. 2623 + 1. 1451i　　　　　% 极点

　　0. 2623 - 1. 1451i

　　- 0. 7246

z = - 1　　　　　　　　　　　% 零点

　　- 1

绘制的系统开环 Nyquist 曲线如图 3-42 所示，从图 3-42 可以看到，Nyquist 曲线逆时针包围（-1，j0），正穿越 $N^+ = 1$，负穿越 $N^- = 0$，由于系统有 2 个开环右极点，满足：

$$Z = P - 2R = 0 \qquad (P = 2, R = N^+ - N^- = 1)$$

所以闭环系统是稳定的。在绘制出的 Nyquist 曲线显示区域，单击鼠标右键，在"Characteristics"功能下选择"Minimum Stability Margin"，可得到 2 个特殊点，分别单击次特殊点，即可得到性能标签，如图 3-42，从中可知系统是稳定的，同样也可以用求取闭环特征根的方法来进行验证。

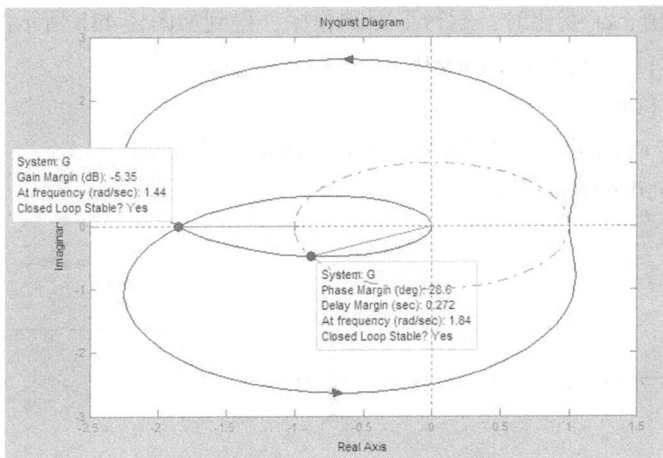

图 3-42　例 3-17 的 Nyquist 曲线

3.3.2　伯德图分析

对数频率特性图也称伯德图，由对数幅频特性和对数相频特性两条曲线组成，实质是用 $A(\omega)$ 和 $\phi(\omega)$ 两个实变函数表示复变函数 $G(j\omega)$，只是在作图时频率轴虽然以 ω 标注，却以 $\lg\omega$ 进行线性分度。采用对数频率轴的优点是可以在有限的范围内扩大频率的表示范围，对数幅频特性的纵轴以 $L(\omega) = 20\lg A(\omega)$ 线性分度且以 $L(\omega)$ 标注，单位为分贝（dB），对数相频特性曲线的纵轴以 $\phi(\omega)$ 线性分度，一般以度或弧度为单位。由于对数频率轴上 $\omega = 0$ 的点在负的无穷远处，所以伯德图可以表示的频率变化范围是 $0 \sim +\infty$。

利用 MATLAB 提供的 bode( ) 函数可以绘制系统的对数频率特性图。bode( ) 函数有下面几种常用的调用格式：

bode(sys)　　　　　　　　% MATALB 自动绘制伯德图

bode（sys，w）　　　　　　%绘制伯德图，频率范围由向量 w 指定

bode(sys1, sys2, ⋯, sysN)　% 在同一个窗口绘制多个系统的伯德图

[mag, phase, w] = bode(sys)

这种带有输出变量的格式，执行后将自动形成一行矢量的频率点，并返回与这些频率点对应的幅值和相角的列矢量（相角以度为单位），但不显示频率特性曲线。

例 3-18　已知典型二阶系统的传递函数为

$$\Phi(s) = \frac{\omega_n^2}{s^2 + 2\zeta\omega_n s + \omega_n^2}$$

绘制当阻尼比 ζ 与自然频率 ω_n 分别变化时系统的伯德图。

解: (1) ω_n 为固定值, ζ 变化时, 运行下面的程序, 得到如图 3-43a 所示的伯德图

wn = 1;zet = [0:0.2:1,2,3,5];

for i = 1:length(zet)

　　num = wn * wn;den = [1,2 * zet(i) * wn,wn * wn];

　　sys = tf(num,den);

　　bode(sys); hold on

end

(2) ζ 为固定值, ω_n 变化时, 运行下面的程序, 得到如图 3-43b 所示的伯德图

wn = [0.1:0.2:1,1.5,2.0]; zet = 0.707;

for i = 1:length(wn)

　　num = wn(i)^2; den = [1,2 * zet * wn(i),wn(i)^2];

　　bode(num,den); hold on

end

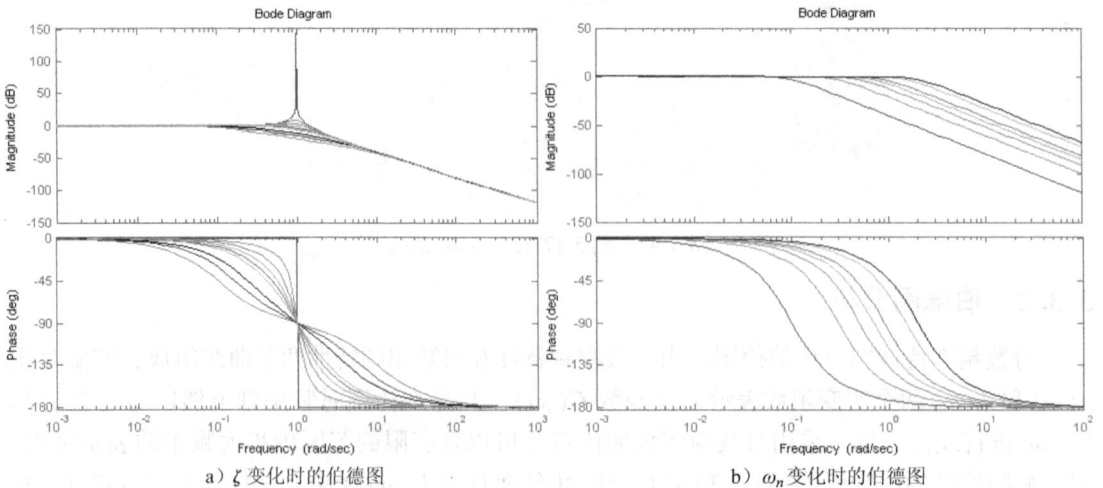

　　　　　a) ζ 变化时的伯德图　　　　　　　　　　　　b) ω_n 变化时的伯德图

图 3-43　不同参数下的二阶系统的伯德图

从图 3-43a 可以看出, 当阻尼比 ζ 比较小时, 系统的频域响应在自然频率 ω_n 附近将表现出较强的振荡, 该现象称为谐振。在图 3-43b 中, 当自然频率 ω_n 的值增加时, 伯德图的带宽将增加, 该现象使得系统的时域响应速度变快。

与伯德图分析相关的还有幅值和相角裕量计算函数 margin( ), 该函数可以计算 SISO 开环模型对应闭环系统的频域指标, 从频率响应数据中计算出幅值裕度、相角裕度以及相位穿越频率 (交界频率) 和幅值穿越频率 (截止频率、剪切频率)。

格式:

margin(sys)　　　　　　　　　　　　　　%绘制伯德图并标出稳定裕度及相应的频率

[Gm,Pm,Wcg,Wcp] = margin(sys)　　　　　%不绘制图形, 仅返回稳定裕度值

[Gm,Pm,Wcg,Wcp] = margin(mag,phase,w)

说明:

1) 该函数适用于线性定常控制系统、连续系统和离散系统。当不带输出参数时, mar-

gin 可在当前图形窗口中绘制出伯德图，并在图上标出幅值裕度和相角裕度的值；在绘制的伯德图中，稳定裕度所在的位置将用垂直线标示出来。

2）输出变量 Gm 为幅值裕度，Wcg 为相位穿越频率，Pm 为相角裕度，Wcp 为幅值穿越频率。

3）mag、phase 和 w 为由函数 bode( ) 得到的频率响应的幅值、相角及频率采样值。

4）每次只能计算或绘制一个系统的稳定裕度。

例 3-19　已知系统的开环传递函数，绘制伯德图并求系统的稳定裕度，分析系统的稳定性。

$$G(s) = \frac{8s + 1}{s^5 + 5s^4 + 20s^3 + 19s^2 + 15s}$$

解：运行下面的程序：

```
G = tf([8,1],[1,5,20,19,15,0]);      % 系统开环传递函数 G
[p z] = pzmap(G)                      % 求取系统开环零极点
margin(G)                             % 绘制伯德图，并标示稳定裕度
```

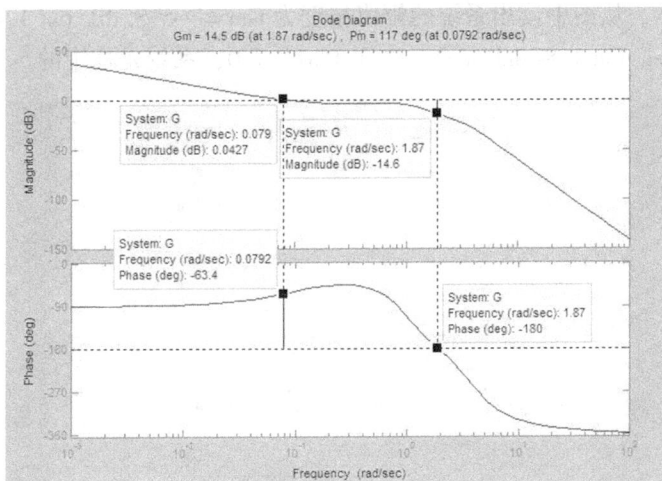

图 3-44　例 3-19 系统的伯德图及稳定裕度

运行后可获得系统的开环零极点为：

```
p =              0
    − 2.0000 + 3.3166i
    − 2.0000 − 3.3166i
    − 0.5000 + 0.8660i
    − 0.5000 − 0.8660i
z = − 0.1250
```

由于系统的开环零极点均分布在 s 平面的左侧，系统为最小相位系统，系统的伯德图如图 3-44 所示。从图 3-44 中可以读出系统的幅值裕度为 Gm = 14.5dB（at 1.87rad/sec），相位裕度为 Pm = 117deg（at 0.0792rad/sec），因此，Gm、Pm 均大于零，系统是稳定的。若用奈奎斯特稳定判据进行稳定性分析，在对数幅频特性曲线大于零的区段，对数相频特性曲线没有穿越 − 180° 线，系统是稳定的，两种分析方法的结果是一致的。

在本例中使用"margin（G）"指令在绘制伯德图的同时，还计算出稳定裕度指标，并

用垂直线标示出稳定裕度的位置，若在相应位置处单击鼠标右键，可获取指标标签。

例 3-20 已知系统的开环传递函数，绘制伯德图并求系统的稳定裕度。

$$G(s) = \frac{s^2 + 2s + 1}{s^3 + 0.2s^2 + s + 1}$$

解：运行下面的程序：

num = [1 2 1]；den = [1 0.2 1 1]；G = tf(num,den)；[p z] = pzmap(G)；margin(G)

运行后可获得系统的开环零极点为：

p = 0.2623 + 1.1451i

　　0.2623 − 1.1451i

　　− 0.7246

z = − 1

　　− 1

由于系统的开环零极点有 2 个分布在 s 平面的右侧，系统为非最小相位系统；系统的伯德图如图 3-45 所示，从图中读出系统的幅值裕度为 Gm = − 5.35dB（at 1.44rad/sec），相位裕度为 Pm = 28.6deg（at 1.84rad/sec），由于 Pm 大于 0，系统是稳定的。

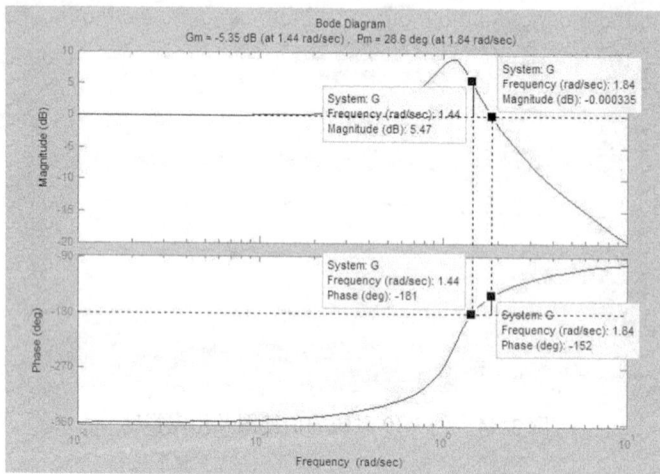

图 3-45　例 3-20 系统的伯德图及稳定裕度

本例可以采用求取闭环特征根的方法来验证系统的稳定性，运行如下程序：

num = [1 2 1]；　den = [1 0.2 1 1]；　G = tf(num,den)；

Gclose = feedback(G,1)；[p z] = pzmap(Gclose)，

运行结果为：

p = − 0.2245 + 1.6163i

　　− 0.2245 − 1.6163i

　　− 0.7511

z = − 1

　　− 1

说明闭环控制系统有 3 个极点，2 个零点，均分布在 s 平面的左侧，因此，系统是稳定的。

3.3.3 控制系统频域分析综合实例

例 3-21 图 3-46 所示为一位置伺服控制系统（随动系统）原理示意图，试建立系统的数学模型，求系统的幅值裕度和相角裕度，并绘制闭环系统的单位阶跃响应。

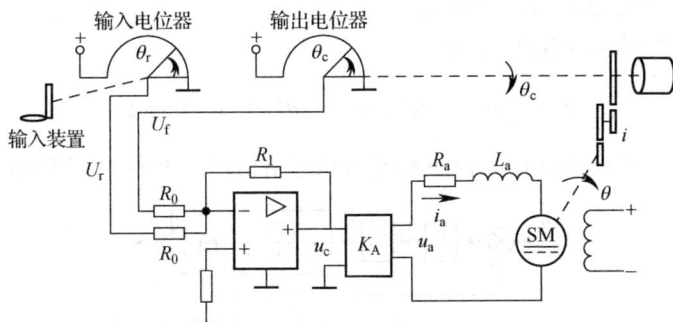

图 3-46 位置伺服控制系统原理示意图

解： 第一步：分析系统，建立系统的微分方程及传递函数。

该系统由一对伺服电位器、信号比较单元、功率放大器、直流伺服电动机、减速器和转动机械组成，其中被控对象为转动机械，伺服电位器用于完成信号的检测与转换，输入电位器由外部手柄控制，实现输入信号的给定，并将输入角位移 θ_r 转变为电压信号 U_r，输出电位器与转动机械同轴连接，将输出角位移 θ_c 检测出来，并将其转变为电压信号 U_f，运算放大器完成 U_r 和 U_f 的比较与放大，功率放大器 K_A 为可逆直流调压电路，为直流伺服电动机提供能量，直流伺服电动机和减速器作为执行元件，驱动转动机械运转。

（1）伺服电位器对及运算放大器环节微分方程与传递函数

该环节的输入为输入角位移与输出角位移的差值，输出为电压，二者的关系为

$$U_c = K_s(\theta_r - \theta_c), \qquad U_c(s) = K_s[\theta_r(s) - \theta_c(s)]$$

式中，K_s 是信号转换系数乘以运算放大器的放大系数。

（2）功率放大器的微分方程与传递函数

$$U_a = K_A U_c, \qquad U_a(s) = K_A U_c(s)$$

（3）直流伺服电动机微分方程与传递函数

电枢电压平衡方程：$U_a = R_a i_a + L_a \dfrac{\mathrm{d}}{\mathrm{d}t} i_a + E_a$

反电动势：$E_a = C_e \omega$

转矩平衡方程：$M_e - M_l = J_m \dfrac{\mathrm{d}}{\mathrm{d}t}\omega$ （M_l 为负载扰动，对伺服系统可忽略）

电磁转矩：$M_e = C_m i_a$

角速度与角位移的关系：$\omega = \dfrac{\mathrm{d}}{\mathrm{d}t}\theta$

将以上方程求拉普拉斯变换，并消去中间变量，可得直流伺服电动机的传递函数

$$\frac{\theta(s)}{U_a(s)} = \frac{1/C_e}{s(T_m T_a s^2 + T_m s + 1)} \approx \frac{1/C_e}{s(T_m s + 1)}$$

式中，T_m 称为机电时间常数，$T_m = \dfrac{R_a J_m}{C_m C_e}$；$T_a$ 称为电磁时间常数，$T_a = \dfrac{L_a}{R_a}$。因为伺服电动机的电磁时间常数远远小于机电时间常数，所以将伺服电动机的传递函数由三阶系统近似处理为二阶系统。

（4）减速器的微分方程与传递函数

设齿轮传动系统的传动比为 i，则

$$\theta_c = \frac{1}{i}\theta, \qquad \theta_c(s) = \frac{1}{i}\theta(s) \qquad (i>1)$$

综上所述，可以得出位置伺服控制系统的动态结构图，如图 3-47 所示。

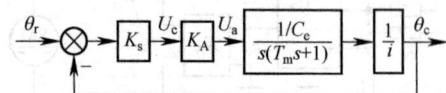

图 3-47　位置伺服控制系统的动态结构图

根据图 3-47 可以求出系统的开环传递函数

$$G(s) = \frac{K_s K_A 1/(C_e i)}{s(T_m s + 1)} = \frac{K}{s(T_m s + 1)}$$

式中，K 称为系统的开环增益，$K = K_s K_A 1/(C_e i)$。

第二步：系统性能的分析。

设 $K = 2$，$T_m = 10$，运行下面的程序，可得到系统的单位阶跃响应曲线，如图 3-48 所示。

$G = tf(2,[10,1,0])$；$G\_close = feedback(G,1)$　　　% 系统开环、闭环传递函数

$[Gm,Pm,Wcg,Wcp] = margin(G)$　　　　　　　% 返回频域指标

$step(G\_close)$，$grid$　　　　　　　　　　　% 绘制单位响应曲线，显示网格

运行结果如下：

Gm = Inf　　　　　　Pm = 12.758

Wcg = Inf　　　　　　Wcp = 0.4416

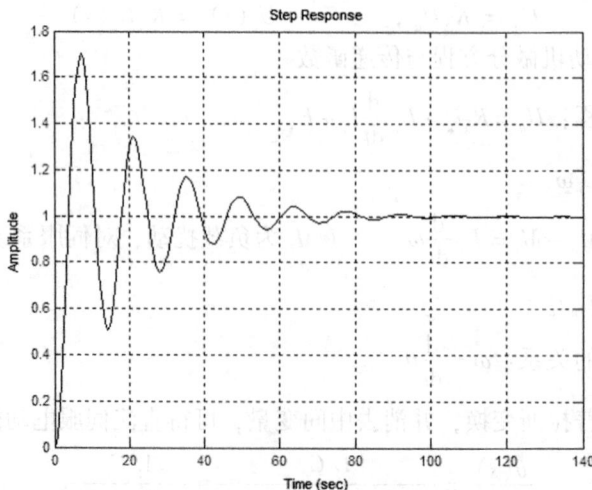

图 3-48　例 3-21 系统的单位阶跃响应曲线

从运行结果可知，系统的幅值裕度很大，相角裕度只有 12. 758°。所以，尽管闭环系统稳定，但其性能较差。从图 3-48 也可看到，闭环系统的单位阶跃响应曲线有较强的振荡，且调整时间较长。

3.3.4　基于单输入单输出设计工具的控制系统频域分析

前面在根轨迹分析法中介绍了 SISO Design Tool 设计工具，控制系统的频域分析也可使用该工具。下面通过例题来说明使用方法。

例 3-22　已知系统的开环传递函数，求系统的幅值裕度和相角裕度，并绘制闭环系统的单位阶跃响应。

$$G(s) = \frac{100}{s(s+5)(s+15)}$$

解：第一步：打开设计工具，导入系统模型。

在 MATLAB 的命令窗口中键入命令：

num = [1]; den = [1 20 75 0]; g = tf(num,den); sisotool(g)

程序运行后，可打开 SISO Design Tool 设计工具，并将系统 G 导入设计工具，如图 3-22 所示，同时打开 "SISO Design for SISO Design Task" 窗口。

第二步：设置曲线类型，获取系统性能。

在 "Graphical Tuning" 功能中，选择 plot1 为开环伯德图（Open-Loop Bode），则在 "SISO Design for SISO Design Task" 窗口只显示系统 G 的伯德图，如图 3-49 所示。从图 3-49 中可读取系统的相位裕度为 89.8°（Degree），幅值裕度为 63.5dB。

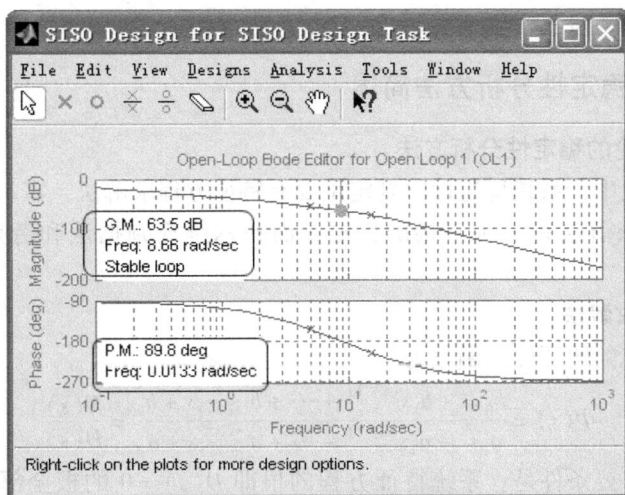

图 3-49　例 3-22 系统的伯德图

第三步：用 LTI Viewer 观测闭环系统的单位阶跃响应。

在设计工具的 "Analysis Plots" 功能中设置 plot1 为 "Step"，在实时更新的 LTI Viewer 中可观测到闭环系统的单位阶跃响应，如图 3-50 所示，时域性能指标为最大超调量为 0，调整时间为 224s，稳态值为 1。

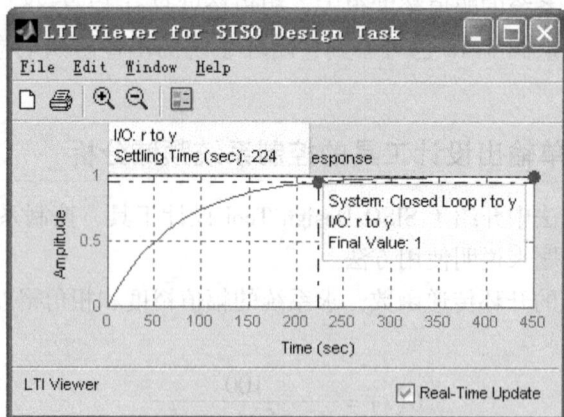

图 3-50　例 3-22 闭环系统的单位阶跃响应曲线

3.4　控制系统的稳定性分析

控制系统的稳定性是控制系统的重要属性，是系统正常工作的首要条件。不稳定的系统没有意义，因为它不能实际使用。在经典控制理论中，若系统由于受到扰动作用而偏离了原来的平衡状态，当扰动去除后，如果能恢复到原来的平衡状态，则称该系统是稳定的；否则系统是不稳定的。在现代控制理论中，主要用李雅普诺夫稳定性进行定义。在不同的定义下，虽然所使用的稳定性分析方法不同，但都是研究系统在扰动作用对运动状态产生影响后，系统的自我调整与自我恢复能力。

3.4.1　控制系统稳定性分析方法简述

1. 经典控制理论的稳定性分析方法

在经典控制理论中，系统稳定性的判定主要有特征方程求解法、霍尔维茨判据法和劳斯判据法。特征方程求解法是一种直接的方法，而霍尔维茨判据法和劳斯判据法是间接的方法。

（1）特征方程求解法

设线性定常系统的闭环传递函数为

$$\Phi(s) = \frac{b_0 s^m + b_1 s^{(m-1)} + \cdots + b_{(m-1)} s + b_m}{a_0 s^n + a_1 s^{(n-1)} + \cdots + a_{(n-1)} s + a_n} = \frac{N(s)}{D(s)} \tag{3-10}$$

则系统稳定的充分必要条件是：系统特征方程的根即 $D(s)=0$ 的根全部分布在 s 的左半平面。特征方程法就是找到系统的特征方程，计算其特征根，然后检查所有特征根是否都具有复实部。

（2）霍尔维茨判据法

设线性定常系统的特征方程为

$$D(s) = a_0 s^n + a_1 s^{(n-1)} + \cdots + a_{(n-1)} s + a_n = 0 \tag{3-11}$$

则系统稳定的充分必要条件是：特征方程的各项系数均大于零，而且霍尔维茨行列式的值以及其各子行列式的值均大于 0。霍尔维茨行列式以及其各子行列式的构建如下：

霍尔维茨行列式：

$$D_n = \begin{vmatrix} a_1 & a_3 & a_5 & \cdots & a_{(2n-1)} \\ a_0 & a_2 & a_4 & \cdots & a_{(2n-2)} \\ 0 & a_1 & a_3 & \cdots & a_{(2n-3)} \\ \vdots & \vdots & \vdots & & \vdots \\ 0 & 0 & 0 & 0 & a_n \end{vmatrix}$$

(3-12)

霍尔维茨一阶子行列式：$D_1 = a_1$

霍尔维茨二阶子行列式：$D_2 = \begin{vmatrix} a_1 & a_3 \\ a_0 & a_2 \end{vmatrix}$

霍尔维茨三阶子行列式：$D_3 = \begin{vmatrix} a_1 & a_3 & a_5 \\ a_0 & a_2 & a_4 \\ 0 & a_1 & a_3 \end{vmatrix}$

(3) 劳斯判据法

设线性定常系统的特征方程为式（3-11），则系统稳定的充分必要条件是劳斯表的第一列数的符号完全相同。劳斯表的构建如下：

$$\begin{array}{cccccc} s^n & a_n & a_{n-2} & a_{n-4} & a_{n-6} & \cdots \\ s^{n-1} & a_{n-1} & a_{n-3} & a_{n-5} & a_{n-7} & \cdots \\ s^{n-2} & b_1 & b_2 & b_3 & b_4 & \cdots \\ s^{n-3} & c_1 & c_2 & c_3 & c_4 & \cdots \\ s^{n-4} & d_1 & d_2 & d_3 & d_4 & \cdots \\ \vdots & \vdots & \vdots & \vdots & \vdots & \vdots \\ s^0 & \cdots & & & & \end{array}$$

表中，$b_1 = \dfrac{a_{n-1}a_{n-2} - a_n a_{n-3}}{a_{n-1}}$，$b_2 = \dfrac{a_{n-1}a_{n-4} - a_n a_{n-5}}{a_{n-1}}$，$b_3 = \dfrac{a_{n-1}a_{n-6} - a_n a_{n-7}}{a_{n-1}}$，直至其余 b_i 全为 0；$c_1 = \dfrac{b_1 a_{n-3} - b_2 a_{n-1}}{b_1}$，$c_2 = \dfrac{b_1 a_{n-5} - b_3 a_{n-1}}{b_1}$，$c_3 = \dfrac{b_1 a_{n-7} - b_4 a_{n-1}}{b_1}$，直至其余 c_i 全为 0；$d_1 = \dfrac{b_2 c_1 - b_1 c_2}{c_1}$，$d_2 = \dfrac{b_3 c_1 - b_1 c_3}{c_1}$，$d_3 = \dfrac{b_4 c_1 - b_1 c_4}{c_1}$，直至其余 d_i 全为 0。

在这三种方法中，特征方程求解法是基本方法，在以手工运算为主的年代，由于高阶系统其特征根的求取存在一定困难，故派生出了一些间接判断稳定性的方法，如霍尔维茨判据法和劳斯判据法等；在 MATLAB 中，借助计算机的强大运算能力，高阶系统特征根的求取已完全能完成，因此常采用特征方程求解法来进行系统稳定性的判定。另外，还可以借助根轨迹图及伯德图来进行稳定性判断。

2. 现代控制理论的稳定性分析方法

李雅普诺夫将判断系统稳定性的问题归纳为两种方法，即李雅普诺夫第一法和李雅普诺夫第二法。李雅普诺夫第一法又称李雅普诺夫间接法，它通过解系统的微分方程，然后根据解的性质来判断系统的稳定性，其基本思路和分析方法与经典控制理论一致。李雅普诺夫第二法又称李雅普诺夫直接法，直接根据系统的结构判断系统内部的稳定性，而不必求解系统微分方程。

（1）李雅普诺夫第一法（间接法）

设线性定常连续系统自由运动的状态方程为 $\dot{x} = Ax$，则系统在 $x_e = 0$ 平衡状态渐近稳定的充分必要条件是系统矩阵 A 的所有特征值均具有负实部。

（2）李雅普诺夫第二法（直接法）

设线性定常连续系统为 $\dot{x} = Ax$，则系统平衡状态 $x_e = 0$ 是大范围渐近稳定的充分必要条件是：给定一个正定的实对称矩阵 Q，存在一个正定的实对称矩阵 P，使得李雅普诺夫方程（3-13）成立。

$$A^T P + PA = -Q \qquad (3\text{-}13)$$

在式（3-13）中，Q 一般为单位矩阵。

3.4.2　控制系统稳定性分析的 MATLAB 实现

1. 求解系统特征根（特征值），**判断系统稳定性**

在 MATLAB 中，特征方程根的求解可使用函数 roots( )，通过以下例题来说明如何使用。

例 3-23　已知单位反馈系统的开环传递函数为

$$G(s) = \frac{s+2}{s(s^3 + 2s^2 + 9s + 10)}$$

试对闭环系统进行稳定性判定。

解：思路是：首先写出闭环传递函数 $\Phi(s) = \dfrac{s+2}{s(s^3 + 2s^2 + 9s + 10) + (s+2)}$，然后根据闭环传递函数找到系统的特征方程 $s(s^3 + 2s^2 + 9s + 10) + (s+2) = 0$，求出特征方程的根，最后考查特征方程的根是否都具有负实部。程序如下：

```
n1 = [0 0 0 1 2];d1 = [1 2 9 10 0];g = tf(n1,d1);
gb = feedback(g,1);
P = n1 + d1,roots(P)
```

程序的运行结果为

$P = \begin{bmatrix} 1 & 2 & 9 & 11 & 2 \end{bmatrix}$（即特征方程为 $s^4 + 2s^3 + 9s^2 + 11s + 2 = 0$）。

ans = $-0.3127 + 2.7909i$，$-0.3127 - 2.7909i$，-1.1551，-0.2195（特征方程的 4 个根）。

由于特征方程的根都具有负实部，因此该闭环系统是稳定的。

例 3-24　已知单位反馈系统的开环传递函数为

$$G(s) = \frac{50}{s(0.1s + 1)(0.5s + 1)}$$

试对闭环系统进行稳定性判定。

解：思路与例 3-23 相同，程序如下：

```
n0 = 50;d0 = conv(conv([1 0],[0.1 1]),[0.5 1]),
g0 = tf(n0,d0);g = feedback(g0,1);
roots(g.den{1})
```

程序的运行结果为

ans = − 15.0741 ， 1.5370 + 7.9985i， 1.5370 − 7.9985i。

由于特征方程的根不都具有负实部，因此该闭环系统是不稳定的。

说明：将上述程序中的最后一句换成"g1 = zpk(g)；g1.p{1}"，也可得到同样的结果。

例 3-25 已知系统的状态方程为

$$\dot{x} = \begin{bmatrix} -8 & -16 & -6 \\ 1 & 0 & 0 \\ 0 & 1 & 0 \end{bmatrix} x$$

试判定系统的稳定性。

解： 思路是先求出系统矩阵 **A** 的特征值，然后判断特征值是否都具有负实部。

程序一：A = [−8 −16 −6;1 0 0;0 1 0]；

　　　　　P = poly(A)；roots(P)

程序二：A = [−8 −16 −6;1 0 0;0 1 0]；

　　　　　eig(A)

两个程序的运行结果均为：ans = − 5.0861， − 2.4280， − 0.4859。由于系统的 3 个特征值均具有负实部，所以系统是稳定的。

2. 绘制根轨迹图，确定系统开环增益的稳定域

在系统分析与设计中，通常系统的开环增益是可调节的，因此需要确定其取值范围，以保证系统稳定。针对这一类问题，可采用绘制根轨迹的方式，具体步骤如下。

第一步：使用函数 rlocus( ) 绘制根轨迹。

第二步：在根轨迹中找临界稳定状态（即根轨迹与虚轴的交点），单击鼠标右键，获取数据。

第三步：读取数据。

例 3-26 已知单位反馈系统的开环传递函数为

$$G(s) = K \frac{s + 3}{s(s + 5)(s + 6)(s^2 + 2s + 2)}$$

试求使系统稳定的 K 的取值范围。

解： 第一步：使用函数 rlocus( ) 绘制根轨迹，程序如下：

n − [1 3]；d = conv(conv(conv([1 0],[1 5]),[1 6]),[1 2 2])；

g = tf(n,d)；rlocus(g)

程序运行后，可得系统根轨迹图，如图 3-51 所示。

第二步：将鼠标停在根轨迹与虚轴的交点处，单击鼠标左键或右键，获得交点处的性能数据，如图 3-51 中方框内的数据所示。从图 3-51 中可知，临界状态时的根轨迹增益（Gain）为 35.9，纯虚根（Pole）为 ±1.36i，阻尼比（Damping）为 0，最大超调量（Overshoot）为 100%。因此，使系统稳定的 K 的取值范围为 0 < K < 35.9。

3. 求解李雅普诺夫方程，判断系统稳定性

MATLAB 工具箱中提供了求解李雅普诺夫方程的函数 lyap( )，其调用格式为：x = lyap(A,Q)。其中，**A** 是系统矩阵，**Q** 是所给定的正定的实对称矩阵（一般取为单位矩阵），反馈的输出变量 x 是李雅普诺夫方程的解，即所要求解的正定实对称矩阵 **P**。正定矩阵的判别

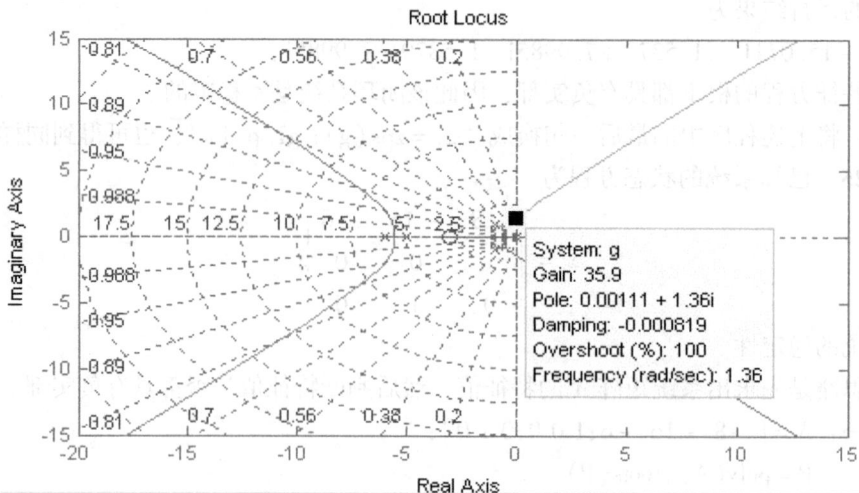

图 3-51　例 3-26 系统根轨迹图及性能数据

方法：若 P 满足其行列式及各子行列式的值均大于零，则 P 为正定矩阵。

例 3-27　已知系统的状态方程为

$$\dot{x} = \begin{bmatrix} 0 & 1 \\ -1 & -1 \end{bmatrix} x$$

其平衡状态在坐标原点处，试判断该系统的稳定性。

解：解题思路是先利用函数 lyap( )求取正定实对称矩阵 P，然后判断 P 是否是正定的。程序如下：

```
A = [0 1; -1 -1];
Q = eye( size( A) ),              % 设置一个与 A 同秩的单位矩阵
P = lyap( A, Q),                  % 求解李雅普诺夫方程
det1 = det( P( 1,1) ),            % 取矩阵 P 的 1 行 1 列构成行列式，并求其值
det2 = det( P)                    % 取矩阵 P 的所有行列构成行列式，并求其值
```

程序的运行结果为　　P = 1. 5000　　　 - 0. 5000

　　　　　　　　　　　　 - 0. 5000　　　1. 0000

　　　　　　　　 det1 = 1. 5000, det2 = 1. 2500

结论：由于 det1 及 det2 的值均大于 0，P 为正定的，所以该系统是稳定的。

说明：将语句"P = lyap(A, Q)"换成"P = lyap2(A, Q)"可得到相同的结果，因为 lyap2(A, Q)是 MATLAB 提供的采用特征值分解技术来求解李雅普诺夫方程的函数，其特点是运算速度较快。

3.5　控制系统的可观性与可控性分析

可观性和可控性是现代控制理论中两个重要的基本概念，是设计控制器和状态观测器的基础。系统的可控性是指系统的输入能否控制状态的变化，而系统的可观性是指系统的状态变化能否由输出反映出来。

3.5.1　系统的可观性分析

1. 系统的可观性分析方法

对于 n 阶线性定常系统：$\dot{x} = Ax + Bu$，$y = Cx$，可观性判别矩阵为

$$Q_o = \begin{bmatrix} C \\ CA \\ \vdots \\ CA^{n-1} \end{bmatrix}$$

当 Q_o 的秩等于 $n(\operatorname{rank}(Q_o) = n)$ 时，系统的状态完全可观测。

当系统不完全可观测时，系统可通过线性变换进行结构分解，找到系统的可观子系统。线性变换后的系统状态空间表达式为

$$\begin{bmatrix} \dot{\bar{x}}_{\bar{o}} \\ \dot{\bar{x}}_{o} \end{bmatrix} = \begin{bmatrix} \bar{A}_{\bar{o}} & \bar{A}_{12} \\ 0 & \bar{A}_{o} \end{bmatrix} \begin{bmatrix} \bar{x}_{\bar{o}} \\ \bar{x}_{o} \end{bmatrix} + \begin{bmatrix} \bar{B}_{o-} \\ \bar{B}_{o} \end{bmatrix} u, \quad y = \begin{bmatrix} 0 & \bar{C}_o \end{bmatrix} \begin{bmatrix} \bar{x}_{\bar{o}} \\ \bar{x}_{o} \end{bmatrix}$$

式中，$\bar{x}_o$ 为可观测状态；$\bar{x}_{\bar{o}}$ 为不可观测状态。

2. 系统可观性分析的 MATLAB 实现

MATLAB 中提供了可观性判别矩阵的求取函数 obsv（），其调用格式为 $Q_o = $ obsv(A, C)。当系统不完全可观测时，可用函数 obsvf（）将系统按可观性进行分解。函数 obsvf（）的调用格式为

$[$Abar, Bbar, Cbar, T, k$] = $obsvf$(A, B, C)$，

式中，Abar、Bbar、Cbar 分别是系统按可观性进行分解后的参数矩阵；T 是满秩线性变换矩阵；k 是一个长度为 n 的矢量，其元素为各个块的秩，sum（k）可求出 A 中能观测部分的秩。

当系统完全可观测时，可将系统转化为可观测标准型，满秩线性变换矩阵为

$$T = \begin{bmatrix} 1 & a_{n-1} & \cdots & a_1 \\ & \ddots & \ddots & \vdots \\ & & \ddots & a_{n-1} \\ & & & 1 \end{bmatrix} \begin{bmatrix} CA^{n-1} \\ \vdots \\ CA \\ C \end{bmatrix} \qquad \bar{x} = Tx$$

其中，$a_i(i = 1, 2, \cdots, n-1)$ 是系统特征多项式的系数。系统可观测标准型的参数矩阵与变换前系统参数矩阵之间的关系为 $\bar{A} = TAT^{-1}$，$\bar{B} = TB$，$\bar{C} = CT^{-1}$。

例 3-28　已知系统的状态空间表达式为

$$\dot{x} = \begin{bmatrix} -3 & 1 \\ 1 & -3 \end{bmatrix} x + \begin{bmatrix} 1 & 1 \\ 1 & 1 \end{bmatrix} u, \quad y = \begin{bmatrix} 1 & 1 \\ 1 & -1 \end{bmatrix} x$$

试判别系统的可观性。

解：解题思路为先求出可观性判别矩阵，然后判断其秩是否等于 2。程序如下：

a = [-3 1;1 -3]; c = [1 1;1 -1]; qo = obsv(a,c),

n = rank(qo)　　　　　　　　　　%求 qo 的秩

程序的运行结果为

$$qo = \begin{bmatrix} 1 & 1 \\ 1 & -1 \\ -2 & -2 \\ -4 & 4 \end{bmatrix} \qquad n = 2$$

结论：系统完全可观测。

例 3-29　已知系统的状态描述为

$$\dot{x} = \begin{bmatrix} 1 & -1 \\ 1 & 1 \end{bmatrix} x + \begin{bmatrix} -1 \\ 1 \end{bmatrix} u , \quad y = \begin{bmatrix} 1 & 1 \end{bmatrix} x$$

试判别系统的可观性。若系统完全可观测，将其转化为可观测标准型。

解：第一步：判别系统的可观性。程序为

$a = [1 \ -1 ; 1 \ 1] ; c = [1 \ 1] ; qo = obsv(a , c) , n = rank(qo)$

运行结果为 $\qquad qo = \begin{bmatrix} 1 & 1 \\ 2 & 0 \end{bmatrix} \qquad n = 2$

结论：系统为完全可观测的。

第二步：求取系统特征多项式，程序为

$a = [1 \ -1 ; 1 \ 1] ; c = [1 \ 1] ; b = [-1 ; 1] ; d = [0 \ 0] ; [num , den] = ss2tf(a , b , c , d)$

运行结果为　num = 0　　　0　　　−2

　　　　　　　den = 1　　　−2　　　2

所以，系统的特征多项式为 $s^2 - 2s + 2 = 0$。

第三步：计算线性变换矩阵，得到可观测标准型。程序如下：

$m1 = [1 \ -2 ; 0 \ 1] ; m2 = [c * a ; c] ; T = m1 * m2 ,$

$abar = T * a * (T^{\wedge} - 1) , bbar = T * b , cbar = c * (T^{\wedge} - 1) ,$

运行结果为　abar =　　0　　　−2

　　　　　　　　　　　1　　　　2

　　　　　　　bbar =　−2

　　　　　　　　　　　0

　　　　　　　cbar =　0　　1

即 $abar = \overline{A} = \begin{bmatrix} 0 & -2 \\ 1 & 2 \end{bmatrix} \qquad bbar = \overline{B} = \begin{bmatrix} -2 \\ 0 \end{bmatrix} \qquad cbar = \overline{C} = \begin{bmatrix} 0 & 1 \end{bmatrix}$

例 3-30　已知系统的状态空间表达式为

$$\dot{x} = \begin{bmatrix} 0 & 0 & -1 \\ 1 & 0 & -3 \\ 0 & 1 & -3 \end{bmatrix} x + \begin{bmatrix} 1 \\ 1 \\ 0 \end{bmatrix} u , \quad y = \begin{bmatrix} 0 & 1 & -2 \end{bmatrix} x$$

试判别系统的可观性，若系统不完全可观测，将其按可观性进行分解。

解：第一步：判别系统的可观性。程序为

$a = [0 \ 0 \ -1 ; 1 \ 0 \ -3 ; 0 \ 1 \ -3] ; c = [0 \ 1 \ -2] ;$

$qo = obsv(a , c) , n = rank(qo)$

运行结果为　　　　$\boldsymbol{qo} = \begin{bmatrix} 0 & 1 & -2 \\ 1 & -2 & 3 \\ -2 & 3 & -4 \end{bmatrix}$　　　　$n = 2$

结论：系统为不完全可观测的。

第二步：按可观性进行结构分解，程序如下：

a = [0 0 -1；1 0 -3；0 1 -3]；b = [1；1；0]；c = [0 1 -2]；

[abar, bbar, cbar, T, k] = obsvf(a, b, c)，

程序运行结果为

abar = 　-1.0000　　-1.3416　　-3.8341

　　　　　 0.0000　　-0.4000　　-0.7348

　　　　　　 0　　 0.4899　　-1.6000

bbar = 　1.2247

　　　　　-0.5477

　　　　　-0.4472

cbar = 　0　　0.0000　　-2.2361

T = 　0.4082　　0.8165　　0.4082

　-0.9129　　　　0.3651　　0.1826

0　　　　　　　-0.4472　　0.8944

k = 　1　　　　1　　　　0

即结构分解后的系统状态空间表达式为

$$\dot{x} = \begin{bmatrix} -1 & -1.34 & -3.83 \\ 0 & -0.4 & -0.73 \\ 0 & 0.49 & -1.6 \end{bmatrix} x + \begin{bmatrix} 1.22 \\ -0.55 \\ -0.45 \end{bmatrix} u，\quad y = \begin{bmatrix} 0 & 0 & -2.24 \end{bmatrix} x$$

3.5.2　系统的可控性分析

1. 系统的可控性分析方法

对于 n 阶线性定常系统：$\dot{x} = Ax + Bu$，$y = Cx$，可控性判别矩阵为

$$\boldsymbol{Q}_c = \begin{bmatrix} B & AB & \cdots & A^{n-1}B \end{bmatrix}$$

当 $\boldsymbol{Q}_c$ 的秩等于 $n(\mathrm{rank}(Q_c) = n)$ 时，系统的状态完全可控。

当系统不完全可控时，系统可通过线性变换进行结构分解，找到系统的可控子系统。线性变换后的系统状态空间表达式为

$$\begin{bmatrix} \dot{\bar{x}}_{\bar{c}} \\ \dot{\bar{x}}_c \end{bmatrix} = \begin{bmatrix} \bar{A}_{\bar{c}} & 0 \\ \bar{A}_{21} & \bar{A}_c \end{bmatrix} \begin{bmatrix} \bar{x}_{\bar{c}} \\ \bar{x}_c \end{bmatrix} + \begin{bmatrix} 0 \\ B_c \end{bmatrix} u，\quad y - \begin{bmatrix} \bar{C}_{\bar{c}} & C_a \end{bmatrix} \begin{bmatrix} \bar{x}_{\bar{c}} \\ \bar{x}_c \end{bmatrix}$$

其中，$\bar{x}_c$ 为可控状态；$\bar{x}_{\bar{c}}$ 为不可控状态。

2. 系统可控性分析的 MATLAB 实现

MATLAB 中提供了可控性判别矩阵的求取函数 ctrb()，其调用格式为：$Q_c = \mathrm{ctrb}(A,$ $B)$，当系统不完全可控时，可以用函数 ctrbf() 将系统按可控性进行分解。函数 ctrbf() 的调用格式如下：

[Abar,Bbar,Cbar,T,k] = ctrbf (A,B,C),

其中，Abar、Bbar、Cbar 分别是系统按可控性进行分解后的参数矩阵；T 是满秩线性变换矩阵；k 是一个长度为 n 的矢量，其元素为各个块的秩，sum (k) 可求出 A 中可控部分的秩。

当系统完全可控时，可将系统转化为可控标准型，满秩线性变换矩阵为

$$T = \begin{bmatrix} B & AB & \cdots & A^{n-1}B \end{bmatrix} \begin{bmatrix} a_{n-1} & \cdots & a_1 & 1 \\ \vdots & \ddots & \ddots & \\ a_1 & 1 & & \\ 1 & & & \end{bmatrix} \qquad x = T\bar{x}$$

其中，$a_i(i=1,2,\cdots,n-1)$ 是系统特征多项式的系数。系统可控标准型的参数矩阵与变换前系统参数矩阵之间的关系为 $\bar{A} = T^{-1}AT$，$\bar{B} = T^{-1}B$，$\bar{C} = CT$。

例 3-31 已知系统的状态空间表达式为

$$\dot{x} = \begin{bmatrix} -3 & 1 \\ 1 & -3 \end{bmatrix}x + \begin{bmatrix} 1 & 1 \\ 1 & 1 \end{bmatrix}u, \quad y = \begin{bmatrix} 1 & 1 \\ 1 & -1 \end{bmatrix}x$$

试判别系统的可控性。

解：解题思路为先求出可控性判别矩阵，然后判断其秩是否等于 2。程序如下：

a = [-3 1;1 -3]; b = [1 1;1 1]; qc = ctrb(a,b),

n = rank(qc),   % 求 qc 的秩

程序的运行结果为

$$qc = \begin{bmatrix} 1 & 1 & -2 & -2 \\ 1 & 1 & -2 & -2 \end{bmatrix} \qquad n = 1$$

结论：系统不完全可控。

例 3-32 已知系统的状态描述为

$$\dot{x} = \begin{bmatrix} 1 & -1 \\ 1 & 1 \end{bmatrix}x + \begin{bmatrix} -1 \\ 1 \end{bmatrix}u, \quad y = \begin{bmatrix} 1 & 1 \end{bmatrix}x$$

试判别系统的可控性，若系统完全可控，则将其转化为可控标准型。

解：第一步：判别系统的可控性。程序为

a = [1 -1;1 1]; b = [-1;1]; qc = ctrb(a,b), n = rank(qc)

运行结果为 $$qc = \begin{bmatrix} -1 & -2 \\ 1 & 0 \end{bmatrix} \qquad n = 2$$

结论：系统完全可控。

第二步：求取系统特征多项式，程序为

a = [1 -1;1 1]; c = [1 1]; b = [-1;1]; d = [0 0]; [num,den] = ss2tf(a,b,c,d)

运行结果为   num = 0   0   -2

den = 1   -2   2

所以，系统的特征多项式为 $s^2 - 2s + 2 = 0$。

第三步：计算线性变换矩阵，得到可控标准型。程序如下：

a = [1 -1;1 1]; b = [-1;1]; c = [1 1];

m1 = qc; m2 = [-2 1;1 0]; T = m1 * m2,

abar = (T^ – 1) * a * T, bbar = (T^ – 1) * b, cbar = c * T,

运行结果为　　　 T = 0　　　　 – 1

　　　　　　　　 – 2　　　　　 1

　　　　 abar = 0　　　　　 1

　　　　　　　 – 2　　　　　 2

　　　　 bbar = 0

　　　　　　　 1

　　　　 cbar = – 2　　　　 0

即 $\boldsymbol{T} = \begin{bmatrix} 0 & -1 \\ -2 & 1 \end{bmatrix}$　$\boldsymbol{abar} = \overline{\boldsymbol{A}} = \begin{bmatrix} 0 & 1 \\ -2 & 2 \end{bmatrix}$　$\boldsymbol{bbar} = \overline{\boldsymbol{B}} = \begin{bmatrix} 0 \\ 1 \end{bmatrix}$　$\boldsymbol{cbar} = \overline{\boldsymbol{C}} = \begin{bmatrix} -2 & 0 \end{bmatrix}$

例 3-33　已知系统的状态空间表达式为

$$\dot{\boldsymbol{x}} = \begin{bmatrix} 0 & 0 & -1 \\ 1 & 0 & -3 \\ 0 & 1 & -3 \end{bmatrix} \boldsymbol{x} + \begin{bmatrix} 1 \\ 1 \\ 0 \end{bmatrix} \boldsymbol{u}, \quad \boldsymbol{y} = \begin{bmatrix} 0 & 1 & -2 \end{bmatrix} \boldsymbol{x}$$

试判别系统的可控性，若系统不完全可控，则将其按可控性进行分解。

解：第一步：判别系统的可控性。程序为

a = [0 0 – 1;1 0 – 3;0 1 – 3]; b = [1;1;0]; c = [0 1 – 2];

qc = ctrb(a,b), n = rank(qc)

运行结果为　　　$\boldsymbol{qc} = \begin{bmatrix} 1 & 0 & -1 \\ 1 & 1 & -3 \\ 0 & 1 & -2 \end{bmatrix}$　　 $n = 2$

结论：系统为不完全可控。

第二步：按可控性进行结构分解，程序为

a = [0 0 – 1;1 0 – 3;0 1 – 3]; b = [1;1;0]; c = [0 1 – 2];

[abar,bbar,cbar,T,k] = ctrbf(a,b,c),

运行结果为

abar =　　 – 1. 0000　　 0. 0000　　　 – 0. 0000

　　　　　 – 2. 1213　　 – 2. 5000　　　 0. 8660

　　　　　 – 1. 2247　　 – 2. 5981　　　 0. 5000

bbar =　　　 0

　　　　　　 0

　　　　　 – 1. 4142

cbar =　 1. 7321　 1. 2247　　 – 0. 7071

T =　　 – 0. 5774　　　 0. 5774　　　 – 0. 5774

　　　　 0. 4082　　　 – 0. 4082　　　 – 0. 8165

　　　　 – 0. 7071　　 – 0. 7071　　　　 0

k =　 1　　 1　　　 0

即结构分解后的系统状态空间表达式为

$$\dot{x} = \begin{bmatrix} -1 & 0 & 0 \\ -2.12 & -2.5 & 0.87 \\ -1.22 & -2.6 & 0.5 \end{bmatrix} x + \begin{bmatrix} 0 \\ 0 \\ -1.41 \end{bmatrix} u , \quad y = \begin{bmatrix} 1.73 & 1.22 & -0.707 \end{bmatrix} x$$

本 章 小 结

本章主要讲述了基于 MATLAB 命令的控制系统瞬态性能分析的时域、频域和根轨迹法，介绍了利用 MATLAB 命令实现线性定常系统稳定性分析的方法以及利用 MATLAB 实现控制系统可观测性与可控性的分析。此外，本章还详细介绍了利用图形用户界面（GUI）设计工具 SISO Design Tool 进行系统分析的基本使用方法。

习 题

1. 已知系统的闭环传递函数 $\Phi(s) = \dfrac{4.8s^2 + 28.8s + 24}{s^3 + 9s^2 + 26s + 24}$，试绘制控制系统的阶跃响应曲线，并获取超调量、调节时间、上升时间和稳态值等性能指标。

2. 设某单位反馈系统的开环传递函数为 $G(s) = \dfrac{6(s+1)}{s(s^3 + 4s^2 + 5s + 3)}$，对任意给定的输入信号 $r(t) = \sin\left(t + \dfrac{\pi}{6}\right)$ 和 $r(t) = \cos 3t$，分别求系统的输出响应曲线。

3. 已知单位负反馈系统的开环传递函数为 $G(s) = \dfrac{K}{s(s^2 + 4s + 5)}$，绘制系统的根轨迹图，并求使系统稳定的 K 值范围和使系统无超调的 K 值范围。

4. 已知单位负反馈系统的开环传递函数为 $G(s) = \dfrac{s^2 + 2s + 1}{s^3 + 0.2s^2 + s + 1}$，试绘制系统的 Nyquist 图，并判断系统的稳定性。

5. 已知单位负反馈系统的开环传递函数为 $G(s) = \dfrac{5}{s(0.5s+1)(0.125s+1)}$，试绘制系统的开环频率特性曲线，求取系统的幅值穿越频率 ω_{cg}、相角裕度，以及相角穿越频率 ω_{cp}、幅值裕度，并判别系统的稳定性。

6. 已知单位反馈系统的开环传递函数为 $G(s) = 100\dfrac{s+2}{s(s+1)(s+20)}$，试判定闭环系统是否稳定。

7. 已知单位反馈系统的开环传递函数为 $G(s) = \dfrac{50K}{s(0.1s+1)(0.5s+1)}$，试绘制系统的根轨迹，并求使系统稳定的 K 的取值范围。

8. 已知系统的状态方程为 $\dot{x} = \begin{bmatrix} -1 & 1 \\ 2 & -3 \end{bmatrix} x$，试用李雅普诺夫第二法判别系统的稳定性。

9. 已知系统的状态描述为 $\dot{x} = \begin{bmatrix} -2 & 2 & -1 \\ 0 & -2 & 0 \\ 1 & -4 & 0 \end{bmatrix} x + \begin{bmatrix} 0 \\ 1 \\ 1 \end{bmatrix} u$，试判别系统的可控性，若系统完全可控，则将其转化为可控标准型；若系统不完全可控，则将其按可控性进行分解。

10. 已知系统的状态描述为 $\dot{x} = \begin{bmatrix} -1 & -2 & -2 \\ 0 & -1 & 1 \\ 1 & 0 & 1 \end{bmatrix} x + \begin{bmatrix} 2 \\ 0 \\ 1 \end{bmatrix} u$，$y = \begin{bmatrix} 1 & 1 & 0 \end{bmatrix} x$，试判别系统的可观测性，若系统完全可观测，则将其转化为可观测标准型；若系统不完全可观测，则将其按可观测性进行分解。

第4章 控制系统设计与仿真

第3章讨论了系统的分析方法，但在工程实际中常常是在被控对象已知的前提下，预先给定性能指标，要求设计者选择或确定控制装置的结构和参数，使控制装置与被控对象组成一个性能满足要求的新系统，这就是控制系统的设计或校正。系统校正的方式有串联校正、反馈校正、前馈校正和复合校正，目前工程实践中最常用的为串联校正。在串联校正中，校正装置有相位超前校正装置、相位滞后校正装置和相位滞后-超前校正装置3种。

4.1 基于根轨迹的控制系统设计

当系统的性能指标以时域指标提出时，可以借助根轨迹曲线获取校正装置的结构和参数。因为系统期望的闭环主导极点往往不在被控对象的根轨迹曲线上，所以需要添加一对零极点，来改变系统的根轨迹曲线。若期望主导极点在原根轨迹的左侧，则采用相位超前校正；若期望主导极点在原根轨迹上，则通过调整 K 值，以满足静态性能要求；若期望主导极点在原根轨迹的右侧，则采用相位滞后校正。具体步骤如下：

第一步：对被控对象（即未校正系统）进行性能分析，确定使用何种校正装置。

第二步：根据性能指标的要求，确定期望的闭环主导极点。

第三步：确定校正装置的参数 Z_c 和 P_c，写出其传递函数 $G_c(s) = K_c \dfrac{s + Z_c}{s + P_c}$。

第四步：绘制根轨迹图，确定 K_c。

第五步：对校正后的系统进行性能校验。

4.1.1 基于根轨迹的相位超前校正

当 $P_c > Z_c$ 时，$G_c(s) = K_c \dfrac{s + Z_c}{s + P_c}$ 就是相位超前校正装置的传递函数。相位超前校正装置能给系统提供一个正的相位，而相位超前校正就是利用相位超前校正装置的相位超前特性，来改善闭环系统的动态性能的。这种校正的突出优点是校正后系统的剪切频率比校正前的大，系统的快速性得到提高；缺点是易引入高频干扰。

1. 基于根轨迹的相位超前校正几何方法

基于根轨迹的相位超前校正几何方法步骤如下：

第一步：对未校正系统进行性能分析，并对比系统期望的动态性能指标。

第二步：根据期望的动态性能指标，确定期望的闭环主导极点 s_1，令 $\varphi = \angle(s_1)$。

第三步：设未校正系统的开环传递函数为 $G(s)$，则使根轨迹通过期望主导极点的补偿角为 $\varphi_c = 180° - \angle G(s_1)$。

第四步：确定 $G_c(s)$ 的零极点。如图 4-1 所示，在复平面上找到 s_1 的位置，过 s_1 做水平线 $s_1 B$，做 $\angle B s_1 O$ 的角平分线交负实轴于 C 点；再在 $s_1 C$ 两边做两条线 $s_1 D$ 和 $s_1 E$，使

$\angle Ds_1C = \angle Es_1C = \dfrac{\varphi_c}{2}$，则 $DO = -P_c$，$EO = -Z_c$。P_c 和 Z_c 的

计算公式为

$$P_c = \mathrm{Re}(s_1) - \frac{\mathrm{Im}(s_1)}{\tan(\theta_P)} \qquad (4\text{-}1)$$

式中，$\theta_P = \angle s_1DO = \dfrac{\varphi - \varphi_c}{2}$。

图 4-1 零极点的确定

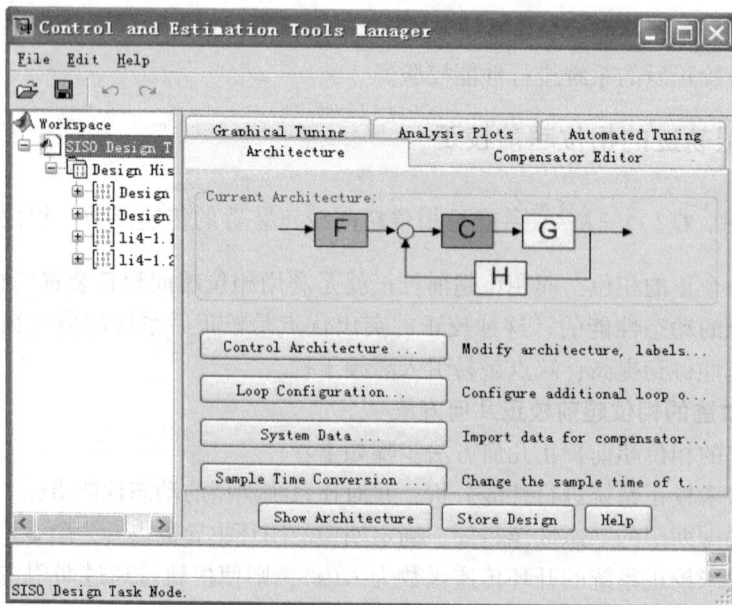

$$Z_c = \mathrm{Re}(s_1) - \frac{\mathrm{Im}(s_1)}{\tan(\theta_Z)} \qquad (4\text{-}2)$$

式中，$\theta_Z = \angle s_1EO = \dfrac{\varphi + \varphi_c}{2}$。

第五步：系统性能校验。

例 4-1 已知单位反馈控制系统的开环传递函数为 $G(s) = \dfrac{1}{s(s+5)(s+15)}$，试设计超前

校正装置，使系统满足：最大超调量 $\sigma\% \leqslant 16\%$；调整时间 $t_s \leqslant 0.6\mathrm{s}$。

解： 第一步：对未校正系统进行性能分析。

MATLAB 提供了一个单输入单输出系统的设计工具箱，采用可视化的设计方法，使用十分方便。在 MATLAB 的 "Command Window" 中键入：sisotool，回车后即可进入设计视窗 "Control and Estimation Tools Manager"，如图 4-2 所示。在图 4-2 中，左边部分为任务区，显示当前的设计任务和所有已保存的设计任务；右边部分为编辑区，共有 5 个功能模块：系统结构（Architecture）、校正装置编辑器（Compensator Editor）、实时仿真图运行（Graphical Tuning）、分析图设置（Analysis Plots）和自动运行（Automated Tuning）。

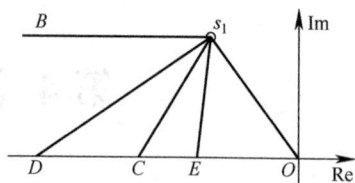

图 4-2 SISO Design Tool 主界面

首先，输入系统数学模型。在系统结构模块中可通过图 4-2 右边的控制系统结构（Control Architecture...）按钮来改变控制系统结构。本例采用图 4-2 中显示的结构，在分析未校正系统性能时令 $F = C = 1$，由于是单位反馈系统，故 $H = 1$，$G(s)$ 可通过系统数据（System Data...）按钮从"Workspace"或".mat"文件中输入。本例的操作是：在"Command Window"中键入命令：

num = [1]；den = [1 20 75 0]；g = tf(num, den)

即在"Workspace"中生成了传递函数 $g = \dfrac{1}{s\,(s+5)\,(s+15)}$，然后从"Workspace"输入系统数据，输入成功后的界面如图 4-3 所示。在图 4-3 中可以看到，系统（System）栏目下 G 的数据为 g。

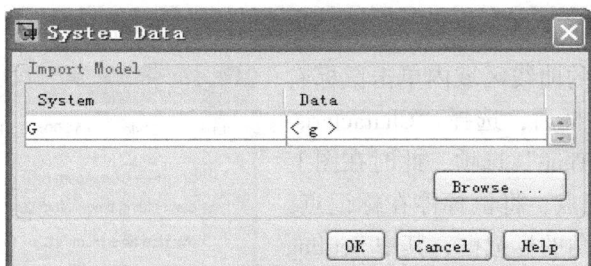

图 4-3　未校正系统模型输入后的界面

其次，在分析图设置模块中，通过"Analysis Plots"下的下拉菜单添加各分析图（Plot1）的类型，通过"Contents of Plots"指定各图所分析的内容，最多可添加 6 个分析图，其界面如图 4-4 所示。本例选择 Plot1 为闭环系统的单位阶跃响应。

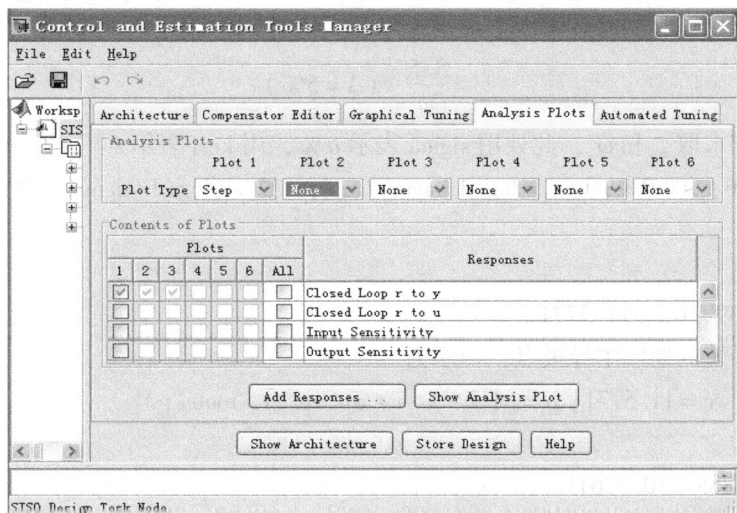

图 4-4　分析图设置界面

上述操作完成后，自动生成"LTI Viewer for SISO Design Task"，如图 4-5 所示。单击"Edit"菜单下的"LTI Viewer Preferences"选项，进入"Options"，将误差带设定为 5%，如图 4-6 所示。

从图 4-5 可以看到，原系统虽然没有超调量，但调整时间很长，调整时间可通过以下操

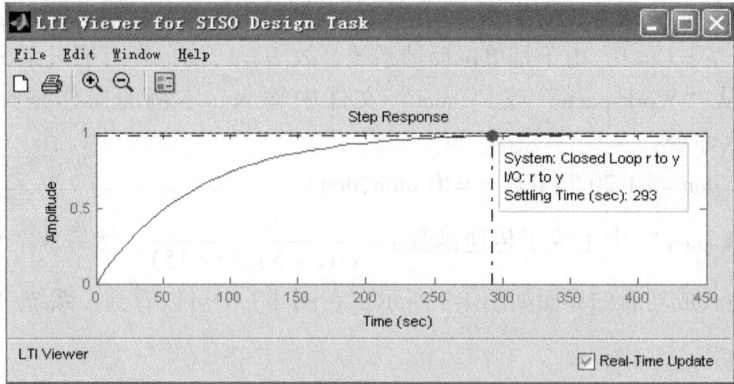

图 4-5 例 4-1 未校正系统的单位阶跃响应曲线

作获取：在图 4-5 上的曲线区域内单击鼠标右键，当出现一个对话框后，选择 "Characteristics" 下的 "Settling Time" 选项，此时在图上会自动出现一个标记点，将鼠标停在标记点，自动出现图 4-5 右上角的标记框，其中 Settling Time 就是调整时间，即 $t_s = 293$s。显然，未校正系统不能满足性能指标的要求。

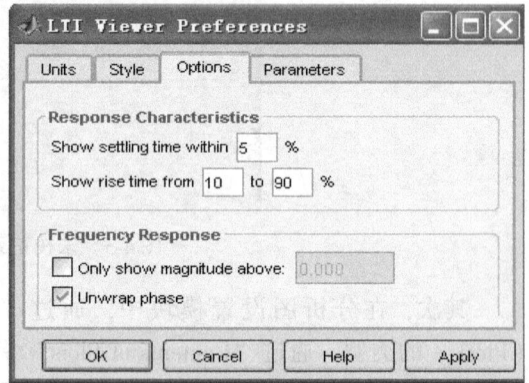

图 4-6 误差带设置界面

第二步：将期望的系统看作是二阶系统，根据性能指标求取系统期望主导极点。

根据性能指标：

$$\sigma\% = e^{-\frac{\pi\zeta}{\sqrt{1-\zeta^2}}} \times 100\% \qquad (4-3)$$

$$t_s = \frac{3.5}{\zeta\omega_n} \quad (\Delta = 5\%) \qquad (4-4)$$

用以下语句求取 ζ 和 ω_n，此处用 sigma 表示 $\sigma\%$，用 kesi 表示 ζ：

sigma = 0. 16；ts = 0. 6；kesi = log(1/sigma)/((pi)^2 + (log(1/sigma))^2)^(1/2)，wn = 3. 5/(kesi * ts)

执行结果为

kesi = 0. 5039，wn = 11. 5771。

然后求取系统的期望主导极点，程序为

kesi = 0. 5；wn = 11. 5771；p = [1 2 * kesi * wn wn^2]，roots(p)

执行结果为

ans = − 5. 7885 + 10. 0261i

− 5. 7885 − 10. 0261i

即期望极点为 $s_{1,2} = -5.79 \pm i10.03$。

第三步：求校正装置传递函数，程序如下。

s1 = − 5. 7885 + 10. 0261i；phi = angle(s1)，   % φ 记作 phi

ng = [1]；dg = [1 20 75 0]；

ngv = polyval(ng,s1)，dgv = polyval(dg,s1)，   % $dgv = s_1^3 + 20s_1^2 + 75s_1$

g = ngv/dgv;zeta = angle(g),　　　　　　　　　　　　　% $zeta = \angle g(s_1)$

if zeta > 0;phic = pi - zeta;end;

if zeta < 0;phic = - zeta;end;

zetaz = (phi + phic)/2;zetap = (phi - phic)/2;　　　　% θ_Z 记作 zetaz,θ_P 记作 zetap

zc = real(s1) - imag(s1)/tan(zetaz),

pc = real(s1) - imag(s1)/tan(zetap),

nc = [1 - zc],dc = [1 - pc],gc = tf(nc,dc),

nv = polyval(nc,s1);dv = polyval(dc,s1);kv = nv/dv;

kc = abs(1/g * kv);

if zeta < 0;kc = - kc;end;

运行结果为

zeta = 1.7118(98.13⁰), phi = 2.0944(120.1⁰), zc = - 3.8468, pc = -34.8417

Transfer function：

s + 3.847

----

s + 34.84

kc = 526.74

即结果是 $G_c(s) = 526.74 \dfrac{s + 3.847}{s + 34.84}$。

第四步：系统性能校验。

利用 SISO Design Tool 的设计视窗 "Control and Estimation Tools Manager" 进行性能校验。

首先，添加已设计好的校正装置。在单击校正装置编辑器（Compensator Editor）进入此模块后，出现如图 4-7 所示的界面。将鼠标放在 "Pole/Zero" 的 "Dynamics" 区域内，单击

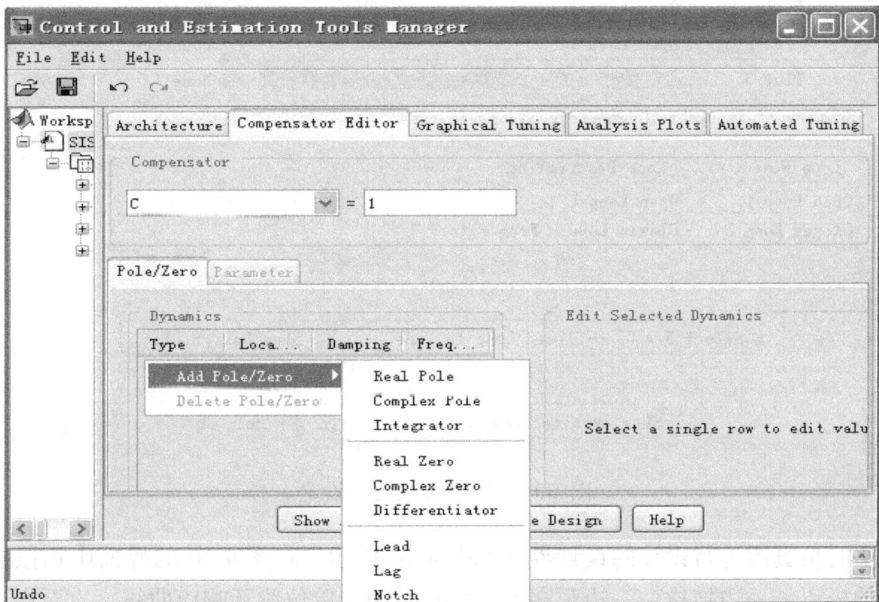

图 4-7　校正装置编辑界面

鼠标右键，出现图 4-7 所示的菜单，这时可进行零极点的添加。本例需添加一个极点和一个零点，添加后的界面如图 4-8 所示。

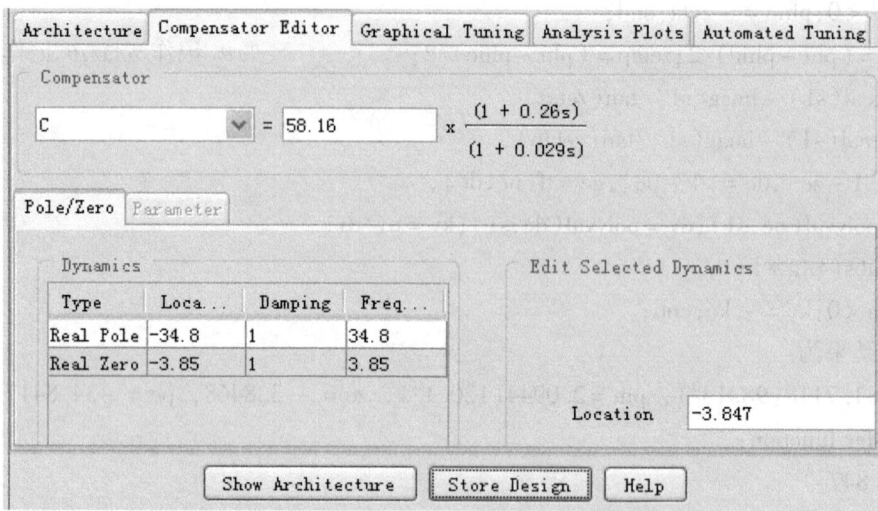

图 4-8 校正装置零极点的添加

其次，在实时仿真图运行（Graphical Tuning）模块中选择实时运行的仿真图的类型及内容，并单击"Show Design Plot"按钮，打开设计界面。本例选择了开环根轨迹图和开环伯德图，如图 4-9 所示。

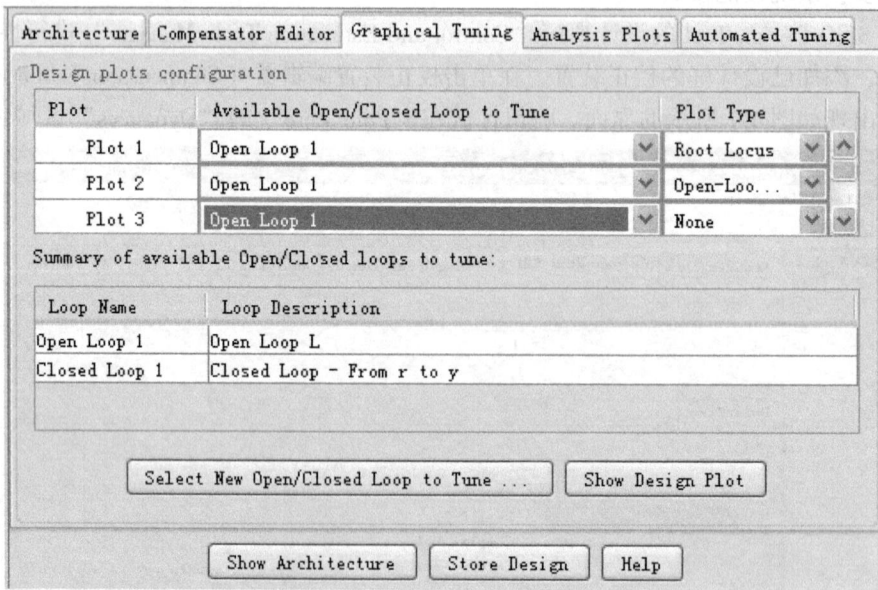

图 4-9 实时仿真图运行设置

利用实时仿真图进行设计的设计界面如图 4-10 所示。在图 4-10 的界面中用鼠标拖拉根轨迹图上的极点，一边拖拉，一边观察 LTI Viewer 中的单位阶跃响应曲线，直至性能指标满足要求为止。例 4-1 校正后系统的单位阶跃响应曲线如图 4-11 所示。

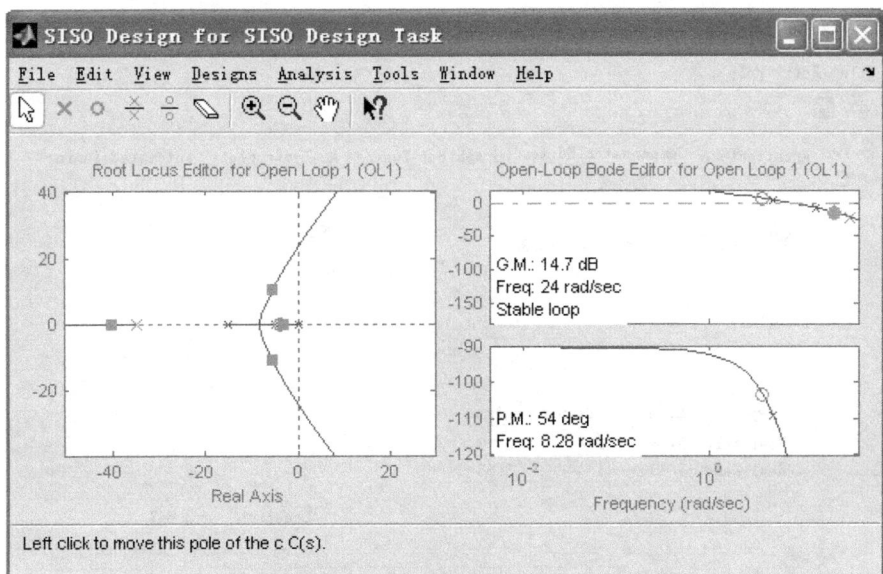

图 4-10　利用实时仿真图进行设计的设计界面

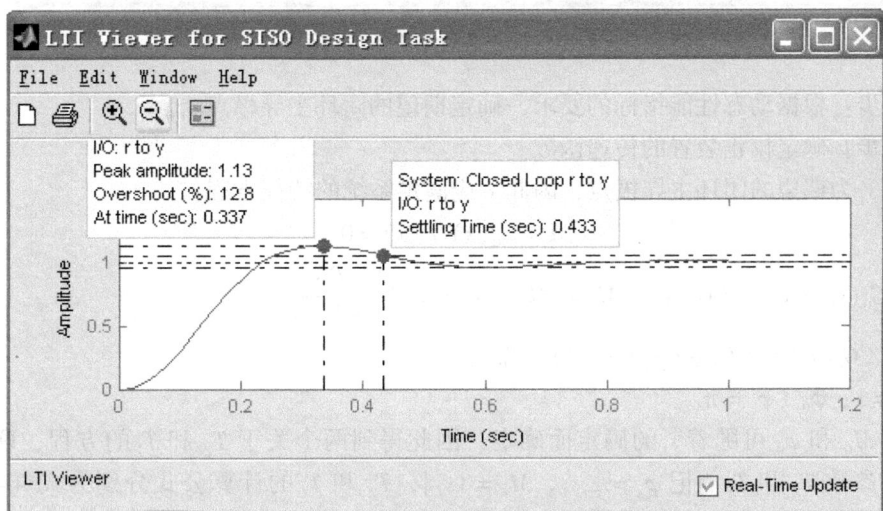

图 4-11　例 4-1 校正后系统的单位阶跃响应曲线

从图 4-11 中可知，$\sigma\% = 12.8\%$，$t_s = 0.433\text{s}$，满足设计要求。校正装置的传递函数可从设计视窗"Control and Estimation Tools Manager"中的校正装置编辑器（Compensator Editor）模块中读取，如图 4-12 所示。本例的校正装置为 $G_c(s) = 593.92\,\dfrac{1 + 0.26s}{1 + 0.029s}$。

2. 基于根轨迹的相位超前校正解析方法

设未校正系统的开环传递函数为 $G_0(s)$，校正装置的传递函数为 $G_c(s) = K_c\,\dfrac{T_z s + 1}{T_p s + 1}$，采用解析方法进行相位超前校正的步骤如下：

第一步：由稳态指标确定校正装置的增益，并对未校正系统进行性能分析。

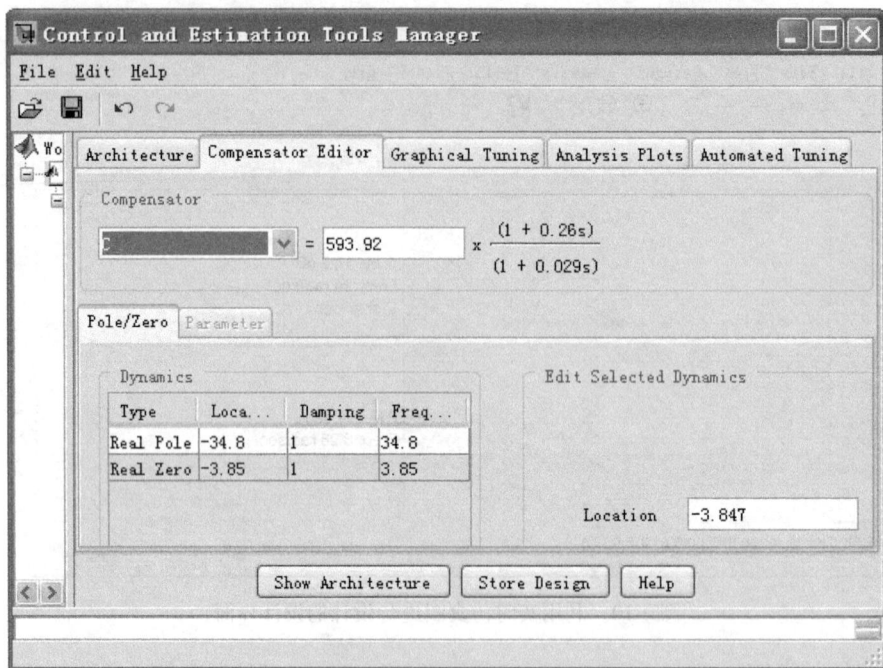

图 4-12　校正装置最终数据的读取

第二步：根据动态性能指标的要求，确定期望的闭环主导极点 s_1。

第三步：确定校正装置的传递函数。

由于 s_1 为期望的闭环主导极点，因此 s_1 应满足系统的特征方程：

$$1 + G_0(s)G_c(s) = 0 \tag{4-5}$$

设 $M_0 = |G_0(s_1)|, \varphi_0 = \angle G_0(s_1)$, $M_c = |G_c(s_1)| = K_c\dfrac{|1 + T_Z s_1|}{|1 + T_P s_1|}$

$\varphi_c = \angle G_c(s_1) = \angle(1 + T_Z s_1) - \angle(1 + T_P s_1)$

则 $M_0 M_c = 1$, $\varphi_0 + \varphi_c = \pi$。

由于 M_0 和 φ_0 可随着 s_1 的确定而确定，因此得到两个关于 T_Z 和 T_P 的方程，联立求解后可得到参数 T_Z 和 T_P。记 $\varphi_s = \angle s_1$，$M_s = |s_1|$，T_Z 和 T_P 的计算公式分别为式（4-6）和式（4-7）。

$$T_Z = \frac{\sin\varphi_s - K_c M_0 \sin(\varphi_0 - \varphi_s)}{K_c M_0 M_s \sin\varphi_0} \tag{4-6}$$

$$T_P = -\frac{K_c M_0 \sin\varphi_s + \sin(\varphi_0 + \varphi_s)}{M_s \sin\varphi_0} \tag{4-7}$$

第四步：系统性能校验。

例 4-2　已知单位反馈控制系统的开环传递函数为 $G_0(s) = \dfrac{2}{s(0.25s + 1)(0.1s + 1)}$，试设计超前校正装置，使系统满足：最大超调量 $\sigma\% \leqslant 30\%$；调整时间 $t_s \leqslant 0.8\text{s}$；系统单位斜坡响应稳态误差 $e_{ss} \leqslant 0.1$。

解：第一步：确定校正装置的增益 K_c，并对未校正系统进行性能分析。

校正后系统的开环传递函数为 $G_0(s)G_c(s) = \dfrac{2}{s(0.25s+1)(0.1s+1)}K_c\dfrac{T_Zs+1}{T_Ps+1}$，其单位斜坡响应的稳态误差为 $e_{ss} = \dfrac{1}{2K_c} \leqslant 0.1$。解得 $K_c \geqslant 5$，取 $K_c = 5$，因此，未校正系统的开环传递函数为 $G_0(s) = \dfrac{10}{s(0.25s+1)(0.1s+1)} = \dfrac{400}{s(s+4)(s+10)}$。

未校正系统的性能分析仍采用 SISO Design Tool 的分析方法，在 MATLAB 的 "Command Window" 中键入程序：n1 = 400；d1 = conv（conv（[1 0]，[1 4]），[1 10]）；g0 = tf（n1，d1），可在 "Workspace" 中产生一个名为 "g0" 的变量，然后从设计视窗 "Control and Estimation Tools Manager" 的系统结构（Architecture）模块输入传递函数；同时，在分析图设置（Analysis Plots）模块中选择 Plot1 为闭环系统的单位阶跃响应，调整误差带为 5%，打开 "LTI Viewer" 可看到单位阶跃响应曲线，如图 4-13 所示。从图 4-13 中可以得到系统的最大超调量 $\sigma\% = 74.1\%$，调整时间 $t_s = 7.62\mathrm{s}$，不能满足性能指标的要求。

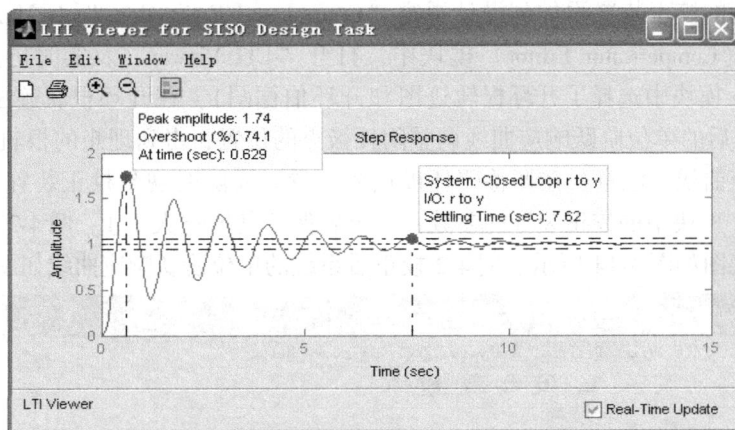

图 4-13　例 4-2 未校正系统的单位阶跃响应曲线

第二步：确定期望的闭环主导极点 s_1。

由 $\sigma\% = \mathrm{e}^{-\frac{\pi\zeta}{\sqrt{1-\zeta^2}}} \times 100\% = 30\%$ 及 $t_s = \dfrac{3.5}{\zeta\omega_n} = 0.8$（$\Delta = 5\%$）求取 ζ 和 ω_n。

用 sigma 表示 $\sigma\%$，用 kesi 表示 ζ，程序为

sigma = 0.3；ts = 0.8；kesi = log（1/sigma）/（（pi）^2 +（log（1/sigma））^2）^（1/2），wn = 3.5/（kesi * ts）

执行结果为 kesi = 0.3579，wn = 12.2255。

接下来求期望的闭环主导极点，程序为

kesi = 0.3579；wn = 12.2255；p = [1 2 * kesi * wn wn^2]，roots（p）

执行结果为 $s_{1,2} = -4.3755 \pm 11.4157\mathrm{i}$。

第三步：确定校正装置的传递函数，程序为

s1 = -4.3755 + 11.4157i；kc = 5；

n0 = 2；d0 = conv(conv([1 0]，[0.25 1])，[0.1 1])；

ng0v = polyval(n0,s1)；dg0v = polyval(d0,s1)；

gs1 = ng0v/dg0v；m0 = abs(gs1)，phi0 = angle(gs1)，

ms = abs(s1)，phis = angle(s1)，

Tz = (sin(phis) − kc * m0 * sin(phi0 − phis))/(kc * m0 * ms * sin(phi0))，

Tp = − (kc * m0 * sin(phis) + sin(phi0 + phis))/(ms * sin(phi0))，

gc = tf([Tz 1]，[Tp 1])，

执行结果为 Transfer function：

$$\frac{0.3647\ s + 1}{0.01656\ s + 1}$$

即所求得的校正装置的传递函数为 $G_c(s) = 5\dfrac{0.3647s + 1}{0.01656s + 1}$。

第四步：系统性能校验。

将已设计好的校正装置添加到设计视窗 "Control and Estimation Tools Manager" 中的校正装置编辑器（Compensator Editor）模块中，打开 "LTI Viewer" 及实时仿真图（本例在 Graphical Tuning 模块中选择了开环根轨迹图和开环伯德图），在开环根轨迹图上根据 "LTI Viewer" 中校正后的单位阶跃响应曲线调整闭环极点的位置，得到理想的根轨迹图及校正后的单位阶跃响应曲线。注意，在调整闭环极点的位置时要随时观察校正装置编辑器（Compensator Editor）模块中的校正装置的参数，一定要保证其增益大于 1。例 4-2 校正后系统的根轨迹图及伯德图如图 4-14 所示。例 4-2 校正后系统的单位阶跃响应曲线如图 4-15 所示。

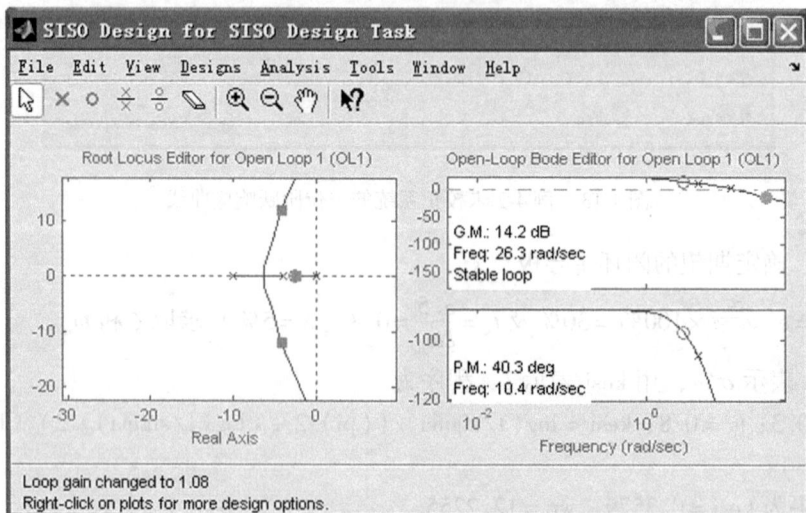

图 4-14　例 4-2 校正后系统的根轨迹图及伯德图

从图 4-15 中可直接读出系统的性能：最大超调量 $\sigma\% = 26.4\%$，调整时间 $t_s = 0.654\text{s}$。最后，从校正装置编辑器（Compensator Editor）模块中读取校正装置的传递函数 $G_c(s) = 1.0838\dfrac{0.36s + 1}{0.017s + 1}$。

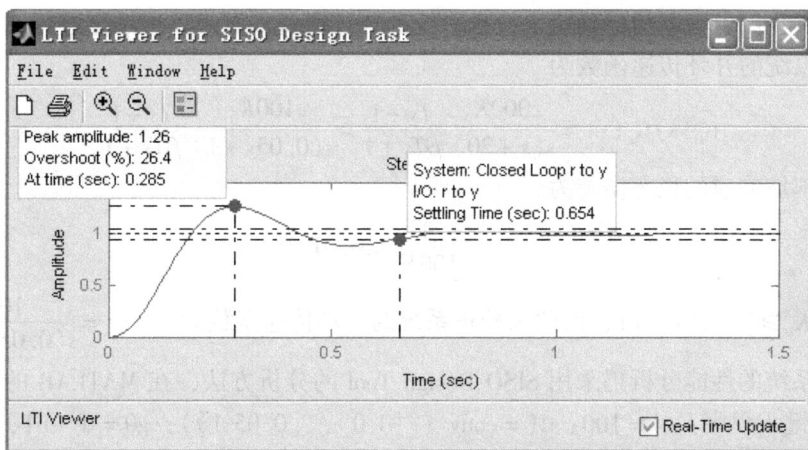

图 4-15　例 4-2 校正后系统的单位阶跃响应曲线

4.1.2　基于根轨迹的相位滞后校正

1. 基于根轨迹的相位滞后校正基本原理

设未校正系统的开环传递函数为 $G_0(s)$，校正装置的传递函数为 $G_c(s) = \dfrac{Ts+1}{\beta Ts+1}$ $(\beta > 1)$，则校正后系统的开环传递函数为 $G(s) = G_0(s)G_c(s)$；设 s_1 为期望的闭环主导极点，因此 s_1 应满足系统的特征方程 $1 + G_0(s)G_c(s) = 0$；由于是滞后校正，校正装置的零极点相对于 s_1 来说应是一对偶极子，而且离虚轴越近越好。因此，当 $s = s_1$ 时，校正装置的零极点可看作是一对偶极子，所以有

$$|G_c(s_1)| = \left| \frac{1+Ts_1}{1+\beta Ts_1} \right| = \frac{1}{\beta} \left| \frac{s_1 + \dfrac{1}{T}}{s_1 + \dfrac{1}{\beta T}} \right| \approx \frac{1}{\beta} \tag{4-8}$$

记 $M_0 = |G_0(s_1)|$，$M_c = |G_c(s_1)|$，则

$$M_0 M_c = M_0 \frac{1}{\beta} = 1 \tag{4-9}$$

2. 基于根轨迹的相位滞后校正步骤

第一步：由稳态指标确定未校正系统的开环增益，对未校正系统进行性能分析。

第二步：根据未校正系统的根轨迹图及期望的动态性能指标，确定期望的闭环主导极点 s_1。

第三步：根据式（4-9）计算校正装置的参数 β。

第四步：选取并调整校正装置的参数 T，直到系统性能满足要求。

第五步：系统性能校验。

例 4-3　已知单位反馈控制系统的开环传递函数为 $G_0(s) = K_0 \dfrac{2000}{s(s+20)}$，试设计滞后校正装置，使系统满足：最大超调量 $\sigma\% \leqslant 15\%$；调整时间 $t_s \leqslant 0.4\mathrm{s}$；系统单位斜坡响应稳态

误差 $e_{ss} \leqslant 0.01$。

解： 第一步：由稳态指标确定未校正系统的开环增益，对未校正系统进行性能分析。

校正后系统的开环传递函数为

$$G_0(s) G_c(s) = \frac{2000 K_0}{s(s+20)} \frac{Ts+1}{\beta Ts+1} = \frac{100 K_0}{s(0.05s+1)} \frac{Ts+1}{\beta Ts+1}$$

其单位斜坡响应的稳态误差为

$$e_{ss} = \frac{1}{100 K_0} \leqslant 0.01$$

解之得 $K_0 \geqslant 1$，取 $K_0 = 1$，因此未校正系统的开环传递函数为 $G_0(s) = \dfrac{100}{s(0.05s+1)}$。

未校正系统的性能分析仍采用 SISO Design Tool 的分析方法，在 MATLAB 的 "Command Window" 中键入程序：n1 = 100；d1 = conv（[1 0]，[0.05 1]）；g0 = tf（n1，d1），可在 "Workspace" 中产生一个名为 "g0" 的变量，然后从设计视窗 "Control and Estimation Tools Manager" 的系统结构（Architecture）模块输入传递函数 g0；同时，在分析图设置（Analysis Plots）模块中选择 Plot1 为闭环系统的单位阶跃响应，调整误差带为 5%，打开 "LTI Viewer" 可看到单位阶跃响应曲线，如图 4-16 所示。从图 4-16 中可以得到系统的最大超调量 $\sigma\% = 48.5\%$，调整时间 $t_s = 0.378$s，不能满足性能指标的要求。

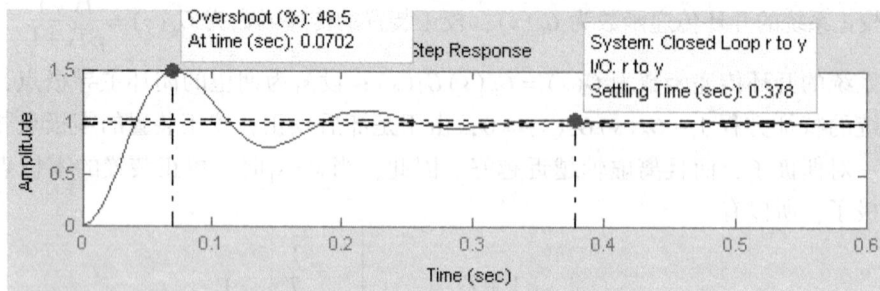

图 4-16　例 4-3 未校正系统的单位阶跃响应曲线

第二步：确定期望的闭环主导极点 s_1。

由 $\sigma\% = e^{-\frac{\pi\zeta}{\sqrt{1-\zeta^2}}} \times 100\% = 15\%$ 求取 ζ，用 sigma 表示 $\sigma\%$，用 kesi 表示 ζ，程序为 sigma = 0.15；ts = 0.3；kesi = log(1/sigma)/((pi)^2 + (log(1/sigma))^2)^(1/2)

执行结果为 kesi = 0.5169。

为确保达到性能指标要求，取 $\zeta = 0.55$；从未校正根轨迹图上可以得到根轨迹的分离点为 $d = -10$，取期望极点的实部为 d，则由 $d = -\zeta\omega_n$ 计算出 $\omega_n = 18.2$，代入到公式 $t_s = \dfrac{3.5}{\zeta\omega_n}$ 中求得 $t_s = 0.11$s，满足性能指标的要求，因此期望的闭环主导极点可由以下程序求取：

kesi = 0.55；wn = 18.2；p = [1 2 * kesi * wn wn^2]，roots(p)

执行结果为 ans =

$$-10.0100 + 15.2000i$$

$$-10.0100 - 15.2000i$$

即 $s_{1,2} = -10.01 \pm 15.20i$。

第三步：计算校正装置的参数 β。

依据式（4-9），使用以下程序可求取 M_0：

s1 = -10.0 + 15.20i;

n1 = 100; d1 = conv([1 0], [0.05 1]); g0 = tf(n1, d1);

ng0s1 = polyval(n1, s1); dg0s1 = polyval(d1, s1);

gs1 = ng0s1/dg0s1; m0 = abs(gs1)

执行结果为 m0 = 6.0416，即 $\beta = 6.0416$

第四步：校正装置参数 T 的确定。

为保证校正装置的零极点相对于 s_1 来说是一对偶极子，取 $\dfrac{1}{T} = \left(\dfrac{1}{20} \sim \dfrac{1}{40}\right) \times |R_e(s_1)|$，即 $T = 2 \sim 4$。在确定参数 T 时，可采用试验的方法。首先，取 $T = 2$，则校正装置的传递函数为 $G_c(s) = \dfrac{2s+1}{12.1s+1}$，将其输入到 SISO Design Tool 设计视窗 "Control and Estimation Tools Manager" 中的校正装置编辑器（Compensator Editor）模块中，打开 "LTI Viewer" 及实时仿真图（本例在 Graphical Tuning 模块中选择了开环根轨迹图和开环伯德图）。在开环根轨迹图上用鼠标调整闭环极点的位置，边调整边观察 "LTI Viewer" 中的单位阶跃响应曲线，发现不能满足性能指标的要求；然后增大 T，重复前面的过程，直到满足性能指标的要求为止；最后，从设计视窗 "Control and Estimation Tools Manager" 的校正装置编辑器（Compensator Editor）模块中读取校正装置的传递函数。本例中被确定的校正装置的传递函数为 $G_c(s) = 1.08 \times \dfrac{4s+1}{24s+1}$。

注意，在调整闭环极点的位置时要随时观察校正装置编辑器（Compensator Editor）模块中的校正装置的参数，一定要保证其增益大于 1。例 4-3 校正后系统的根轨迹图及伯德图如图 4-17 所示，校正后系统的单位阶跃响应曲线如图 4-18 所示。

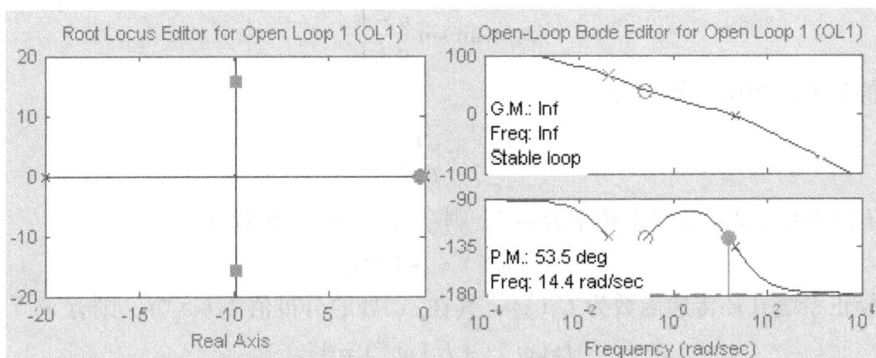

图 4-17　例 4-3 校正后系统的根轨迹图及伯德图

第五步：系统性能校验。从图 4-18 中可直接读出系统的性能：最大超调量 $\sigma\% = 14.8\%$，调整时间 $t_s = 0.321\text{s}$。

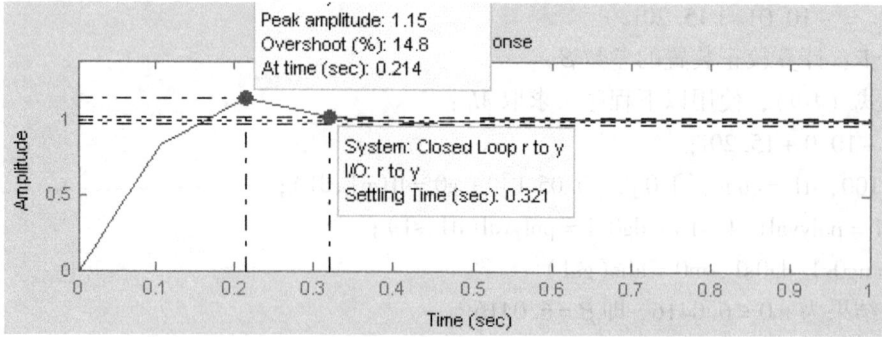

图 4-18 例 4-3 校正后系统的单位阶跃响应曲线

4.2 基于伯德图的控制系统设计

当系统的性能指标以频域指标的方式提出时，可以借助于伯德图获取校正装置的结构和参数，这种设计方法又称频域法校正，是工程中常用的一种方法，分为超前校正设计、滞后校正设计和滞后-超前校正设计。

4.2.1 基于伯德图的相位超前校正

基于伯德图的相位超前校正一般方法步骤为：

第一步：由稳态性能指标求取系统开环增益 K。

第二步：对未校正系统进行伯德图分析，并对比系统期望的动态性能指标。

第三步：确定校正装置的传递函数 $G_c(s)$。

设校正装置的传递函数 $G_c(s) = \dfrac{aTs+1}{Ts+1}$（$a > 1$），则校正装置可产生一个最大的正相位角为

$$\varphi_m = \arcsin \frac{a-1}{a+1} \tag{4-10}$$

对应的最大正相位角频率为

$$\omega_m = \frac{1}{T\sqrt{a}} \tag{4-11}$$

1）若系统指标要求的截止频率为 ω_c''，则令 $\omega_c'' = \omega_m$，此时有

$$L_c(\omega_c'') = -10\lg a \tag{4-12}$$

若未校正系统开环传递函数为 $G_0(s)$，其在 ω_c'' 处的分贝值 $L_0(\omega_c'')$，则有

$$L_0(\omega_c'') + L_c(\omega_c'') = 0 \tag{4-13}$$

根据式（4-11）、式（4-12）和式（4-13）可计算出参数 a 和 T。

2）若系统指标要求未明确截止频率为 ω_c''，而只明确相位裕度 γ'' 的要求，此时取

$$\varphi_m = \gamma'' - \gamma + \Delta \qquad (\Delta = 5° \sim 15°) \tag{4-14}$$

然后根据式（4-10）、式（4-11）和式（4-14）可计算出参数 a 和 T。

第四步：校正后系统性能校验。

例 4-4　已知单位反馈控制系统的开环传递函数 $G_0(s) = \dfrac{K_0}{s(s+1)}$，试设计超前校正装置，使系统满足：系统在单位斜坡输入信号作用时，稳态误差 $e_{ss} \leqslant 0.1\text{rad}$，开环系统的截止频率 $\omega_c'' \geqslant 4.4\text{rad/s}$，相角裕度 $\gamma'' \geqslant 45°$，幅值裕度 $h'' \geqslant 10\text{dB}$。

解：第一步：由稳态指标确定系统的开环增益。

校正后系统的开环传递函数为

$$G_0(s)G_c(s) = \frac{K_0}{s(s+1)} \frac{1}{a} \frac{aTs+1}{Ts+1} = \frac{K}{s(s+1)} \frac{aTs+1}{Ts+1} \qquad (K = K_0/a)$$

其单位斜坡输入下的稳态误差为 $e_{ss} = \dfrac{1}{K} \leqslant 0.1$，由此可得 $K \geqslant 10$，取 $K = 10$，因此未校正系统的开环传递函数为 $G_0(s) = \dfrac{10}{s(s+1)}$。

第二步：对未校正系统进行伯德图分析。

未校正系统的性能分析仍采用 SISO Design Tool 的分析方法，在 MATLAB 的 "Command Window" 中键入程序：n1 = 10；d1 = conv（[1 0]，[1 1]）；g0 = tf（n1，d1）。可在 "Work-space" 中产生一个名为 "g0" 的变量，然后从设计视窗 "Control and Estimation Tools Manager" 的系统结构（Architecture）模块输入传递函数 g0；同时，在实时仿真图运行（Graphical Tuning）设置中只保留开环伯德图。例 4-4 未校正系统的开环伯德图如图 4-19 所示。从图 4-19 中可以读出相角裕度（P. M.）$\gamma = 18°$，幅值裕度（G. M.）$h = \infty$，$\omega_c = 3.08$，不能满足性能指标要求。

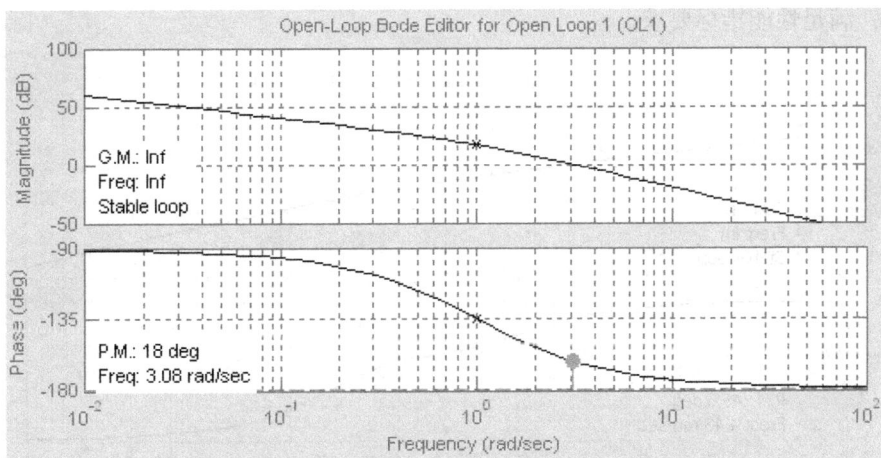

图 4-19　例 4-4 未校正系统的开环伯德图

第三步：确定校正装置的传递函数 $G_c(s)$。

首先，从未校正系统的开环伯德图中获取 $L_0(\omega_c'')$。根据性能指标，取 $\omega_c'' = 4.4\text{rad/s}$。在分析图设置（Analysis Plots）模块中选择 Plot1 为开环系统的伯德图，打开 "LTI Viewer" 可看到未校正系统的伯德图，在幅频特性曲线上用鼠标左键找到频率为 4.4 的点，此时在图上出现一个数据框，如图 4-20 所示，从中读取 $L_0(\omega_c'') = -6\text{dB}$。

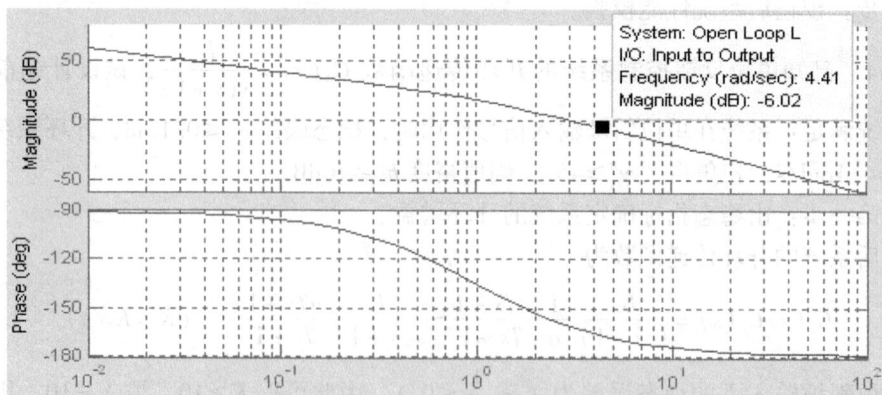

图 4-20 例 4-4 未校正系统 $L_0(\omega_c'')$ 的读取

其次，根据式（4-12）和式（4-11）计算 a 和 T。在 MATLAB 的 "Command Window" 中键入程序：lc = -6；a = 10^(lc/(-10))，wm = 4.4，T = 1/(wm * a^0.5)，执行结果为 a = 3.9811，$T = 0.1139$，因此校正装置的传递函数为 $\dfrac{aTs+1}{Ts+1} = \dfrac{0.456s+1}{0.114s+1}$。

第四步：系统性能校验。

将校正装置的传递函数以零极点的形式输入到 SISO Design Tool 设计视窗 "Control and Estimation Tools Manager" 的校正装置编辑器（Compensator Editor）模块中，返回到实时仿真图运行（Graphical Tuning）的开环伯德图（见图 4-21），查看校正后系统的开环对数频率特性曲线，可得系统性能：相角裕度（P. M.）$\gamma'' = 49.6°$，幅值裕度（G. M.）$h'' = \infty$，$\omega_c'' = 4.43$，满足性能指标要求。

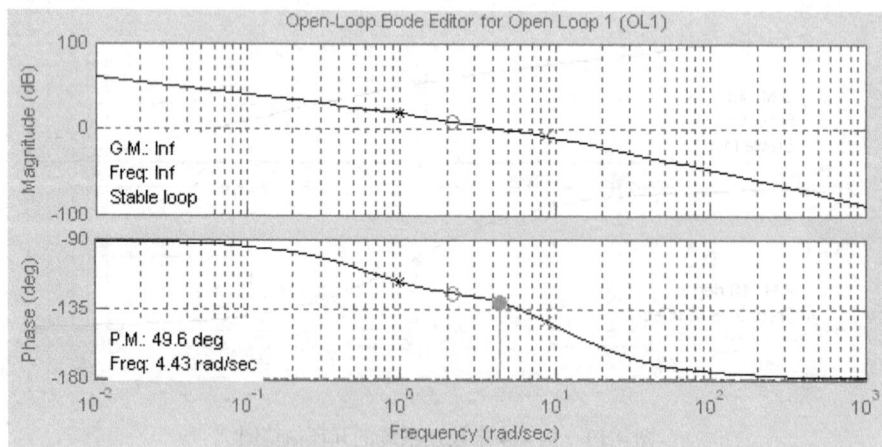

图 4-21 例 4-4 校正后系统的伯德图

例 4-5 已知单位反馈控制系统的开环传递函数为

$$G_0(s) = \frac{K}{s(0.1s+1)(0.001s+1)}$$

若要求校正后系统的静态速度误差系数 $K_v = 1000s^{-1}$，相角裕度 $\gamma'' \geqslant 45°$，试分析系统的性能，并进行串联校正。

解：第一步：由稳态性能指标确定系统的开环增益。

因要求系统的静态速度误差系数 $K_v = 1000s^{-1}$，所以，$K = K_v = 1000$，则校正前系统的开环传递函数为

$$G_o(s) = \frac{1000}{s(0.1s+1)(0.001s+1)}$$

第二步：对未校正系统进行性能分析

未校正系统的性能分析仍采用 SISO Tool 的分析方法，在 MATLAB 的 "Command Window" 中键入程序：n0 = 1000；d0 = conv(conv([1 0]，[0.1 1])，[0.001 1])；g0 = tf(n0，d0)。可在 "Workspace" 中产生一个名为 "g0" 的变量，然后从设计视窗 "Control and Estimation Tools Manager" 的系统结构（Architecture）模块输入传递函数 g0；同时，在实时仿真图运行（Graphical Tuning）设置中只保留开环伯德图，未校正系统的开环伯德图如图 4-22 所示。从图 4-22 中可以读出相角裕度（P. M.）$\gamma = 0.06°$，$\omega_c = 99.5\text{rad/s}$，不能满足性能指标要求。

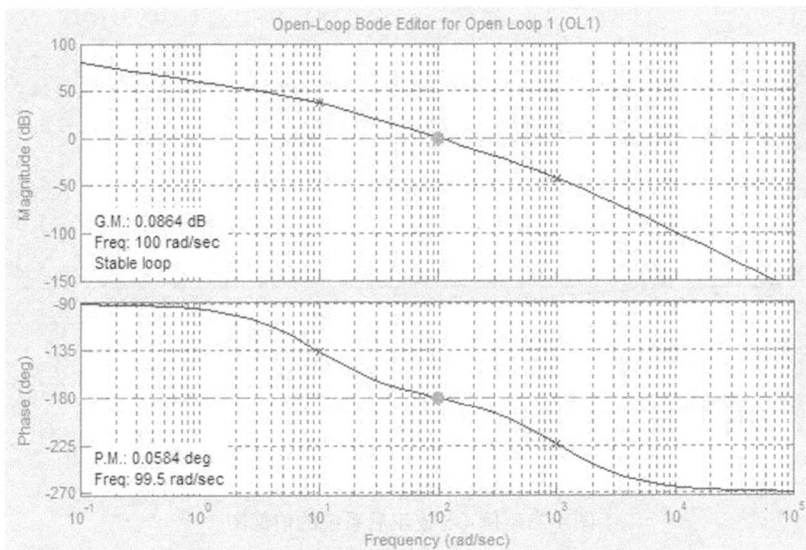

图 4-22　例 4-5 未校正系统的伯德图

第三步：确定校正装置的传递函数 $G_c(s)$

先计算 a 和 φ_m，用 gama 表示 γ''，gama0 表示 γ，用 phim 表示 φ_m，用 deta 表示 Δ，运行如下程序：

n0 = 1000；d0 = conv(conv([1 0]，[0.1 1])，[0.001 1])；

g0 = tf(n0，d0)；gama = 45；gama0 = 0.06；deta = 10；

phim = gama – gama0 + deta，

b = sin(phim * 3.14/180)，a = (1 + b)/(1 – b)，

运行结果为：phim = 54.94°，a = 10.0054，取 a = 10。

然后计算 ω_c''，用 wc 表示 ω_c''，运行如下程序：

wc = solve('20 * log(1000/(0. 1 * wc^2)) = – 10 * log(10) ', 'wc'),

wc = vpa(wc,1) ;

运行结果为：wc = 177. 8, wc = – 177. 8（舍去），取 $\omega_c'' = 178$。

最后计算 T，运行如下程序：

$T = 1/(178 * 10^0. 5)$

执行结果为：$T = 0. 0018$，取 $T = 0. 002$，则校正装置的传递函数为

$$G_c(s) = \frac{1 + aTs}{1 + Ts} = \frac{1 + 0. 02s}{1 + 0. 002s}$$

第四步：校正后系统性能校验。

将校正装置的传递函数以零极点的形式，输入到 SISO Design Tool 设计视窗 "Control and Estimation Tools Manager" 的校正装置编辑器（Compensator Editor）模块中，返回到实时仿真图运行（Graphical Tuning）的开环伯德图（见图 4-23），查看校正后系统的开环对数频率特性曲线，可得系统性能：相角裕度（P. M. ）$\gamma'' = 46. 7°$，$\omega_c'' = 190\text{rad/s}$，满足性能指标要求。

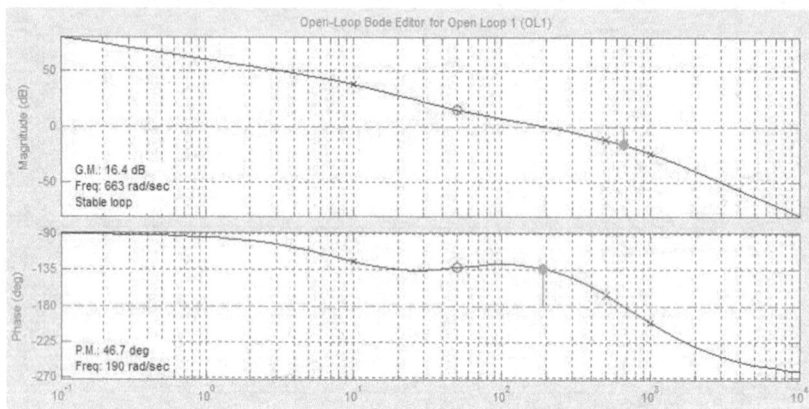

图 4-23　例 4-5 校正后系统的伯德图

4. 2. 2　基于伯德图的相位滞后校正

相位滞后校正是利用滞后校正装置的高频幅值衰减特性，使校正后系统的截止频率下降，从而使系统获得足够的相角裕度。此方法适用于响应速度要求不高，而抑制噪声电平性能要求较高的系统。另外，当系统的动态性能满足要求而稳态性能不满足要求时，也可采用此方法。

基于伯德图的相位滞后校正步骤如下：

第一步：由稳态性能指标求取系统开环增益 K。

第二步：对未校正系统进行伯德图分析，并对比系统期望的动态性能指标。

第三步：确定校正装置的传递函数 $G_c(s)$。

设校正装置的传递函数 $G_c(s) = \dfrac{bTs + 1}{Ts + 1}$（$b < 1$），在期望的截止频率 ω_c'' 处，未校正系统 $G_0(s)$ 的幅值为 $L_0(\omega_c'')$，相位为 $\varphi_0(\omega_c'')$，校正装置的幅值为 $L_c(\omega_c'')$，相位为 $\varphi_c(\omega_c'')$，则校正后系统的相角裕度为

$$\gamma'' = 180° + \varphi_0(\omega_c'') + \varphi_c(\omega_c'') \tag{4-15}$$

为使系统具有较大的相角裕度，滞后校正装置的最大滞后角应放在期望的截止频率的左边，并且远离期望的截止频率，一般取 $\varphi_c(\omega_c'') = -6°$，代入式（4-15）可确定 ω_c''：

$$\varphi_0(\omega_c'') = \gamma'' - \varphi_c(\omega_c'') - 180° \tag{4-16}$$

根据式（4-17）和式（4-18）确定校正装置的参数 b 和 T。

$$20\lg b + L_0(\omega_c'') = 0 \tag{4-17}$$

$$\frac{1}{bT} = 0.1\omega_c'' \tag{4-18}$$

第四步：系统性能校验。

例 4-6 已知单位反馈控制系统的开环传递函数为 $G_0(s) = \dfrac{K_0}{s(0.1s+1)(0.2s+1)}$，试设计滞后校正装置，使系统满足：校正后系统的静态速度误差系数等于 $30\mathrm{s}^{-1}$，相角裕度 $\gamma'' \geqslant 40°$，开环截止频率 $\omega_c'' \geqslant 2.3\mathrm{rad/s}$。

解：第一步：由稳态指标确定系统的开环增益。

校正后系统的开环传递函数为

$$G_0(s)G_c(s) = \frac{K_0}{s(0.1s+1)(0.2s+1)}\frac{bTs+1}{Ts+1}$$

其系统静态速度误差系数 $K_v = \lim\limits_{s \to 0} sG_0(s)G_c(s) = K_0 = 30$，因此未校正系统的开环传递函数为 $G_0(s) = \dfrac{30}{s(0.1s+1)(0.2s+1)}$。

第二步：对未校正系统进行伯德图分析。

未校正系统的性能分析仍采用 SISO Design Tool 的分析方法，在 MATLAB 的 "Command Window" 中键入程序：n0 = 30；d0 = conv（conv（[1 0]，[0.1 1]），[0.2 1]）；g0 = tf（n0，d0），可在 "Workspace" 中产生一个名为 "g0" 的变量，然后从设计视窗 "Control and Estimation Tools Manager" 的系统结构（Architecture）模块输入传递函数 g0；同时，在实时仿真图运行（Graphical Tuning）设置中只保留开环伯德图。例 4-6 未校正系统的开环伯德图如图 4-24 所示。从图 4-24 中可以读出相角裕度（P.M.）$\gamma = -17.2°$，$\omega_c = 9.77\mathrm{rad/s}$，不能满足性能指标要求。

第三步：确定校正装置的传递函数 $G_c(s)$。

由式（4-19）得 $\varphi_0(\omega_c'') = \gamma'' - \varphi_c(\omega_c'') - 180° = 40° + 6° - 180° = -134°$

在分析图设置（Analysis Plots）模块中选择 Plot1 为开环系统的伯德图，打开 "LTI Viewer" 可看到未校正系统的伯德图，在相频特性曲线上用鼠标左键找到相位为 $-134°$ 的点，其对应的 2.69 即为 ω_c''；再在幅频特性曲线上用鼠标左键找到频率为 2.7 的点，其对应的 19.4 即为 $L_0(\omega_c'')$，如图 4-25 所示。

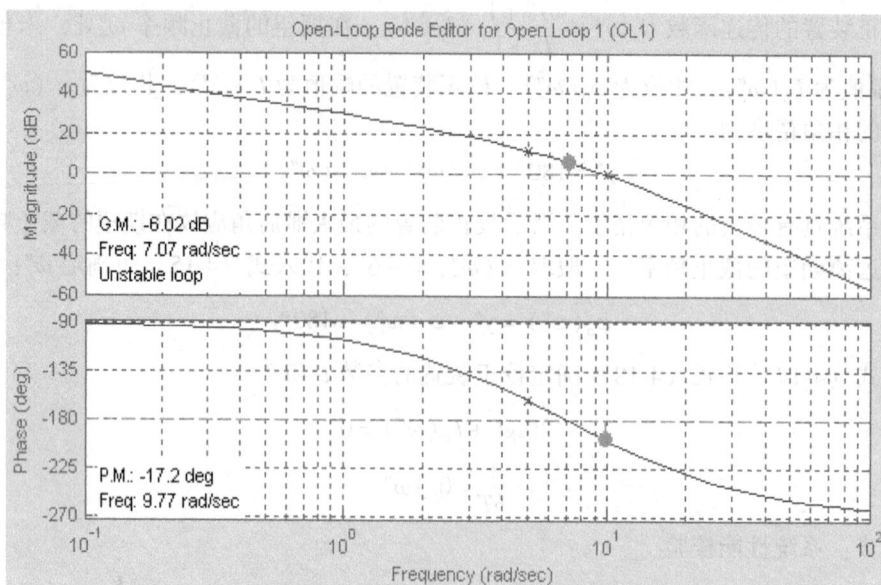

图 4-24　例 4-6 未校正系统的开环伯德图

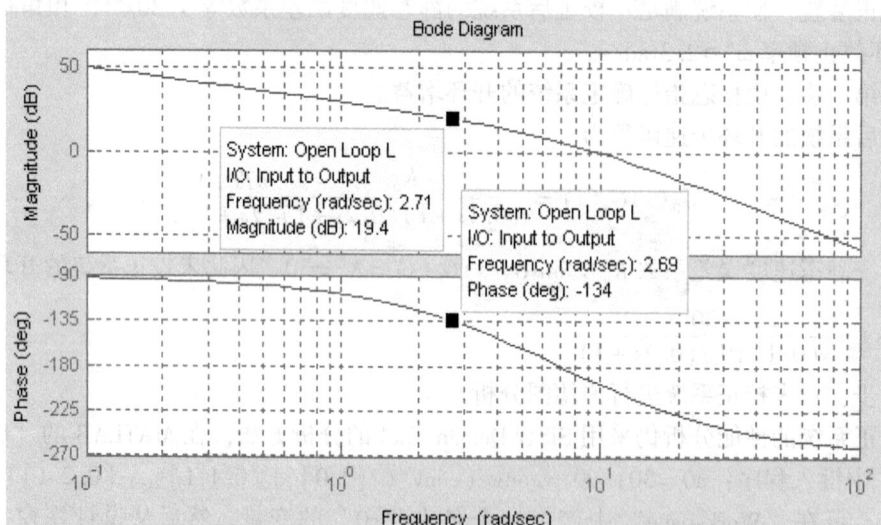

图 4-25　获取例 4-6 未校正系统特定相位所对应的频率

取 $\omega_c'' = 2.7\text{rad/s}$，由式（4-17）和式（4-18）求取校正装置的参数 b 和 T，程序如下：
wc = 2.7；l0 = 19.4；b = 1/（10^（l0/20）），t = 1/（b * 0.1 * wc）

执行结果为 b = 0.1072，t = 34.5650，即校正装置的传递函数为 $G_c(s) = \dfrac{3.7s + 1}{34.6s + 1}$。

第四步：系统性能校验。

将校正装置的传递函数以零极点的形式输入到 SISO Design Tool 设计视窗 "Control and Estimation Tools Manager" 的校正装置编辑器（Compensator Editor）模块中，返回到实时仿真图运行（Graphical Tuning）的开环伯德图（见图 4-26），查看校正后系统的开环对数频率特性曲线，可得系统性能：相角裕度（P. M.）$\gamma'' = 40.9°$，$\omega_c'' = 2.74\text{rad/s}$，满足性能指标要求。

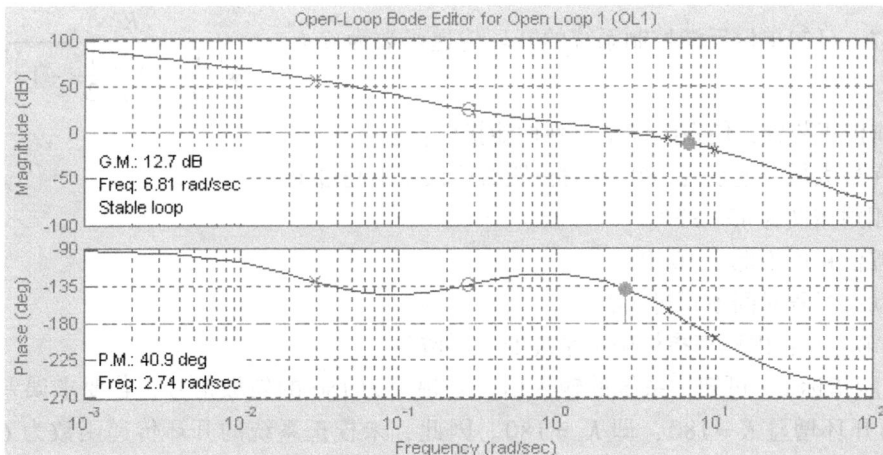

图 4-26 例 4-6 校正后系统的伯德图

4.2.3 基于伯德图的滞后-超前校正

滞后-超前校正是利用校正装置的超前部分来增大系统的相角裕度的，同时利用滞后部分来改善系统的稳态性能，可以使校正后的系统获得较快的响应速度、较小的超调量和较好的稳态精度，抑制高频噪声的性能也较好。

基于伯德图的滞后-超前校正步骤如下：

第一步：由稳态性能指标求取系统开环增益 K。

第二步：对未校正系统进行伯德图分析，并对比系统期望的动态性能指标。

第三步：确定校正装置的传递函数 $G_c(s)$。

设未校正系统的开环传递函数为 $G_0(s)$，幅频特性为 L_0，滞后-超前校正装置的传递函数为

$$G_c(s) = \frac{1+T_a s}{1+\alpha T_a s} \frac{1+T_b s}{1+\dfrac{T_b}{\alpha}s} \quad (\alpha > 1, T_a > T_b) \tag{4-19}$$

首先，为了降低校正后系统的阶次，选取 L_0 上从 $-20\mathrm{dB/dec}$ 变为 $-40\mathrm{dB/dec}$ 的交接频率作为校正装置超前部分的交接频率 ω_b，即 $\dfrac{1}{T_b}$。

其次，根据系统响应速度的要求，选择 ω_c'' 和 α，满足式（4-20）。

$$-20\lg\alpha + L_0(\omega_c'') + 20\lg T_b \omega_c'' = 0 \tag{4-20}$$

在式（4-20）中，$I_0(\omega_c'')$ 的数值可通过未校正系统的幅频特性曲线读出，$20\lg T_b \omega_c''$ 可计算得到，因 $20\lg T_b \omega_c''$ 是校正装置在 ω_c'' 处幅值的近似计算，为确保相位裕度的实现，给 $20\lg T_b \omega_c''$ 增加 $2\sim3\mathrm{dB}$ 的余量。最后根据相位裕度要求估算 ω_a，即 $\dfrac{1}{T_a}$。

校正装置的参数确定后，要考查中频宽 H 是否满足式（4-21）的要求。

$$H \geqslant \frac{1+\sin\gamma''}{1-\sin\gamma''} \tag{4-21}$$

第四步：系统性能校验。

例 4-7 已知单位反馈控制系统的开环传递函数为 $G_0(s) = \dfrac{K_v}{s\left(\dfrac{1}{6}s+1\right)\left(\dfrac{1}{2}s+1\right)}$，试设计

滞后-超前校正装置，使系统满足下列性能指标：

1）在最大指令速度为 180°/s 时位置滞后误差不超过 1°。

2）相角裕度为 45°±3°。

3）幅值裕度不低于 10dB。

4）动态过程时间不超过 3s。

解：第一步：由稳态指标确定系统的开环增益。

由性能指标 1）可知，系统的输入信号是幅值为 180 的斜坡信号，若要求误差等于 1，则系统的开环增益 $K=180$，即 $K_v=180$。因此，未校正系统的开环传递函数为 $G_0(s)=$

$\dfrac{180}{s\left(\dfrac{1}{6}s+1\right)\left(\dfrac{1}{2}s+1\right)}$。

第二步：对未校正系统进行伯德图分析，并对比系统期望的动态性能指标。

未校正系统的性能分析仍采用 SISO Design Tool 的分析方法，在 MATLAB 的"Command Window"中键入程序：n0 = 2160；d0 = conv（conv（[1 0]，[1 6]），[1 2]）；g0 = tf（n0，d0），可在"Workspace"中产生一个名为"g0"的变量，然后从设计视窗"Control and Estimation Tools Manager"的系统结构（Architecture）模块输入传递函数 g0；同时，在实时仿真图运行（Graphical Tuning）设置中只保留开环伯德图。例 4-7 未校正系统的开环伯德图如图 4-27 所示。从图 4-27 中可以读出相角裕度（P. M.）$\gamma = -55.1°$，不能满足性能指标的要求。

第三步：确定校正装置的传递函数 $G_c(s)$。

从图 4-27 可以看出，未校正系统的两个交接频率分别为 2（从 -20dB/dec 变为 -40dB/dec）和 6（从 -40dB/dec 变为 -60dB/dec），取 $\omega_b = 2$，即 $T_b = \dfrac{1}{\omega_b} = 0.5$。因此，应有 $2 < \omega_c'' < 6$。

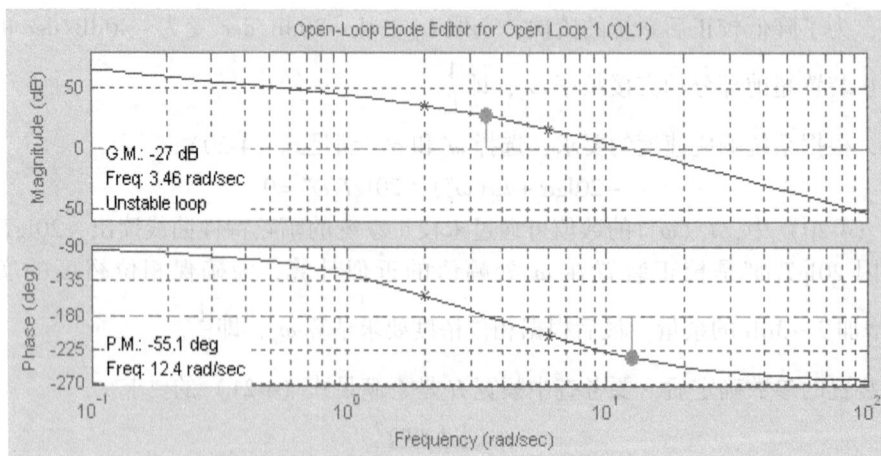

图 4-27 例 4-7 未校正系统的开环伯德图

由于 $t_s \leqslant 3s$，利用高阶系统性能估算公式：

$$M_r = \frac{1}{\sin\gamma''} \tag{4-22}$$

$$t_s = \frac{k\pi}{\omega_c''}(k = 2 + 1.5(M_r - 1) + 2.5(M_r - 1)^2) \tag{4-23}$$

可计算出 $\omega_c'' \geqslant 3.2\text{rad/s}$，取 $\omega_c'' = 3.5\text{rad/s}$。

α 的求取：

在分析图设置（Analysis Plots）模块中选择 Plot1 为开环系统的伯德图，打开 "LTI Viewer" 可看到未校正系统的伯德图，在幅频特性曲线上用鼠标左键找到频率为 3.5 的点，此时在图上出现一个数据框，如图 4-28 所示，从中读取 $L_0(\omega_c'') = 26.8\text{dB}$。

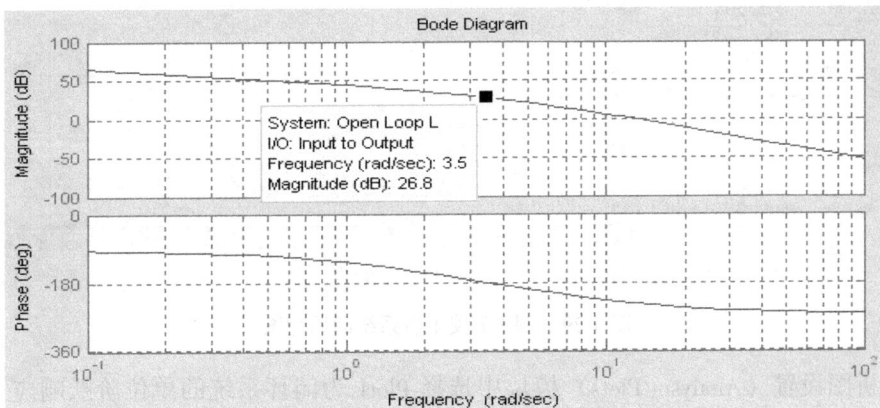

图 4-28　例 4-7 未校正系统 $L_0(\omega_c'')$ 的读取

由于 $\omega_c'' = 3.5\text{rad/s}$ 及 $T_b = 0.5$，$20\lg T_b\omega_c'' = 4.9$，依据式（4-20）可得

$$20\lg\alpha = L_0(\omega_c'') + 20\lg T_b\omega_c'' + 2 = 33.7$$

解得 $\alpha = 48.4$，取 $\alpha = 50$。

校正后系统的传递函数为

$$G_0(s)G_c(s) = \frac{180}{s\left(\frac{1}{6}s + 1\right)\left(\frac{1}{2}s + 1\right)}\frac{1 + T_a s}{1 + \alpha T_a s}\frac{0.5s + 1}{0.01s + 1} = \frac{180(1 + T_a s)}{s\left(\frac{1}{6}s + 1\right)(0.01s + 1)(1 + \alpha T_a s)}$$

相位裕度为

$$
\begin{aligned}
\gamma'' &= 180° + \arctan T_a\omega_c'' - 90° - \arctan\frac{1}{6}\omega_c'' - \arctan 0.01\omega_c'' - \arctan\alpha T_a\omega_c'' \\
&= 90° + \arctan T_a\omega_c'' - 30.26° - 2° - \arctan\alpha T_a\omega_c'' \\
&= 57.7° + \arctan T_a\omega_c'' - 30.26° - 2° - \arctan\alpha T_a\omega_c''
\end{aligned} \tag{4-24}
$$

因为 $\frac{1}{\alpha T_a}$ 是校正装置的第一个交接频率，远离 ω_c''，所以 $-\arctan\alpha T_a\omega_c'' \approx -90°$，由式（4-24）可计算出 $T_a = 1.28$。

中频宽：$H = \dfrac{6}{1/1.28} = 7.69 > \dfrac{1 + \sin 45°}{1 - \sin 45°} = 5.83$，满足要求。

校正装置的传递函数为 $G_c(s) = \dfrac{1 + 1.28s}{1 + 64s} \times \dfrac{1 + 0.5s}{1 + 0.01s}$。

第四步：系统性能校验。

将校正装置的传递函数以零极点的形式输入到 SISO Design Tool 设计视窗 "Control and Estimation Tools Manager" 的校正装置编辑器 (Compensator Editor) 模块中，返回到实时仿真图运行 (Graphical Tuning) 的开环伯德图 (见图 4-29)，查看校正后系统的开环对数频率特性曲线，可得系统性能：相角裕度 (P. M.) $\gamma'' = 46.5°$，$\omega''_c = 3.25\text{rad/s}$，幅值裕度 (G. M.) $h = 28.1\text{dB}$，满足性能指标要求。

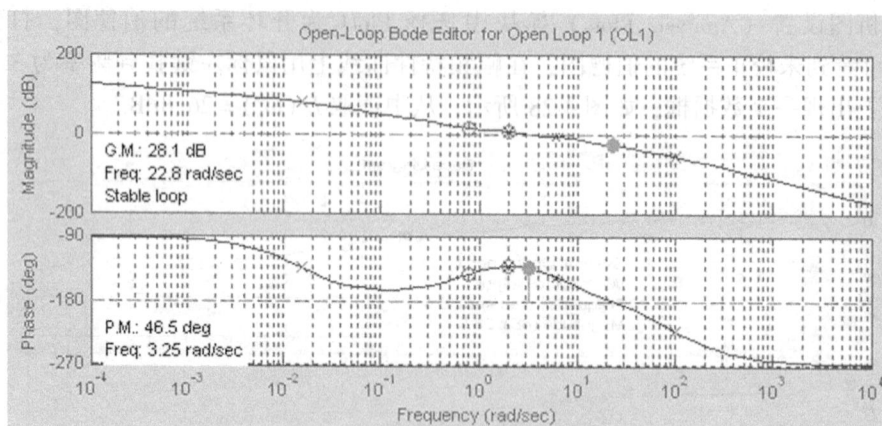

图 4-29 例 4-7 校正后系统的伯德图

在分析图设置 (Analysis Plots) 模块中选择 Plot1 为闭环系统的单位阶跃响应 (Step)，打开 "LTI Viewer"，可看到校正后系统的单位阶跃响应曲线，在曲线区域内单击鼠标右键，选择 "Characteristics" 下的 "Settling Time"，可出现一个数据框 (见图 4-30)，从数据框读出系统的过渡过程时间为 $t_s = 3\text{s}$。

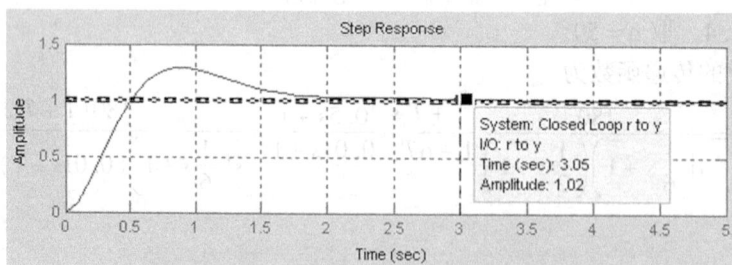

图 4-30 例 4-7 校正后系统的单位阶跃响应曲线

4.3 控制系统的 PID 控制器设计

PID 控制器是将输出与输入偏差的比例 (Proportional)、积分 (Integral) 和微分 (Differential) 通过线性组合构成控制量，对被控系统实施控制的，因其具有原理简单、使用方便、适应性强等特点，所以在工程设计中应用最为广泛。

4.3.1 PID 控制规律

PID 作为控制器，其内部结构以及与被控系统的连接如图 4-31 所示。

PID 控制器的传递函数为

$$G_c(s) = K_P\left(1 + \frac{1}{T_I s} + T_D s\right) \quad (4-25)$$

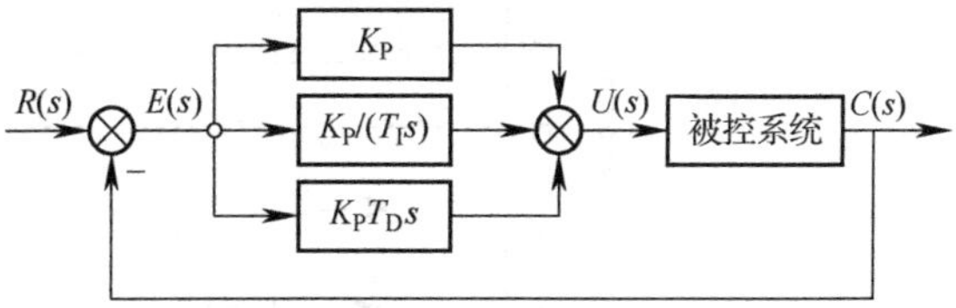

在式（4-25）中，K_P 为比例系数，T_D 为微分时间常数，T_I 为积分时间常数。当 $K_P \neq 0$，$T_D = 0$，$T_I = \infty$ 时，称为比例（P）控制器；当 $K_P \neq 0$，$T_D \neq 0$，$T_I = \infty$ 时，称

图 4-31　PID 控制器结构

为比例微分（PD）控制器；当 $K_P \neq 0$，$T_D = 0$，$T_I \neq \infty$ 时，称为比例积分（PI）控制器；当 $K_P \neq 0$，$T_D \neq 0$，$T_I \neq \infty$ 时，称为比例微分积分（PID）控制器。其中，PD 控制器是超前校正装置，PI 控制器是滞后校正装置，PID 控制器是滞后-超前校正装置。

从 PID 控制器的传递函数可以看出，PID 控制器对误差信号的控制作用由比例（P）、积分（I）和微分（D）3 部分叠加而成，比例的作用是立即响应，以减小误差；积分的作用是消除误差，提高系统的无静差度；微分的作用是提高系统的稳定性。

下面通过一个例子来说明 PID 控制器中比例、积分和微分对系统性能的影响。

例 4-8 已知晶闸管直流调速系统的结构图如图 4-32 所示，分析 PID 控制器的 P、I 和 D 对调速系统性能的影响。

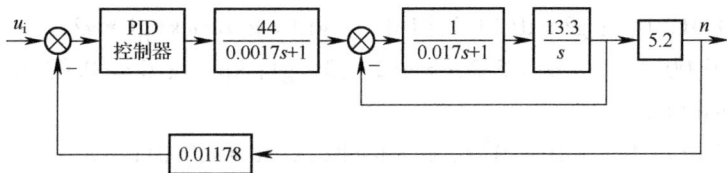

图 4-32　晶闸管直流调速系统的结构图

解：（1）比例作用分析

令 $T_D = 0$，$T_I = \infty$，$K_P = 1 \sim 5$，绘制系统的单位阶跃响应曲线，程序如下：

```
g1 = tf(1,[0.017 1]); g2 = tf(13.3,[1 0]); g12 = feedback(g1 * g2,1);
g3 = tf(44,[0.0017 1]), g4 = 5.2, g = g12 * g3 * g4; kp = [1:1:5],
for i = 1:length(kp)
    gc = feedback(kp(i) * g, 0.01178),
    step(gc),hold on
end
axis([0,0.2,0,130]); gtext('kp = 1'), gtext('kp = 2'),
gtext('kp = 3'), gtext('kp = 4'), gtext('kp = 5'),
```

程序运行后，可得不同 K_P 下调速系统的单位阶跃响应曲线（见图 4-33）。不同 K_P 下调速系统的性能见表 4-1。从图 4-33 和表 4-1 可以看到，随着 K_P 的增大，系统的 $\sigma\%$ 也在增加，过渡过程时间变大，但响应初期的速度变大；系统的 e_{ss} 随着 K_P 的增大而减小。

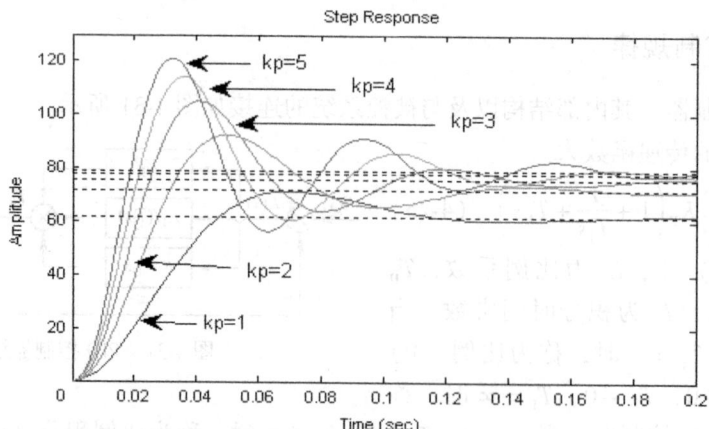

图 4-33　例 4-8 不同 K_P 下调速系统的单位阶跃响应曲线

表 4-1　不同 K_P 下调速系统的性能

K_P	1	2	3	4	5
$\sigma\%$	15.3	29.1	39.1	46.8	53.1
t_s	0.15	0.156	0.166	0.178	0.191
e_{ss}	0.27	0.16	0.11	0.08	0.07

（2）积分作用分析

令 $T_D = 0$，$K_P = 1$，$T_I = 0.03 \sim 0.07$，绘制系统的单位阶跃响应曲线，程序如下：

g1 = tf(1,[0.017 1])；g2 = tf(13.3,[1 0])；g12 = feedback(g1 * g2,1)；

g3 = tf(44,[0.0017 1])，g4 = 5.2,g = g12 * g3 * g4；kp = 1；ti = [0.03:0.01:0.07]

for i = 1：length(ti)

gc = tf(kp * [ti(i) 1],[ti(i) 0])，gb = feedback(gc * g,0.01178)，

step(gb)，hold on

end

axis([0,0.2,0,130])；gtext('ti = 0.03')，gtext('ti = 0.04')，

gtext('ti = 0.05')，gtext('ti = 0.06')，gtext('ti = 0.07')

程序运行后，可得不同 T_I 下调速系统的单位阶跃响应曲线（见图 4-34）。不同 T_I 下调速

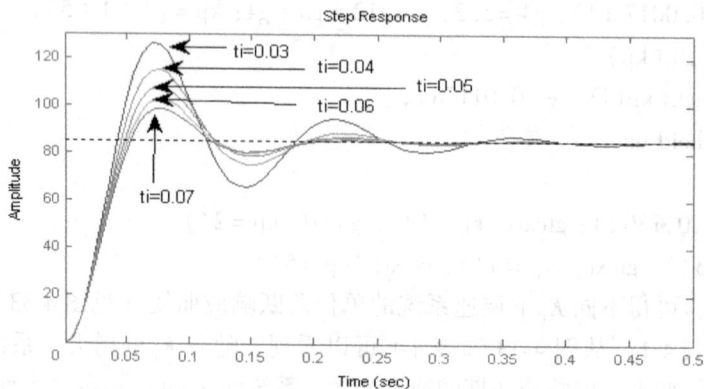

图 4-34　例 4-8 不同 T_I 下调速系统的单位阶跃响应曲线

系统的性能见表4-2。从图4-34和表4-2可以看到，随着 T_I 的增大，系统的 $\sigma\%$ 在减小，过渡过程时间变小，响应初期的速度也变小。

表4-2 不同 T_I 下调速系统的性能

T_I	0. 03	0. 04	0. 05	0. 06	0. 07
$\sigma\%$	48	35. 5	26. 8	20. 5	15. 9
t_s	0. 373	0. 249	0. 185	0. 184	0. 184

（3）微分作用分析

令 $K_P = 0.01$，$T_I = 0.03$，$T_D = 12$、48、84，绘制系统的单位阶跃响应曲线，程序如下：

g1 = tf(1,[0.017 1]); g2 = tf(13.3,[1 0]); g12 = feedback(g1 * g2,1);

g3 = tf(44,[0.0017 1]), g4 = 5.2, g = g12 * g3 * g4; kp = 0.01; ti = 0.01; td = [12:36:84,]

for i = 1:length(td)

  gc = tf(kp * [ti * td(i) ti 1],[ti 0]), gb = feedback(gc * g,0.01178),

  step(gb), hold on

end

axis([0,0.2,0,130]); gtext('td = 12'), gtext('td = 48'), gtext('td = 84')

程序运行后，可得不同 T_D 下调速系统的单位阶跃响应曲线（见图4-35）。不同 T_D 下调速系统的性能见表4-3。从图4-35和表4-3可以看到，随着 T_D 的增大，系统的 $\sigma\%$ 在增大，过渡过程时间变大，响应初期的速度变小。

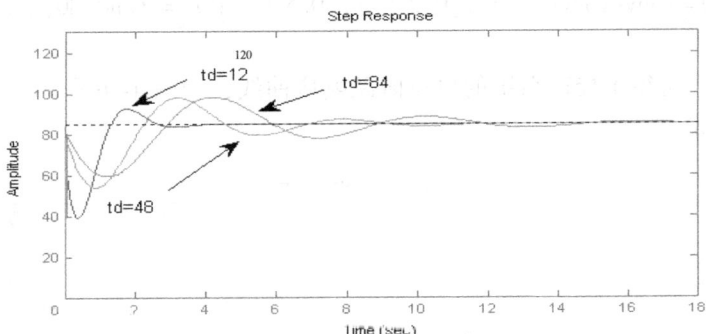

图4-35 例4-8 不同 T_D 下调速系统的单位阶跃响应曲线

表4-3 不同 T_D 下调速系统的性能

T_D	12	48	84
$\sigma\%$	9. 12	15. 3	15. 6
t_s	2. 48	8. 42	13. 6

（4）总结

在PID控制中，比例部分的作用是快速响应误差信号，提高系统稳态精度；积分部分的作用是提高系统的无静差度；微分部分的作用是抑制过渡过程的最大动态偏差，提高系统的稳定性。

4.3.2 PID 控制器设计方法

PID 控制器参数设计的方法有理论设计法和工程设计法。工程设计法主要依靠工程经验，实现 3 个参数的最佳组合，由于方法简单，易于掌握，在工程上被广泛采用。PID 控制器的工程设计法有临界比例度法、反应曲线法和衰减曲线法。这里主要介绍临界比例度法和反应曲线法。

1. 临界比例度法的 PID 控制器设计

临界比例度法（又称稳定边界法）是基于稳定性分析的 PID 参数设计方法。该方法的思路是首先令 $T_D = 0$，$T_I = \infty$，然后增大 K_P，直至系统振荡，记录此时的临界稳定增益 K_m 及临界稳定角频率 ω_m，代入经验公式即可得到 PID 控制器参数。经验公式见表 4-4。

表 4-4 采用临界比例度法的 PID 参数设计

控 制 规 律	K_P	T_I	T_D
P	$0.5K_m$		
PI	$0.45K_m$	$1.7\pi/\omega_m$	
PID	$0.59K_m$	π/ω_m	$0.25\pi/\omega_m$

例 4-9 已知单位反馈控制系统的开环传递函数为 $G_0(s) = \dfrac{180}{s(0.2s+1)(0.5s+1)}$，试设计 PID 控制器，并进行单位阶跃响应分析。

解： 首先，对未校正系统绘制单位阶跃响应曲线，并进行性能分析，程序为

n0 = 180；d0 = conv(conv([1 0],[0.2 1]),[0.5 1])；g0 = tf(n0,d0)；g1 = feedback(g0,1)；step(g1)

程序执行后，可得未校正系统的单位阶跃响应曲线，如图 4-36 所示。从图 4-36 可知，未校正系统不稳定。

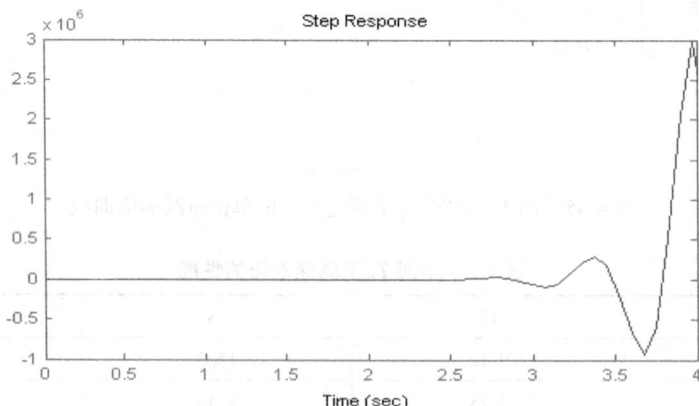

图 4-36 例 4-9 未校正系统的单位阶跃响应曲线

其次，绘制根轨迹图，找到临界稳定增益 K_m 及临界稳定角频率 ω_m，程序如下：

n0 = 180；d0 = conv(conv([1 0],[0.2 1]),[0.5 1])；g0 = tf(n0,d0)，rlocus(g0)

程序运行后，绘制出系统的根轨迹，在根轨迹图上用鼠标左键单击根轨迹与虚轴的交

点，即可读出 $K_m = 0.04$ 和 $\omega_m = 3.2\text{rad/s}$，如图 4-37 所示。

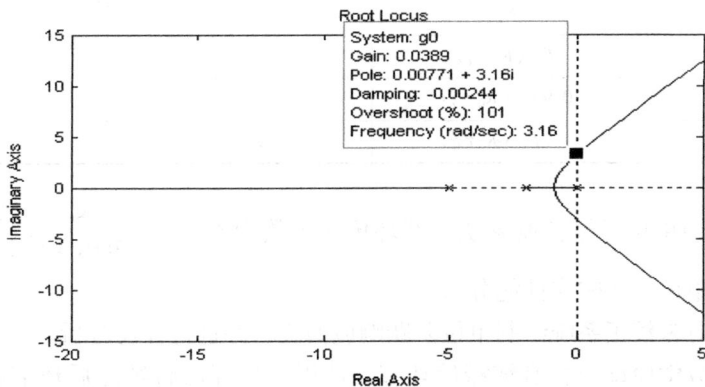

图 4-37 例 4-9 未校正系统的根轨迹

依据表 4-4 可求取 PID 的参数：$K_P = 0.024$，$T_I = 0.98$，$T_D = 0.25$。所以，PID 控制器的传递函数为 $G_c(s) = 0.024\left(1 + \dfrac{1}{0.98s} + 0.25s\right) = \dfrac{0.024(0.25s^2 + 0.98s + 1)}{s}$。

最后，对校正后的系统绘制单位阶跃响应曲线，程序如下：

n0 = 180；d0 = conv(conv([1 0]，[0.2 1])，[0.5 1])；g0 = tf(n0,d0)，
gc = tf([0.006 0.024 0.024]，[1 0])，g = feedback(g0 * gc,1)；
step(g)

程序运行后，可得校正后系统的单位阶跃响应曲线，如图 4-38 所示。从图 4-38 可知，校正后的系统是稳定的，性能为 $\sigma\% = 59.4\%$，$t_s = 5.7\text{s}$，系统的稳态误差 $e_{ss} = 0$。

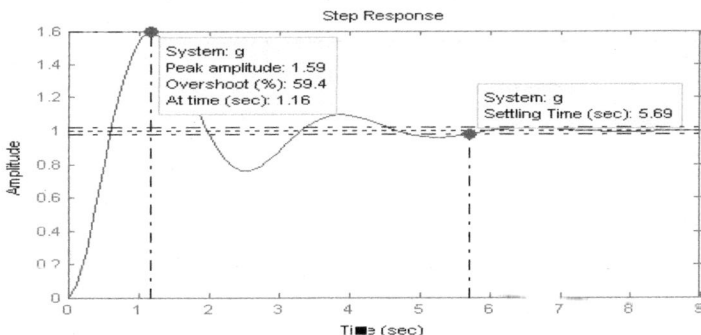

图 4-38 例 4-9 校正后系统的单位阶跃响应曲线

2. 响应曲线法的 PID 控制器设计

响应曲线法（又称动态特性参数法），是齐格勒（Ziegler）和尼科尔斯（Nichols）于 1942 年首先提出的。响应曲线法将控制系统广义对象近似为具有纯滞后的一阶惯性环节，其传递函数为

$$G_0(s) = \frac{K_0}{T_0 s + 1}\text{e}^{-\tau_0 s} \tag{4-26}$$

其 PID 控制的参数值可用表 4-5 中的经验公式（Ziegler-Nichols 整定公式）来计算。

表 4-5 采用响应曲线法的 PID 参数设计

控 制 规 律	K_P	T_I	T_D
P	$T_0/(K_0\tau_0)$		
PI	$0.9T_0/(K_0\tau_0)$	$3.3\tau_0$	
PID	$1.2T_0/(K_0\tau_0)$	$2.2\tau_0$	$0.5\tau_0$

例 4-10 已知单位反馈控制系统的开环传递函数为 $G_0(s) = \dfrac{8}{360s+1}e^{-180s}$，试设计 PID 控制器，并进行单位阶跃响应性能分析。

解： 首先，对未校正系统绘制单位阶跃响应曲线，并进行性能分析。

控制系统的数学模型中含有纯滞后环节，使用逼近算法将纯滞后环节转换为 s 的有理式。常用的近似算法有 Taylor 逼近和 Pade 逼近，这里采用 Pade 逼近，其公式为

$$e^{-\tau s} = \frac{1 - \dfrac{1}{2}(\tau s) + \dfrac{5}{44}(\tau s)^2 - \dfrac{1}{60}(\tau s)^3 + \cdots}{1 + \dfrac{1}{2}(\tau s) + \dfrac{5}{44}(\tau s)^2 + \dfrac{1}{60}(\tau s)^3 + \cdots} \tag{4-27}$$

未校正系统的单位阶跃响应曲线绘制程序为

g1 = tf(180,[360 1]); [np,dp] = pade(180,2);   % 使用二阶 Pade 逼近

gp = tf(np,dp); g0 = feedback(g1 * gp,1), step(g0)

程序执行后，可得未校正系统的单位阶跃响应曲线，如图 4-39 所示。从图 4-39 可知，未校正系统不稳定。

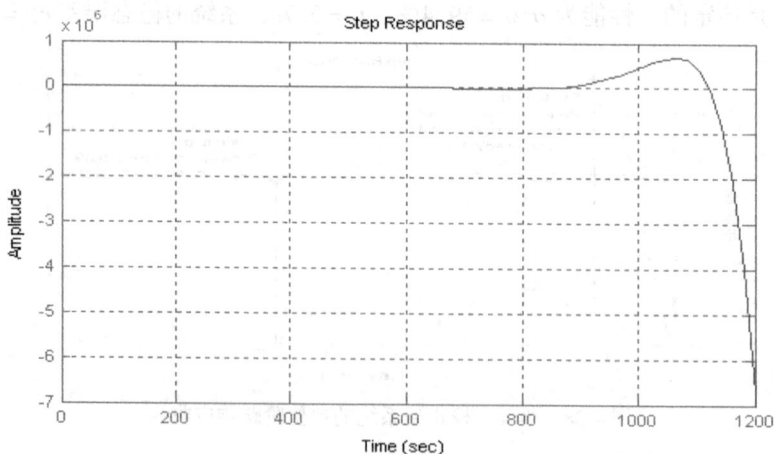

图 4-39 例 4-10 未校正系统的单位阶跃响应曲线

其次，根据表 4-5 计算 PID 控制器的参数：$K_P = 0.3$，$T_I = 396$，$T_D = 90$。所以，PID 控制器的传递函数为 $G_c(s) = 0.3\left(1 + \dfrac{1}{396s} + 90s\right) = \dfrac{0.3(90s^2 + s + 0.00253)}{s}$。

最后，对校正后的系统绘制单位阶跃响应曲线，程序如下：

g1 = tf(8,[360 1]); [np,dp] = pade(180,2); gp = tf(np,dp);,

gc = tf([27 0.3 0.00076],[1 0]), g = feedback(g1 * gp * gc,1); step(g)

程序运行后，可得校正后系统的单位阶跃响应曲线，如图 4-40 所示。从图 4-40 可知，校正后系统是稳定的，性能为 $\sigma\% = 29.5\%$，$t_s = 1200\text{s}$，系统的稳态误差 $e_{ss} = 0$。

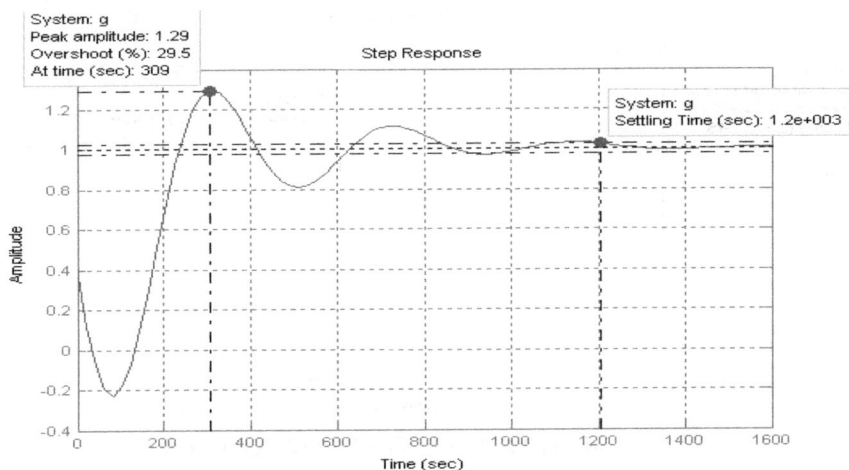

图 4-40　例 4-10 校正后系统的单位阶跃响应曲线

3. Cohen-Coon 整定公式的 PID 控制器设计

Ziegler-Nichols 整定公式经过多次改进，出现了许多 PID 控制器的设计算法，其中广为流行的是 Cohen-Coon 整定公式，见表 4-6。

表 4-6　PID 参数的 Cohen-Coon 整定公式

控 制 规 律	K_P	T_I	T_D
P	$\dfrac{1}{K_0}\left[(\tau_0/T_0)^{-1} + 0.3333\right]$		
PI	$\dfrac{1}{K_0}\left[0.9(\tau_0/T_0)^{-1} + 0.082\right]$	$T_0\dfrac{3.33(\tau_0/T_0) + 0.3(\tau_0/T_0)^2}{1 + 2.2(\tau_0/T_0)}$	
PID	$\dfrac{1}{K_0}\left[1.35(\tau_0/T_0)^{-1} + 0.27\right]$	$T_0\dfrac{2.5(\tau_0/T_0) + 0.5(\tau_0/T_0)^2}{1 + 0.6(\tau_0/T_0)}$	$T_0\dfrac{0.37(\tau_0/T_0)}{1 + 0.2(\tau_0/T_0)}$

例 4-11　某单位反馈控制系统的开环传递函数为 $G_0(s) = \dfrac{8}{360s + 1}e^{-180s}$，试设计 PID 控制器，并进行单位阶跃响应性能分析。

解：首先，对未校正系统绘制单位阶跃响应曲线，并进行性能分析。

由于本例的数学模型同例 4-10，未校正系统不稳定，其单位阶跃响应曲线如图 4-39 所示。

其次，根据表 4-6 计算 PID 控制器的参数：$K_P = 0.37$，$T_I = 430.4$，$T_D = 60.5$。所以，PID 控制器的传递函数为 $G_c(s) = 0.37\left(1 + \dfrac{1}{1.196s} + 0.168s\right) = \dfrac{0.37(60.5s^2 + s + 0.0023)}{s}$。

最后，对校正后的系统绘制阶跃响应曲线，程序如下：

```
g1 = tf(8,[360 1]);[np,dp] = pade(180,2); gp = tf(np,dp);,
gc = tf(0.37*[60.5 1 0.0023],[1 0]),g = feedback(g1*gp*gc,1);step(g)
```

程序运行后，可得校正后系统的单位阶跃响应曲线，如图 4-41 所示。从图 4-41 可知，校正后系统是稳定的，性能为 $\sigma\% = 51.7\%$，$t_s = 1420\text{s}$，系统的稳态误差 $e_{ss} = 0$。

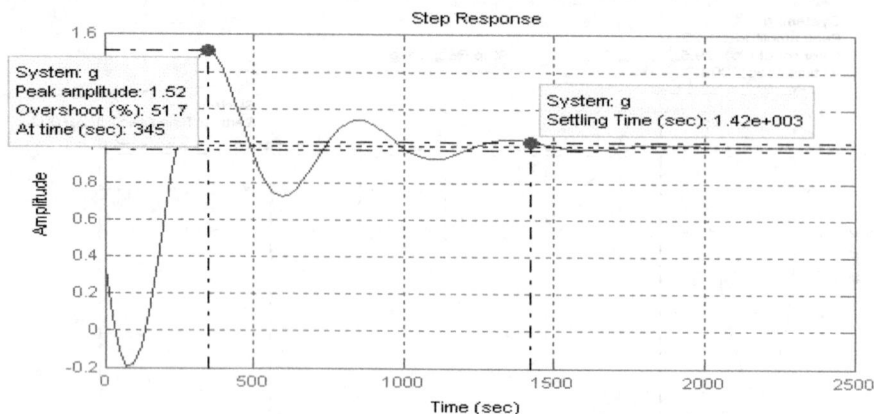

图 4-41　例 4-11 PID 校正后系统的单位阶跃响应曲线

4. 最优控制的 PID 控制器设计

随着计算机仿真技术的发展，形成了以误差积分指标极小化为原则的整定公式，所采用的误差积分指标有

1）绝对误差积分（Integral of Absolute Error，IAE）$\int_0^\infty |e(t)| \mathrm{d}t$。

2）平方误差积分（Integral of Square Error，ISE）$\int_0^\infty e(t)^2 \mathrm{d}t$。

3）时间绝对误差乘积积分（Integral of Time and Absolute Error，ITAE）$\int_0^\infty t|e(t)| \mathrm{d}t$。

PID 控制器的参数整定公式为

$$K_P = \frac{A(\tau_0/T_0)^B}{K_0}$$

$$T_I = \frac{T_0}{A(\tau_0/T_0)^B} \tag{4-28}$$

$$T_D = T_0 A(\tau_0/T_0)^B$$

在式（4-28）中，系数 A 和 B 可由表 4-7 获得。

表 4-7　基于误差积分指标极小化的 PID 参数整定公式中的 A、B 取值

误差积分指标类型	控 制 规 律	控 制 作 用	A	B
IAE	P	P	0.902	−0.985
ISE	P	P	1.411	−0.917
ITAE	P	P	0.904	−1.084
IAE	PI	P	0.984	−0.986
		I	0.608	−0.707
ISE	PI	P	1.305	−0.959
		I	0.492	−0.739

（续）

误差积分指标类型	控制规律	控制作用	A	B
ITAE	PI	P	0.859	−0.977
		I	0.674	−0.680
IAE	PID	P	1.435	−0.921
		I	0.878	−0.749
		D	0.482	1.137
ISE	PID	P	1.495	−0.945
		I	1.101	−0.771
		D	0.560	1.006
ITAE	PID	P	1.357	−0.947
		I	0.842	−0.738
		D	0.381	0.995

例 4-12 某单位反馈控制系统的开环传递函数为 $G_0(s) = \dfrac{1}{20s+1}e^{-2.5s}$，试用 ITAE 准则设计 PID 控制器，并进行单位阶跃响应性能分析。

解： 首先，对未校正系统绘制单位阶跃响应曲线，并进行性能分析。

控制系统的纯滞后环节仍使用 Pade 逼近方法进行近似处理。未校正系统的单位阶跃响应曲线绘制程序为

g1 = tf(1,[20 1]); [np,dp] = pade(2.5,2);

gp = tf(np,dp); g0 = feedback(g1 * gp,1), step(g0)

程序执行后，可得未校正系统的单位阶跃响应曲线，如图 4-42 所示。从图 4-42 可知，未校正系统稳定，但响应速度较慢。

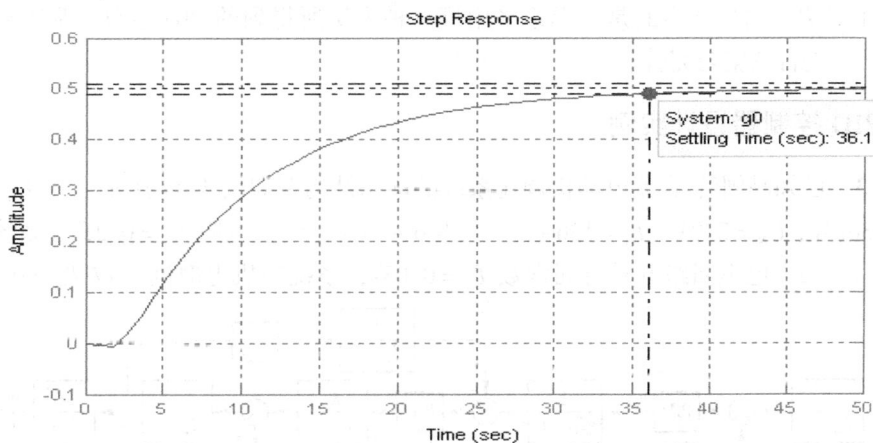

图 4-42 例 4-12 未校正系统的单位阶跃响应曲线

其次，根据式（4-28）和表 4-7 计算 PID 控制器的参数：$K_P = 7.165$，$T_1 = 5.12$，$T_D = 0.96$。

所以，PID 控制器的传递函数为 $G_c(s) = 7.165\left(1 + \dfrac{1}{5.12s} + 0.96s\right) = \dfrac{7.165(0.96s^2 + s + 0.2)}{s}$。

最后，对校正后的系统绘制阶跃响应曲线，程序如下：

g1 = tf(1,[20 1]); [np,dp] = pade(2.5,2); gp = tf(np,dp);,

gc = tf(7.165 * [0.96 1 0.2],[1 0]),g = feedback(g1 * gp * gc,1);step(g)

程序运行后，可得校正后系统的单位阶跃响应曲线，如图 4-43 所示。从图 4-43 可知，校正后系统是稳定的，性能为 $\sigma\% = 43.6\%$，$t_s = 22.8\mathrm{s}$，系统的稳态误差 $e_{ss} = 0$。

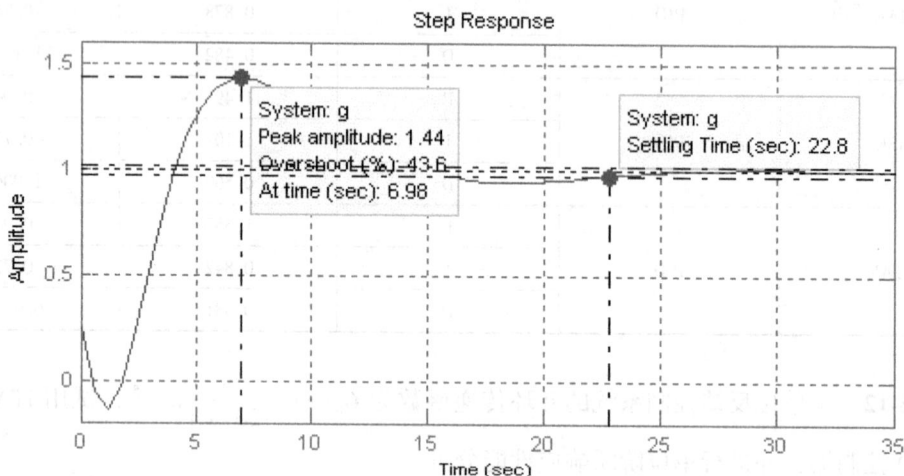

图 4-43 例 4-12 校正后系统的单位阶跃响应曲线

5. PID 控制器设计总结

PID 控制器的工程设计方法是建立在工作经验基础上的，不能像理论推导那样准确，也不可能将所有的实际情况包容在内。因此，在使用中可能会出现一些偏差。在上述的工程设计方法中，各种方法有所侧重。针对同一个系统，采用不同方法设计出的参数会有所不同，例如临界比例度法，侧重于防止系统产生不稳定，因此设计出的参数就出现了 K_P 较小，T_I 和 T_D 偏大的结果。需要指出的是，无论采用哪一种方法所得到的 PID 参数，都需要在系统的实际运行中进行调整与完善。

4.3.3 PID 控制器设计实例

例 4-13 已知晶闸管-直流电动机调速系统的动态结构图如图 4-44 所示。图中，直流电动机 $P_N = 30\mathrm{kW}$，$U_N = 220\mathrm{V}$，$I_N = 136\mathrm{A}$，$n_N = 1460\mathrm{r/min}$，电枢电阻 $R_a = 0.2\Omega$，系统主电路总电阻 $R = 0.5\Omega$，电枢回路电磁时间常数 $T_a = 0.03\mathrm{s}$，系统的机电时间常数 $T_m = 0.18\mathrm{s}$，测

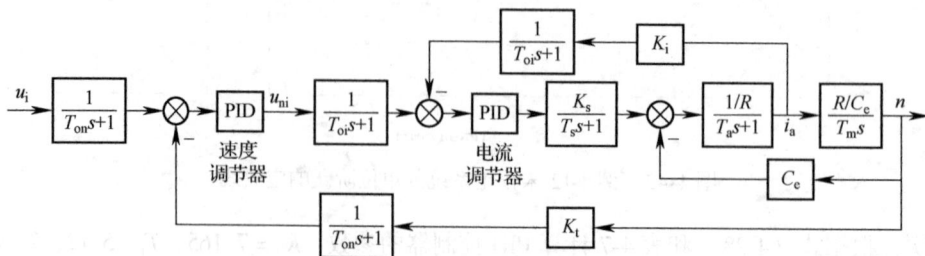

图 4-44 晶闸管-直流电动机调速系统的动态结构图

速反馈系数 $K_t = 0.007\text{V}/(\text{r}/\text{min})$，电流反馈系数 $K_i = 0.05\text{V}/\text{A}$，触发整流装置的放大系数 $K_s = 40$；三相桥平均失控时间 $T_s = 0.0017\text{s}$；电流环滤波时间常数 $T_{oi} = 0.002\text{s}$，转速环滤波时间常数 $T_{on} = 0.01\text{s}$。当忽略系统的非线性时，试设计电流调节器和速度调节器参数，并对系统的电流内环与转速外环进行性能分析（误差带取 5%）。

解：（1）动态结构图中的参数计算

$$C_e = \frac{U_N - I_N R_a}{n_N} = \frac{220 - 136 \times 0.2}{1460} = 0.132\text{V} \cdot \text{min}/\text{r}$$

（2）电流调节器设计

只考虑电流环，由于转速对给定信号的响应时间比电流对给定信号的响应时间长很多，此时将电动机的转速看成恒量，因此可将 C_e 所在支路略去。双闭环调速系统电流环的动态结构图如图 4-45 所示，其中 G_{ci} 是电流调节器的传递函数。

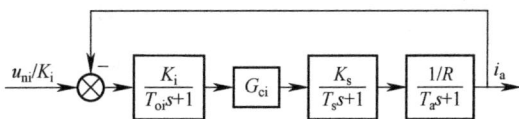

等效为单位反馈的电流环动态结构图如图 4-46 所示，等效开环传递函数为式（4-29）。

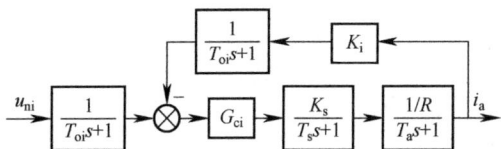

图 4-45 双闭环调速系统电流环的动态结构图   图 4-46 等效为单位反馈的电流环动态结构图

$$
\begin{aligned}
G_i(s) &= G_{ci}(s) \frac{K_i}{T_{oi}s+1} \frac{K_s}{T_s s+1} \frac{1/R}{T_a s+1} \\
&= G_{ci}(s) \frac{4}{(0.03s+1)(0.002s+1)(0.0017)} = G_{ci}(s) G_{oi}(s)
\end{aligned}
\tag{4-29}
$$

由于电流环的作用是稳定电流，其超调量越小越好，因此电流调节器多采用 PI 控制器，这里采用临界比例度法进行参数整定。绘制电流环根轨迹图，找到临界稳定增益 K_{mi} 及临界稳定角频率 ω_{mi}，如图 4-47 所示。程序如下：

n0 = 4；d0 = conv(conv([0.03 1], [0.002 1]), [0.0017 1])；g0 = tf(n0, d0)，rlocus(g0)

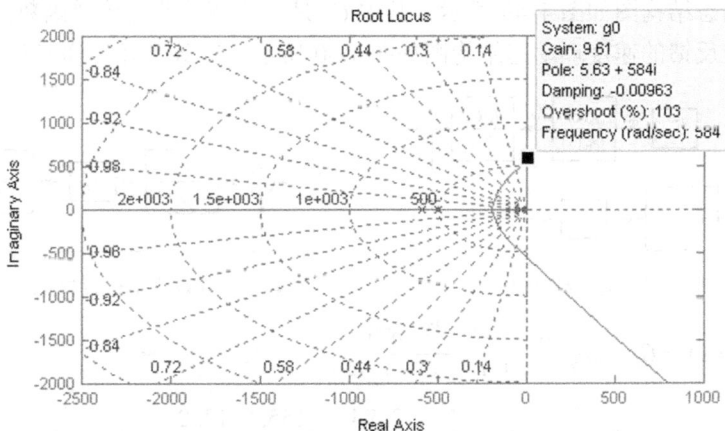

图 4-47 例 4-13 系统未加电流调节器的电流环根轨迹

从图 4-47 中可知 $K_{mi} = 9.61$，$\omega_{mi} = 584$，可计算出 $K_{Pi} = 0.45K_{mi} = 4.3$，$T_{Ii} = 1.7\pi/\omega_{mi} =$

0.009。所以，电流调节器的传递函数为 $G_{ci}(s) = \dfrac{K_{Pi}(T_{Ii}s+1)}{T_{Ii}s} = \dfrac{4.3(0.009s+1)}{0.009s}$。使用电流调节器后电流环的单位阶跃响应曲线如图 4-48 所示，程序为

n0 = 4; d0 = conv([0.03 1], [0.0037 1]); g0 = tf(n0, d0);
gc = tf(4.3 * [0.009 1], [1 0]), g = feedback(g0 * gc, 1); step(g)

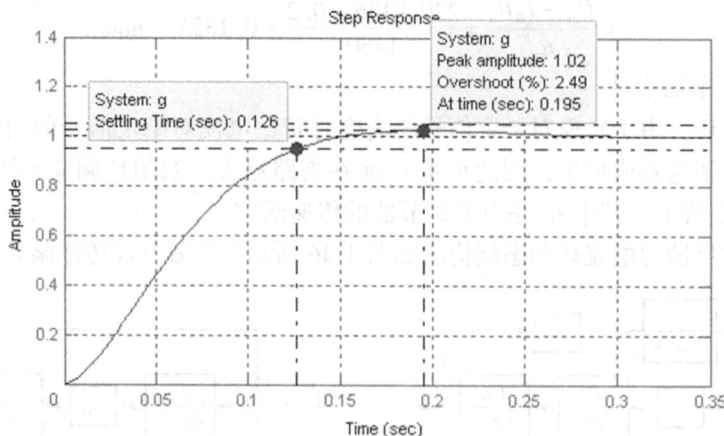

图 4-48　例 4-13 使用电流调节器后电流环的单位阶跃响应曲线

从图 4-48 可以看到，使用电流调节器后电流环的最大超调量为 2.49%，调整时间为 0.13s。

（3）速度调节器设计

电流环的等效传递函数为

$$\frac{I_a(s)}{U_{ni}(s)} = \frac{1}{K_i} \frac{0.155s + 17.2}{0.00011s^3 + 0.0337s^2 + 1.155s + 17.2}$$

$$= 20 \frac{0.155s + 17.2}{0.00011s^3 + 0.0337s^2 + 1.155s + 17.2}$$

速度环的动态结构图如图 4-49 所示，其中 G_{cn} 是电流调节器的传递函数。

等效为单位反馈的速度环动态结构图如图 4-50 所示，等效开环传递函数为式（4-30）。

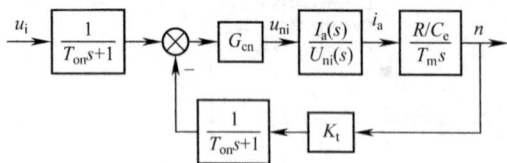

图 4-49　速度环的动态结构图

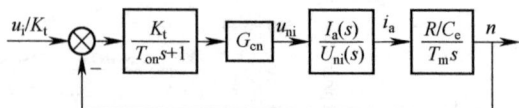

图 4-50　等效为单位反馈的速度环动态结构图

$$G_n(s) = G_{cn}(s) \frac{K_t}{T_{on}s + 1} \frac{I_a(s)}{U_{ni}(s)} \frac{R/C_e}{T_m s}$$

$$= G_{cn}(s) \frac{2.94(0.155s + 17.2)}{s(0.01s + 1)(0.00011s^3 + 0.0337s^2 + 1.155s + 17.2)} \qquad (4\text{-}30)$$

$$= G_{cn}(s) G_{on}(s)$$

由于速度环的作用是稳定转速，消除转速静差，因此速度调节器也采用 PI 控制器。这

里采用临界比例度法进行参数整定，绘制未加速度调节器的系统速度环根轨迹图，找到临界稳定增益 K_{mn} 及临界稳定角频率 ω_{mn}，如图 4-51 所示，程序如下：

$n0 = 2.94 * [0.155 \ 17.2]$；$d0 = \mathrm{conv}(\mathrm{conv}([1\ 0], [0.01\ 1]), [0.00011\ 0.0337\ 1.155\ 17.2])$；

$g0 = \mathrm{tf}(n0, d0)$，$\mathrm{rlocus}(g0)$

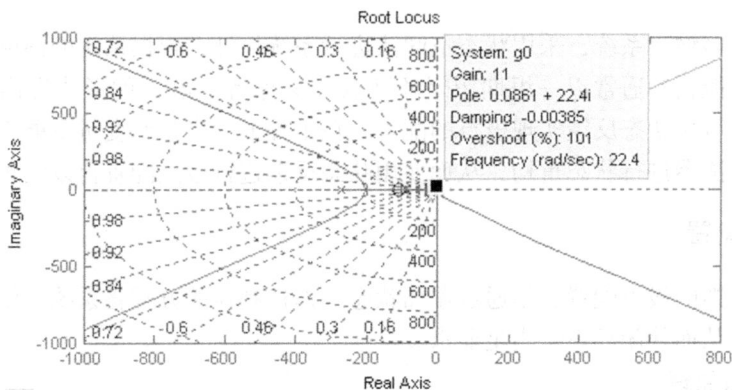

图 4-51　例 4-13 未加速度调节器的系统速度环根轨迹

从图 4-51 可知，$K_{mn} = 11$，$\omega_{mn} = 22.4$，可计算出 $K_{Pn} = 0.45 K_{mn} = 4.95$，$T_{In} = 1.7\pi/\omega_{mn} = 0.24$。所以，速度调节器的传递函数为 $G_{cn}(s) = \dfrac{K_{Pn}(T_{In}s + 1)}{T_{In}s} = \dfrac{4.95(0.24s + 1)}{0.24s}$。使用速度调节器后速度环的单位阶跃响应曲线如图 4-52 所示，程序为

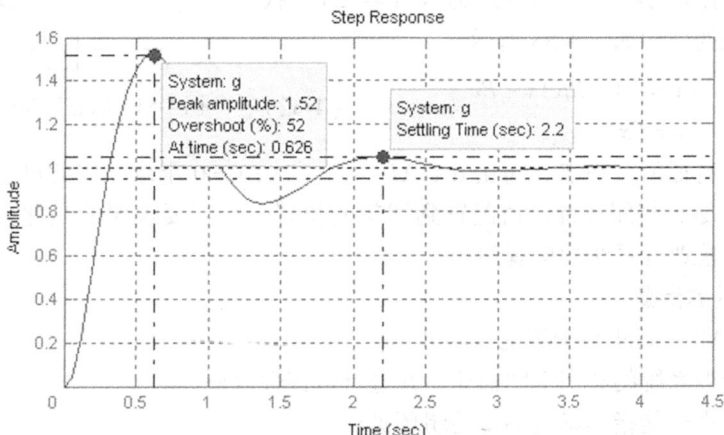

图 4-52　例 4-13 使用速度调节器后速度环的单位阶跃响应曲线

$n0 = 2.94 * [0.155 \ 17.2]$；$d0 = \mathrm{conv}(\mathrm{conv}([1\ 0], [0.01\ 1]), [0.00011\ 0.0337\ 1.155\ 17.2])$；

$g0 = \mathrm{tf}(n0, d0)$；$gc = \mathrm{tf}(4.95 * [0.24\ 1], [1\ 0])$，$g = \mathrm{feedback}(g0 * gc, 1)$；$\mathrm{step}(g)$

从图 4-52 中可读出系统单位阶跃响应性能：最大超调量为 52%，调整时间为 2.2s。

（4）说明

1）以上设计是假定各电气元件工作在线性区，但事实并非如此，而且存在数学模型的近似处理，因此设计出的调节器参数只是参考值，还需要在系统调试阶段进行修正。

2）在实际的晶闸管调速系统中，电流调节器和速度调节器均采用了输出限幅装置，速

度调节器的输出限幅是为了限制最大电流，电流调节器的输出限幅是为了限制晶闸管整流装置的最大输出电压；输出限幅装置的引入减小了超调量，但使调整时间加长了。

4.4　极点配置与观测器设计

对于多输入多输出系统，采用状态空间法进行系统设计，根据系统的性能指标，确定控制器的参数。性能指标通常以一组期望闭环极点（又称特征值）的形式提出，当系统具有状态能控性时，可用状态反馈实现极点的配置。在工程上，当状态变量不能直接或间接获得时，使用状态观测器进行状态重构，从而使用状态反馈进行极点配置得以实现。

4.4.1　极点配置

基于状态反馈的极点配置法是通过添加状态反馈控制器的方式将系统的闭环极点配置到期望的位置上，从而使闭环系统满足要求。

1. 极点配置原理

设控制系统的状态空间描述为

$$\begin{cases} \dot{x} = Ax + Bu \\ y = Cx \end{cases} \tag{4-31}$$

式中，u 为输入信号；y 为输出信号；x 为状态变量。在系统完全可控时，可引入状态反馈控制器 K，令 $u = v - Kx$，则闭环系统的状态空间描述为式（4-32）。状态反馈控制系统的结构如图 4-53 所示。

$$\begin{cases} \dot{x} = (A - BK)x + Bv \\ y = Cx \end{cases} \tag{4-32}$$

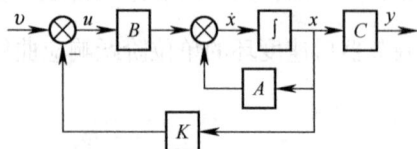

图 4-53　状态反馈控制系统的结构

闭环系统的特征值（极点）可由 $\det(\lambda I - (A - BK)) = 0$ 求取，因此可通过调整状态反馈控制器 K 的参数，将闭环特征值配置到期望的位置上。需要说明的是此方法不改变系统的可控性，但可能改变系统的可观测性。

2. 极点配置的步骤

利用 MATLAB 进行极点配置的步骤如下：

第一步：获取系统的状态空间描述，并进行可控性分析。

第二步：根据性能指标确定期望的闭环极点。

第三步：求取系统状态反馈控制器 K 的参数。

第四步：闭环系统性能分析。

3. 极点配置实例分析

例 4-14　已知系统的传递函数为

$$\frac{Y(s)}{U(s)} = \frac{180}{s(s+1)(s+2)}$$

试设计系统的状态反馈控制器，使闭环系统的极点为 -2 和 $-1 \pm i$。

解：首先，判断系统的可控性，程序如下：

n0 = 10; d0 = conv(conv([1 0],[1 1]),[1 2]);

$[a,b,c,d] = tf2ss(n0,d0)$;

$Qc = ctrb(a,b)$; $rc = rank(Qc)$　　　　　　　% 求取系统可控性判别阵,并求其秩

程序执行后,显示:$rc = 3$,系统完全可控。

然后,进行状态反馈控制器 K 参数设计,程序如下:

$n0 = 10$; $d0 = conv(conv([1\ 0],[1\ 1]),[1\ 2])$;

$[a,b,c,d] = tf2ss(n0,d0)$;

$p = [-2 -1 + i -1 - i]$; $K = place(a,b,p)$

执行结果为 $K = [1.0000\ \ 4.0000\ \ 4.0000]$

最后,求闭环系统的极点,并绘制单位阶跃响应曲线进行性能分析,程序如下:

$n0 = 10$; $d0 = conv(conv([1\ 0],[1\ 1]),[1\ 2])$;

$[a,b,c,d] = tf2ss(n0,d0)$; $K = [1.0\ 4.0\ 4.0]$;

$d = eig(a - b * K)$,　　　　　　　　　　　% 求闭环系统的极点

$sys = ss(a - b * K,b,c,d)$; $step(sys)$

程序执行后,显示闭环系统的极点为 -2.0000, $-1.0000 + 1.0000i$ 和 $-1.0000 -1.0000i$,单位阶跃响应曲线如图 4-54 所示,系统的最大超调量为 2.75%,调整时间为 $2.77s$(误差带取 5%)。

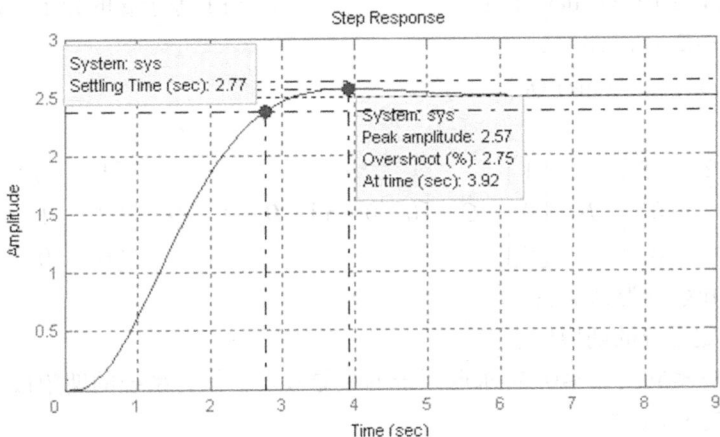

图 4-54　例 4-14 带状态反馈控制器的系统单位阶跃响应曲线

例 4-15　已知系统的状态方程为 $\dot{x} = Ax + Bu$,其中:

$$A = \begin{bmatrix} 1 & 1 & 0 \\ 0 & 1 & 0 \\ 0 & 0 & 2 \end{bmatrix} \quad B = \begin{bmatrix} 0 & 0 \\ 1 & 0 \\ 0 & -1 \end{bmatrix}$$

试设计状态反馈控制器使闭环特征值为 -2, $-1 \pm 2i$。

解:

首先,判断系统的可控性,程序如下:

$a = [1\ 1\ 0;0\ 1\ 0;0\ 0\ 2]$, $b = [0\ 0;1\ 0;0 -1]$,

$Qc = ctrb(a,b)$, $rc = rank(Qc)$

运行结果为 $rc = 3$,系统是完全能控的。

然后，进行状态反馈控制器 K 参数设计，程序如下：

a = [1 1 0;0 1 0;0 0 2] , b = [0 0;1 0;0 - 1] ,

p = [-2 -1 + 2i -1 -2i] ; K = place(a,b,p)

执行结果为

K =

  8 4   0

  0 0 -4

例 4-16　已知单位反馈系统的开环传递函数为 $G_0(s) = \dfrac{K_0}{s\ (s+6)\ (s+12)}$，试对系统进行极点配置，使闭环系统的性能达到 $\sigma\% \leq 5\%$，$t_s \leq 0.5s$，系统在等速信号作用下的稳态误差 $e_{ss} \leq 0.2$。

解：第一步：获取系统的状态空间方程并进行可控性分析。

由性能指标 $e_{ss} \leq 0.2$ 可得 $K_0 \geq 5$，取 $K_0 = 5$，系统的参数矩阵、可控判别阵的求取及可控性判定程序如下。

n0 = 5; d0 = conv(conv([1 0],[1 6]),[1 12]);

g0 = tf(n0,d0) ; g = feedback(g0,1);

n1 = g. num{1} ; d1 = g. den{1} ;   % 令 n1 等于 g 的分子, n1 等于 g 的分母

[a,b,c,d] = tf2ss(n1,d1) ,

Qc = ctrb(a,b) , rc = rank(Qc)

执行结果为

$$A = \begin{bmatrix} -18 & -72 & -5 \\ 1 & 0 & 0 \\ 0 & 1 & 0 \end{bmatrix} \quad B = \begin{bmatrix} 1 \\ 0 \\ 0 \end{bmatrix} \quad C = [0\ \ 0\ \ 5] \quad D = 0 \quad Q_C = \begin{bmatrix} 1 & -18 & 252 \\ 0 & 1 & -18 \\ 0 & 0 & 1 \end{bmatrix} \quad rc = 3$$

从 $rc = 3$ 可知系统为完全能控的。

第二步：确定系统的期望极点。

由系统的 $\sigma\% \leq 5\%$；$t_s \leq 0.5s$ 求取系统的主导极点，作为系统的期望极点，程序如下：

sigma = 0.05 ; ts = 0.5 ;

kesi = log(1/sigma)/((pi)^2 + (log(1/sigma))^2)^(1/2) ;

wn = 3.5/(kesi * ts) ;

denb = [1 2 * kesi * wn wn^2] ; roots(denb)

执行结果为 $p_{1,2} = -7.0 \pm 7.34i$。

由于系统为三阶系统，存在第 3 个闭环极点 p_3，且 s_3 远离主导极点，一般取 $p_3 = -(5 \sim 10) |s_1|$，这里 $p_3 = -10 |s_1| \approx -100$，因此期望的闭环系统的极点为 -100，$-7 \pm 7.34i$。

第三步：确定状态反馈控制器 K。K 的参数求取程序为

n0 = 5; d0 = conv(conv([1 0],[1 6]),[1 12]);

g0 = tf(n0,d0) ; g = feedback(g0,1);

n1 = g. num{1} ;d1 = g. den{1} ;

[a,b,c,d] = tf2ss(n1,d1) ,

p = [-100 -7 + 7.34i -7 -7.34i] ;

K = place(a,b,p)

执行结果为 K = $\begin{bmatrix} 96 & 1431 & 10283 \end{bmatrix}$。

第四步：闭环系统性能校验。绘制闭环系统的单位阶跃响应曲线的程序为

n0 = 5；d0 = conv(conv([1 0],[1 6]),[1 12])；

g0 = tf(n0,d0)；g = feedback(g0,1)；

n1 = g. num{ 1 }；d1 = g. den{ 1 }；

[a,b,c,d] = tf2ss(n1,d1)，

p = [– 100 – 7 + 7. 34i – 7 – 7. 34i]；

K = place(a,b,p)，

gb = ss(a – b * K,b,c,d)；step(gb)，

程序执行后，得到系统的单位阶跃响应曲线（见图 4-55）。从图 4-55 中可读出系统性能：$\sigma\% = 4.97\%$，$t_s = 0.3s$（误差带取 5%）。

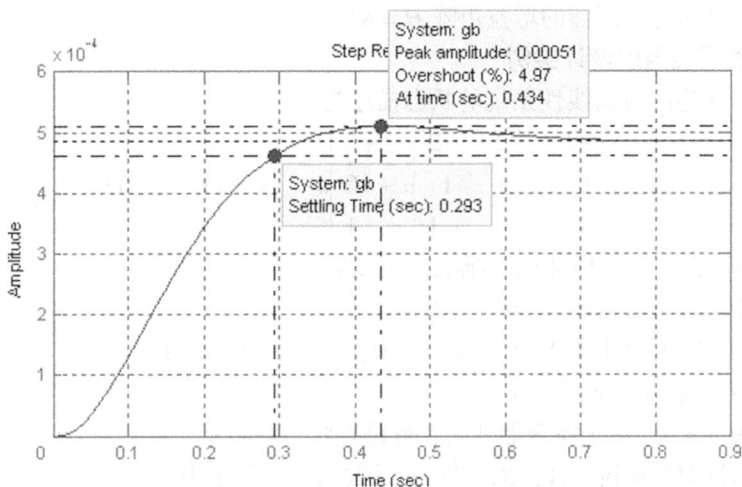

图 4-55　例 4-16 状态反馈后系统的单位阶跃响应曲线

4.4.2　全维状态观测器设计

对于状态完全能控的系统，通过状态反馈控制器任意配置极点，可使闭环系统满足性能指标的要求。但在实际系统中，并不是所有的状态变量都能直接或间接地获得，解决方法是利用状态观测器重构一个系统的状态向量，使之在一定的指标下和原系统的状态等价。当状态观测器的维数与系统状态的个数相等时，称为全维状态观测器。

1. 全维状态观测器的设计原理

一般系统的输入量 $y(t)$ 和输出量 $u(t)$ 均为已知，因此希望利用 $y(t)$ 和 $u(t)$ 来重构系统的状态向量。当系统完全可观测时，一定存在全维状态观测器。设线性系统的状态空间描述为

$$\dot{x} = Ax + Bu$$

$$y = Cx$$

则全维状态观测器的结构如图 4-56 所示，其中 $\hat{x}$ 是重构的状态，$\hat{y}$ 是系统输出的估计值，H 是观测器的增益矩阵。由图 4-56 不难写出观测器的状态方程为

$$\dot{\hat{x}} = (A - HC)\hat{x} + Bu + Hy \qquad (4\text{-}33)$$

在设计中，若希望估计状态$\hat{x}$尽快地趋近于系统原状态x，则要合理地选择$(A - HC)$的特征值，因此设计全维状态观测器，也就是确定观测器增益矩阵H的参数。

2. 全维状态观测器的设计步骤

利用 MATLAB 进行全维状态观测器设计的步骤如下：

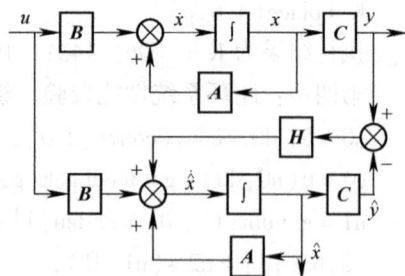

图 4-56 全维状态观测器的结构

第一步：获取系统$(A，B，C)$的状态空间描述，并进行可观测性分析。

第二步：求取对偶系统$(\bar{A}，\bar{B}，\bar{C})$的系数矩阵$\bar{A} = A'，\bar{B} = C'$。

第三步：根据全维状态观测器的极点，求取对偶系统$(\bar{A}，\bar{B}，\bar{C})$的状态反馈控制器$K$的参数。

第四步：全维状态观测器的增益矩阵$H = K'$。

3. 全维状态观测器的设计实例

例 4-17 已知连续时间线性系统的状态描述为

$$\dot{x} = \begin{bmatrix} -1 & -2 & -2 \\ 0 & -1 & 1 \\ 1 & 0 & -1 \end{bmatrix} x + \begin{bmatrix} 2 \\ 0 \\ 1 \end{bmatrix} u，\quad y = \begin{bmatrix} 1 & 1 & 0 \end{bmatrix} x$$

试确定特征值为-3，-3和-4的三维状态观测器。

解： 第一步：进行可观测性分析，程序如下：

a = [-1 -2 -2;0 -1 1;1 0 -1]; b = [2;0;1]; c = [1 1 0];
Qo = obsv(a,c); ro = rank(Qo)，

执行结果为 ro = 3，系统完全能观测，可设置状态观测器。

第二步：求取对偶系统$(\bar{A}，\bar{B}，\bar{C})$的系数矩阵，程序为

a = [-1 -2 -2;0 -1 1;1 0 -1]; b = [2;0;1]; c = [1 1 0];
a1 = a', b1 = c', c1 = b',

执行结果为

$$A_1 = \begin{bmatrix} -1 & 0 & 1 \\ -2 & -1 & 0 \\ -2 & 1 & -1 \end{bmatrix} \qquad B_1 = \begin{bmatrix} 1 \\ 1 \\ 0 \end{bmatrix} \qquad C_1 = \begin{bmatrix} 2 & 0 & 1 \end{bmatrix}$$

第三步：求取对偶系统$(\bar{A}，\bar{B}，\bar{C})$的状态反馈控制器$K$的参数，程序为

a = [-1 -2 -2;0 -1 1;1 0 -1]; b = [2;0;1]; c = [1 1 0];
a1 = a'; b1 = c'; c1 = b';
p = [-3 -3 -4]; K = acker(a1,b1,p)

执行结果为$K = \begin{bmatrix} 12 & -5 & -4 \end{bmatrix}$

第四步：全维状态观测器的增益矩阵

$$H = K' = \begin{bmatrix} 12 \\ -5 \\ -4 \end{bmatrix}$$

4.4.3　降维状态观测器设计

当状态观测器估计出的状态维数小于原系统状态的维数时，称为降维状态观测器。若原系统有 q 维输出，则原系统有 q 个状态可以从输出中得到，观测器只需要重构 $n - q$ 个状态。

1. 降维状态观测器设计原理

设 n 维线性系统的状态空间描述为 $\dot{x} = Ax + Bu$，$y = Cx$，对其进行线性变换 $\bar{x} = Px$（P 为非奇异变换矩阵），所得新系统（$\bar{A}$，$\bar{B}$，$\bar{C}$），其状态空间描述为

$$
\begin{bmatrix} \dot{\bar{x}}_1 \\ \dot{\bar{x}}_2 \end{bmatrix} = \begin{bmatrix} \bar{A}_{11} & \bar{A}_{12} \\ \bar{A}_{21} & \bar{A}_{22} \end{bmatrix} \begin{bmatrix} \bar{x}_1 \\ \bar{x}_2 \end{bmatrix} + \begin{bmatrix} \bar{B}_1 \\ \bar{B}_2 \end{bmatrix} u \quad y = \begin{bmatrix} I & 0 \end{bmatrix} \begin{bmatrix} \bar{x}_1 \\ \bar{x}_2 \end{bmatrix} \tag{4-34}
$$

式（4-34）中，$\dot{\bar{x}}_1$ 是 q 维分状态，且 $\bar{x}_1 = y$；$\bar{x}_2$ 是 $n - q$ 维分状态；$P = \begin{bmatrix} C & R \end{bmatrix}$，$R$ 任选。

由于有 q 维分状态可直接从 y 获得，所以只需设计 $n - q$ 状态观测器。将式（4-34）改写成

$$
\begin{cases} \dot{\bar{x}}_2 = \bar{A}_{22}\bar{x}_2 + (\bar{A}_{21}y + \bar{B}_2u) \\ \dot{y} - \bar{A}_{11}y - \bar{B}_1u = \bar{A}_{12}\bar{x}_2 \end{cases} \tag{4-35}
$$

式（4-35）中，$(\bar{A}_{21}y + \bar{B}_2u)$ 相当于新的输入，$(\dot{y} - \bar{A}_{11}y - \bar{B}_1u)$ 相当于新的输出，$n - q$ 状态观测器的方程为

$$
\dot{\hat{\bar{x}}}_2 = (\bar{A}_{22} - \bar{H}\bar{A}_{12})\hat{\bar{x}}_2 + \bar{H}(\dot{y} - \bar{A}_{11}y - \bar{B}_1u) + (\bar{A}_{21}y + \bar{B}_2u) \tag{4-36}
$$

为消除式（4-36）的 $\dot{y}$ 项，引入变量 z，使 $z = \hat{\bar{x}}_2 - \bar{H}y$，则 $n - q$ 状态观测器的方程变为

$$
\begin{aligned}
\dot{z} &= \dot{\hat{\bar{x}}}_2 - \bar{H}\dot{y} \\
&= (\bar{A}_{22} - \bar{H}\bar{A}_{12})z + \left[(\bar{A}_{22} - \bar{H}\bar{A}_{12})\bar{H} + (\bar{A}_{21} - \bar{H}\bar{A}_{11}) \right]y + (\bar{B}_2 - \bar{H}\bar{B}_1)u
\end{aligned} \tag{4-37}
$$

重构状态可由式（4-38）表示。

$$
\hat{\bar{x}} = \begin{bmatrix} \bar{x}_1 \\ \bar{x}_2 \end{bmatrix} = \begin{bmatrix} y \\ z + \bar{H}y \end{bmatrix} \tag{4-38}
$$

2. 降维状态观测器设计步骤

利用 MATLAB 进行降维状态观测器设计的步骤如下：

第一步：获取系统（A，B，C）的状态空间描述，并进行可观测性分析。

第二步：对系统进行线性变换，得到式（4-34）中的参数。

第三步：根据降维状态观测器的极点，针对（$\bar{A}_{22}'$，$\bar{A}_{12}'$）采用极点配置方法求取状态反馈控制器 $\bar{K}$ 的参数。

第四步：求降维状态观测器的增益矩阵 $\bar{H} = \bar{K}'$。

第五步：写出降维状态观测器方程及原系统的重构状态表达式。

3. 降维状态观测器设计实例

例 4-18　已知连续时间线性系统的状态描述为

$$\dot{x} = \begin{bmatrix} -1 & -2 & -2 \\ 0 & -1 & 1 \\ 1 & 0 & -1 \end{bmatrix} x + \begin{bmatrix} 2 \\ 0 \\ 1 \end{bmatrix} u, \quad y = \begin{bmatrix} 1 & 1 & 0 \end{bmatrix} x$$

试确定特征值为 -3 和 -4 的二维状态观测器。

解：第一步：进行可观测性分析，程序如下：

a = [-1 -2 -2;0 -1 1;1 0 -1]; b = [2;0;1]; c = [1 1 0];

Qo = obsv(a,c); ro = rank(Qo),

执行结果为 ro = 3，系统完全能观测，可设置状态观测器。

第二步：进行线性变换。非奇异变换矩阵 $\boldsymbol{P}$ 为

$$\boldsymbol{P} = \begin{bmatrix} C \\ R \end{bmatrix} = \begin{bmatrix} 1 & 1 & 0 \\ 0 & 1 & 0 \\ 0 & 0 & 1 \end{bmatrix}$$

可用如下程序求取线性变换后的模型参数。

p = [1 1 0;0 1 0;0 0 1]; q = p^(-1);

a = [-1 -2 -2;0 -1 1;1 0 -1]; b = [2;0;1]; c = [1 1 0];

a1 = p * a * q, b1 = p * b, c1 = c * q,

执行结果为

$$\overline{A} = \begin{bmatrix} -1 & -2 & -1 \\ 0 & -1 & 1 \\ 1 & -1 & -1 \end{bmatrix} \qquad \overline{B} = \begin{bmatrix} 2 \\ 0 \\ 1 \end{bmatrix} \qquad \overline{C} = \begin{bmatrix} 1 & 0 & 0 \end{bmatrix}$$

所以，$\overline{A}_{22} = \begin{bmatrix} -1 & 1 \\ -1 & -1 \end{bmatrix}$，$\overline{A}_{12} = \begin{bmatrix} -2 & -1 \end{bmatrix}$

第三步：求取状态反馈控制器 $\overline{K}$ 的参数，程序如下：

a22 = [-1 1; -1 -1]; a12 = [-2 -1];

p = [-3 -4]; k = acker(a22',a12',p),

执行结果为 $\overline{K} = \begin{bmatrix} -1 & -3 \end{bmatrix}$

第四步：求降维状态观测器的增益矩阵 $\overline{H} = \overline{K}'$，程序为

a22 = [-1 1; -1 -1]; a12 = [-2 -1];

p = [-3 -4]; k = acker(a22',a12',p),

h = k'

执行结果为 $\overline{H} = \begin{bmatrix} -1 \\ -3 \end{bmatrix}$

第五步：降维状态观测器方程为

$$\dot{z} = \begin{bmatrix} -3 & 0 \\ -7 & -4 \end{bmatrix} z + \begin{bmatrix} 2 \\ 17 \end{bmatrix} y + \begin{bmatrix} 2 \\ 7 \end{bmatrix} u$$

原系统的重构状态表达式为

$$\hat{x} = p^{-1} \begin{bmatrix} y \\ z + \overline{H}y \end{bmatrix} = \begin{bmatrix} 2 \\ -1 \\ -3 \end{bmatrix} y + \begin{bmatrix} -1 & 0 \\ 1 & 0 \\ 0 & 1 \end{bmatrix} z$$

4.4.4　基于观测器的状态反馈系统设计综合实例

1. 基于观测器的状态反馈系统结构与特性

设计观测器的目的是提供估计状态以替代真实
状态，实现状态反馈，构成闭环系统。当观测器为
全维状态观测器时（也可以用降维观测器），基于观
测器的状态反馈系统的结构如图 4-57 所示。

图 4-57 中，原系统状态描述为

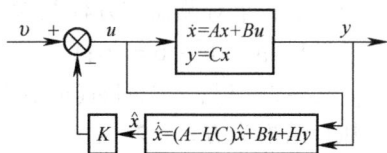

图 4-57　基于观测器的状态反馈系统的结构

$$\dot{x} = Ax + Bu$$
$$y = Cx$$

状态观测器方程 $\hat{\dot{x}} = (A - HC)\hat{x} + Bu + Hy$ 所引入的状态反馈为 $u = v - K\hat{x}$。$\hat{x}$ 为估计状
态。基于观测器的状态反馈系统的状态描述为

$$\begin{cases} \dot{x} = Ax - BK\hat{x} + Bv \\ \hat{\dot{x}} = (A - HC - BK)\hat{x} + HCx + Bv \\ y = Cx \end{cases} \tag{4-39}$$

由式（4-39）可知，基于观测器的状态反馈系统的维数等于原系统维数与观测器维数之
和，可以证明原系统的特征值与观测器的特征值保持分离性，因此，在设计时可以将状态反
馈控制器和观测器分别按各自的要求进行独立设计。需要指出的是，观测器的引入使状态反
馈控制系统不再保持完全能控。

2. 基于观测器的状态反馈系统设计步骤

利用 MATLAB 进行基于观测器的状态反馈系统设计的步骤如下：

第一步：获取系统的状态空间描述，并进行可控性及可观测性分析。

第二步：根据性能指标确定期望的闭环极点，并求取系统状态反馈控制器 K 的参数。

第三步：根据期望的闭环极点确定观测器的极点，求观测器的方程及参数。

第四步：写出基于观测器的状态反馈系统的状态描述。

3. 基于观测器的状态反馈系统设计实例

例 4-19　已知连续时间线性系统的状态描述为

$$\dot{x} = \begin{bmatrix} 1 & 3 \\ 0 & -1 \end{bmatrix} x + \begin{bmatrix} 0 \\ 1 \end{bmatrix} u, \quad y = \begin{bmatrix} 1 & 1 \end{bmatrix} x$$

试设计极点为 -3 和 -3 的全维状态观测器，构成状态反馈系统，使闭环极点为 $-1 \pm i$。

解：第一步：进行可控性及可观测性分析，程序如下：

a - [1 3;0 - 1]; b = [0;1]; c = [1 1];

Qo = obsv(a,c); ro = rank(Qo),

Qc = ctrb(a,b); rc = rank(Qc),

执行结果为 ro = 2, rc = 2。说明系统为完全能控并且完全能观测的系统，可以进行极点
配置及构建观测器。

第二步：求取系统状态反馈控制器 K 的参数，程序如下：

a = [1 3;0 - 1]; b = [0;1]; c = [1 1];

$p = [\ -1 + i - 1 - i\ ]$; $K = \text{place}(a, b, p)$

执行结果为 $K = [\ 1.67\quad 2\ ]$。

第三步：求观测器的方程及参数，程序如下：

$a = [\ 1\ 3; 0 - 1\ ]$; $b = [\ 0; 1\ ]$; $c = [\ 1\ 1\ ]$;

$p = [\ -3 - 3\ ]$; $L = \text{acker}(a', c', p)$; $H = L'$

执行结果为 $H = [\ 2\quad 4\ ]$。

第四步：将 K 和 H 代入式（4-39），可写出基于观测器的状态反馈系统的状态描述

$$\dot{x} = \begin{bmatrix} 1 & 3 \\ 0 & -1 \end{bmatrix} x - \begin{bmatrix} 0 & 0 \\ 1.67 & 2 \end{bmatrix} \hat{x} + \begin{bmatrix} 0 \\ 1 \end{bmatrix} v$$

$$\dot{\hat{x}} = \begin{bmatrix} -1 & 1 \\ -5.67 & -7 \end{bmatrix} \hat{x} + \begin{bmatrix} 2 & 2 \\ 4 & 4 \end{bmatrix} x + \begin{bmatrix} 0 \\ 1 \end{bmatrix} v$$

$$y = [\ 1\quad 1\ ] x$$

例 4-20　已知连续时间线性系统的传递函数为

$$G_0(s) = \frac{1}{s\ (s + 6)}$$

且系统的输出可以测量，试设计降维状态观测器，构成状态反馈系统，使闭环极点为 $-6 \pm 6i$。

解： 第一步：获取系统的状态空间描述，并进行可控性及可观测性分析。

因系统的传递函数不存在零极点对消，且为单入单出系统，故其完全能控能观。写出系统的能控标准型

$$\dot{x} = \begin{bmatrix} 0 & 1 \\ 0 & -6 \end{bmatrix} x + \begin{bmatrix} 0 \\ 1 \end{bmatrix} u, \quad y = [\ 1\quad 0\ ] x$$

第二步：求取系统状态反馈控制器 K 的参数，程序如下：

$a = [\ 0\ 0; 1 - 6\ ]$; $b = [\ 1; 0\ ]$; $c = [\ 0\ 1\ ]$;

$p = [\ -6 + 6i - 6 - 6i\ ]$; $K = \text{place}(a, b, p)$

执行结果为 $K = [\ 6\quad 36\ ]$。

第三步：求降维观测器的方程及参数。

由于从 y 中可获取状态 x_1，因此降维观测器的维数为 1。为使观测器的响应速度比状态反馈的响应速度快，一般取观测器极点的模为期望闭环极点模的 2 ~ 5 倍，这里取 2.5 倍，即观测器极点为 -15，程序如下：

$a22 = [\ -6\ ]$; $a12 = [\ 1\ ]$; $p = [\ -15\ ]$; $k = \text{acker}(a22', a12', p)$, $h = k'$

执行结果为 $H = [\ 9\ ]$。

第四步：写出基于观测器的状态反馈系统的相关方程。

降维状态观测器方程为

$$\dot{z} = (\overline{A}_{22} - \overline{H}\overline{A}_{12}) z + [\ (\overline{A}_{22} - \overline{H}\overline{A}_{12}) \overline{H} + (\overline{A}_{21} - \overline{H}\overline{A}_{11})\ ] y + (\overline{B}_2 - \overline{H}\overline{B}_1) u$$

$$= -15z - 135y + u$$

原系统的重构状态表达式为

$$\hat{x} = \begin{bmatrix} y \\ z + \overline{H}y \end{bmatrix} = \begin{bmatrix} 1 \\ 9 \end{bmatrix} y + \begin{bmatrix} 0 \\ 1 \end{bmatrix} z$$

基于观测器的状态反馈系统的结构如图 4-58 所示。

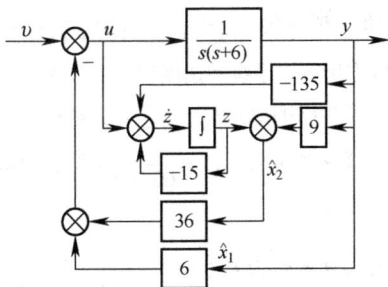

图 4-58　例 4-20 基于观测器的状态反馈系统的结构

本 章 小 结

本章讲述了常用的自动控制系统设计方法，并用大量实例配合设计方法的讲解。首先，本章针对单输入单输出线性系统，分别以根轨迹图和伯德图为工具，介绍了相位超前串联校正、相位滞后串联校正、相位滞后-超前串联校正控制器的设计方法；其次，介绍了工程设计中 PID 的设计方法；最后，针对多输入多输出线性系统，介绍了极点配置、全维状态观测器和降维状态观测器的设计方法。通过本章的学习，能够以 MATLAB 为仿真工具，实现控制系统的设计与仿真。

习　　题

1. 已知单位反馈系统的开环传递函数为 $G_0(s) = \dfrac{1}{s(s+2)}$，试用根轨迹几何方法对系统进行超前校正，使系统满足：单位阶跃响应的最大超调量 $\sigma\% \leqslant 20\%$；单位阶跃响应的调整时间 $t_s \leqslant 1.2\mathrm{s}$。

2. 已知单位反馈系统的开环传递函数为 $G_0(s) = \dfrac{256}{s(s+2)(s+16)}$，试用根轨迹解析方法对系统进行超前校正，使系统满足：单位阶跃响应的最大超调量 $\sigma\% \leqslant 30\%$；单位阶跃响应的调整时间 $t_s \leqslant 0.8\mathrm{s}$；单位斜坡响应的稳态误差 $e_{ss} \leqslant 0.01$。

3. 已知单位反馈系统的开环传递函数为 $G_0(s) = K_0 \dfrac{2500}{s(s+5)}$，试用根轨迹法对系统进行滞后校正，使系统满足：单位阶跃响应的最大超调量 $\sigma\% \leqslant 15\%$；单位阶跃响应的调整时间 $t_s \leqslant 0.3\mathrm{s}$；单位斜坡响应的稳态误差 $e_{ss} \leqslant 0.01$。

4. 已知单位反馈系统的开环传递函数为 $G_0(s) = \dfrac{200}{s(0.1s+1)}$，试用伯德图法对系统进行串联校正，使系统满足：开环系统的截止频率 $\omega_c'' \geqslant 2\mathrm{rad/s}$，相角裕度 $\gamma'' \geqslant 45°$。

5. 已知单位反馈系统的开环传递函数为 $G_0(s) = \dfrac{K}{s(s+1)(0.01s+1)}$，试用伯德图法对系统进行串联校正，使系统满足：单位斜坡响应的稳态误差 $e_{ss} \leqslant 0.0625$，开环系统的截止频率 $\omega_c'' \geqslant 50\mathrm{rad/s}$，相角裕度 $\gamma'' \geqslant 45°$。

6. 已知单位反馈系统的开环传递函数为 $G_0(s) = \dfrac{5}{s(s+1)(0.5s+1)}$，试用伯德图法对系统进行滞后校正，使系统满足：相角裕度 $\gamma'' \geqslant 40°$，幅值裕度 $h \geqslant 10\mathrm{dB}$。

7. 已知单位反馈系统的开环传递函数为 $G_0(s) = \dfrac{K_0}{s(s+1)(s+4)}$，试用伯德图法对系统进行滞后-超前校正，使系统满足：在单位斜坡信号作用下，系统的速度误差系数 $K_v = 10\mathrm{s}^{-1}$；校正后系统的截止频率 $\omega_c'' \geqslant 1.5\mathrm{rad/s}$，相角裕度 $\gamma'' \geqslant 40°$；校正后系统的响应 $\sigma\% \leqslant 30\%$；$t_s \leqslant 6\mathrm{s}$。

8. 某单位反馈控制系统的开环传递函数为 $G_0(s) = \dfrac{1}{60s+1}\mathrm{e}^{-80s}$，试设计 PID 控制器，并进行单位阶跃响应性能分析。

9. 已知单位反馈控制系统的开环传递函数为 $G_0(s) = \dfrac{1}{s(s+1)(s+5)}$，试设计 PID 控制器，并进行单位阶跃响应分析。

10. 已知系统的状态方程为 $\dot{x} = Ax + Bu$，其中：

$$A = \begin{bmatrix} 0 & 1 & 0 \\ 0 & 0 & 1 \\ -1 & -5 & -6 \end{bmatrix} \quad B = \begin{bmatrix} 0 \\ 0 \\ 1 \end{bmatrix}$$

采用状态反馈 $u = -Kx$，使闭环点为 -10，$-2 \pm 4\mathrm{i}$，试设计状态反馈控制器。

11. 已知系统的状态方程为 $\dot{x} = Ax + Bu$，$y = Cu$，其中：

$$A = \begin{bmatrix} 1 & 3 \\ 0 & -1 \end{bmatrix} \quad B = \begin{bmatrix} 0 \\ 1 \end{bmatrix} \quad C = \begin{bmatrix} 1 & 1 \end{bmatrix}$$

试设计全维状态观测器，使其极点为 -3，-3。

12. 已知系统的状态方程为 $\dot{x} = Ax + Bu$，$y = Cu$，其中：

$$A = \begin{bmatrix} 0 & 1 & 0 \\ 0 & 0 & 1 \\ -6 & -11 & -6 \end{bmatrix} \quad B = \begin{bmatrix} 0 \\ 0 \\ 1 \end{bmatrix} \quad C = \begin{bmatrix} 1 & 0 & 0 \end{bmatrix}$$

试设计降维状态观测器（设期望的观测器特征值为 $-2 \pm 2\sqrt{3}\mathrm{i}$）。

13. 已知系统的状态方程为 $\dot{x} = Ax + Bu$，$y = Cu$，其中：

$$A = \begin{bmatrix} 0 & 1 \\ 20.6 & 0 \end{bmatrix} \quad B = \begin{bmatrix} 0 \\ 1 \end{bmatrix} \quad C = \begin{bmatrix} 1 & 0 \end{bmatrix}$$

试设计状态反馈控制器及状态观测器，使闭环极点为 $-1.8 \pm 2.4\mathrm{i}$（设观测器的期望特征值为 -8，-8）。

第 5 章 控制系统 CAD——Simulink 基础与应用

控制系统仿真研究的一种很常见的需求就是，在某一信号的作用下，观测系统的输出响应，从中获取系统的性能。而实际工程中，控制系统的结构比较复杂，单纯用控制系统工具箱中的函数对系统进行分析，做起来有些困难。Simulink 是 MATLAB 软件的扩展，它提供了一个动态系统建模、仿真和综合分析的集成环境，只需要简单直观的鼠标操作就可以构建出复杂的系统，无需编写大量的程序代码。

5.1 Simulink 基本介绍与基本操作

5.1.1 Simulink 的基本介绍

Simulink 是 MATLAB 面向结构系统仿真的一个软件包，可以实现动态系统建模和仿真，它与 MATLAB 语言的主要区别在于，交互界面是基于 Windows 的模型化图形，是一种可视化仿真工具。Simulink 不仅支持连续采样、离散采样或两种混合采样方式进行建模，也支持在仿真系统模型中不同部分设置不同的采样速率的多速率采样方式进行系统仿真，具有适应面广、结构和流程清晰、仿真灵活、效率高、贴近实际工程、使用方便等优点。Simulink 还提供了图形用户接口（GUI）用于创建动态系统仿真模型，用户可以立即看到系统的仿真结果。整个创建过程只需单击和拖动鼠标操作即可完成，是一种快捷、直接明了的建模方式。总体来说，Simulink 具有以下特点：

- 具有丰富可扩充的预定义模块库。
- 采用交互式图形编辑器来组合和管理的模块图。
- 可根据设计功能的层次来分割系统模型，实现对复杂设计的管理。
- 采用 Model Explorer 导航、创建、配置、搜索模型中的任意信号、参数、属性，并可生成模型代码。
- 提供 API 函数用于与其他仿真程序的连接或与于写代码集成。
- 使用 Embedded MATLAB 模块，在 Simulink 和嵌入式系统执行中调用 MATLAB 算法。
- 使用定步长或变步长仿真算法，支持解释性方式运行或 C 代码的形式来运行仿真模型。
- 采用图形化的调试器和剖析器来检查仿真结果，诊断设计性能。
- 可在 MATLAB 中对仿真结果进行分析，可定制建模环境，定义信号参数和测试数据。
- 具有完善的模型分析和诊断工具来保证模型的一致性。

5.1.2 Simulink 的启动

从 MATLAB 操作界面下打开 Simulink 软件包的方式主要有以下 3 种：

方式一：在 MATLAB 命令窗口键入 "Simulink" 命令，回车后系统将弹出图 5-1 所示的 Simulink 图形库浏览器（Simulink Library Browser）界面。

方式二：在 MATLAB 主界面下，用鼠标单击工具栏的图标 ⚙️，同样系统也弹出图 5-1 所示的操作界面。

方式三：在 MATLAB 主界面下，单击"Start"按钮，然后选择"Simulink > Library Browser"同样可以打开图 5-1 所示的操作界面。

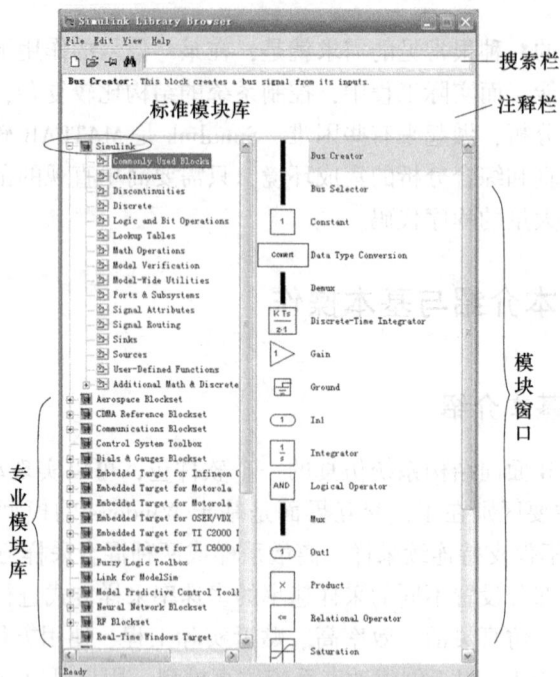

图 5-1　Simulink 图形库浏览器界面

在图 5-1 所示界面下，单击 File > New > Model，系统将弹出图 5-2 所示的图形仿真模型编译器界面，系统默认的文件名为 untitled. mdl。

图 5-2　Simulink 仿真模型编译器界面

图 5-2 所示的界面下，其菜单包括 File（文件）、Edit（编辑）、View（查看）、Simulation（仿真）、Format（格式）、Tools（工具）与 Help（帮助）7 项内容。每个主菜单项下都有下拉菜单，下拉菜单中每个子菜单为一个命令，只要用鼠标选中，即可执行菜单项命令所规定的

操作。另外，系统还为每个子菜单设置等效快捷键，用于快速操作。

5.1.3　Simulink Library

Simulink Library(模块库) 由标准模块库和面向不同专业领域的专业模块库组成。进入 Simulink 后，可看到图库浏览器(Simulink Library Browser)界面(见图 5-1)，各模块库名前带有 " + " 的小方块为可展开二级模块库的标志，其中标准模块库有 16 个二级模块库，主要的模块库功能描述见表 5-1。

表 5-1　Simulink 模块库说明

模块库名称	说　　明
Commonly Used Blocks (常用模块库)	该模块库中的功能模块分属于其他模块库，由于使用频率较高而集合在这里，其目的是方便用户使用，主要包含有 Constant、In1、Out1、Scope、Sum 等模块
Continuous (连续系统模块库)	该模块库提供了用以构建线性连续系统的仿真模块，主要包含 Derivative、Integrator 等
Discontinuities (非线性模块库)	该模块库提供了一些常用的非线性运算的仿真模块，主要包含 Saturation 等模块
Discrete (离散系统模块库)	该模块库提供了用以构建离散系统的仿真模块，主要包含 Unit Delay 等模块
Logic and Bit Operations (逻辑和位操作模块库)	该模块库提供了用以实现各种逻辑和位操作的仿真模块，主要包含 Logical Operator 和 Relational Operator 等模块
LookUp Tables (查表模块库)	该模块库提供了用以实现各种一维、二维等多维函数的查表操作的仿真模块
Math Operations (数学运算模块库)	该模块库提供了各种实现标准数学运算的仿真模块，包括加、减、乘、除以及复数计算、函数计算等模块
Model Verification (模型检测模块库)	该模块库提供了用以检测系统仿真过程中的动、静态的上下限以及动、静态偏差的模块
Model-Wide Utilities (模型扩展功能模块库)	该模块库提供了用以实现系统仿真的线性化等扩展功能的模块
Ports&Subsystems (端口与子系统模块库)	该模块库提供了用以构建子系统的端口和多种类型的控制子系统的模块
Signal Attributes (信号属性模块库)	该模块库提供了实现信号属性的修改、复制、继承等操作的仿真模块
Signal Routing (信号流向模块库)	该模块库提供了用于仿真系统中信号和数据各种流向控制操作的模块，包括合并、分离、选择、数据读、数据写等模块
Sinks (接收器模块库)	该模块库提供了几种常用的显示和记录仪表仿真模块，用于观察信号的波形或记录信号数据
Sources (信号源模块库)	该模块库提供了多种常用的信号源模块，可向仿真提供各种信号，并且可以从 MATLAB 工作空间及 ∗.mat 文件中读入信号数据
User-Defined Functions (用户自定义函数模块库)	该模块库中包含的仿真模块可以在系统模型中插入 S 函数以及自定义函数等，使系统的仿真功能更强大
Additional Math& Discrete (附加数学与离散模块库)	该模块库提供了 Math 库中没有的数学运算模块，由两个标准模块子模块库组成："Additional Math" 和 "Additional Discrete"

Simulink 提供的这些内置系统模块，功能齐全，使用灵活，只需要将要用的模块复制到仿真模型编译器中（也可以使用鼠标进行拖拽），并将它们连接起来，就可以快速、方便地构建特定的动态系统。控制系统仿真常用的模块库有 Commonly Used Blocks、Discrete、Continuous、Math Operations、Sinks、Sources 等。下面将对经常使用的模块进行介绍。

1. Continuous（连续系统模块库）

连续系统模块库中提供线性连续系统进行仿真时所用到的模块，最常用的几个模块如图 5-3 所示，其功能如下：

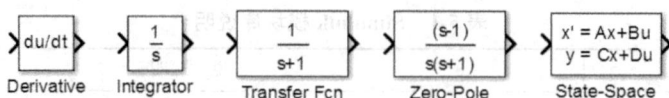

图 5-3　Continuous 中的常用模块

Derivative：微分模块，其作用是将模块的输入信号进行微分，之后由输出端输出。

Integrator：积分模块，其作用是将模块的输入信号进行积分，之后由输出端输出。

Transfer Fcn：传递函数模块，其分子、分母均为 s 的多项式，将鼠标停在模块上，通过单击右键，选择"Parameters"进行设置，如图 5-4 所示。

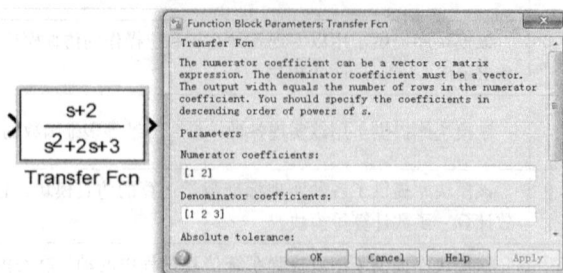

图 5-4　Continuous 中传递函数参数设置

Zero-Pole：零极点形式的传递函数模块，设置方法同"Transfer Fcn"，如图 5-5 所示。

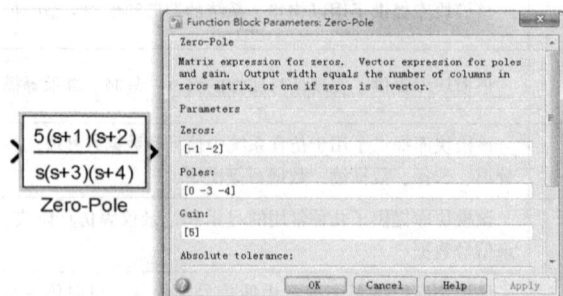

图 5-5　Continuous 中零极点形式的传递函数参数设置

State-Space：状态空间模块，矩阵 A、B、C、D 可通过"Parameters"进行设置，如图 5-6 所示。

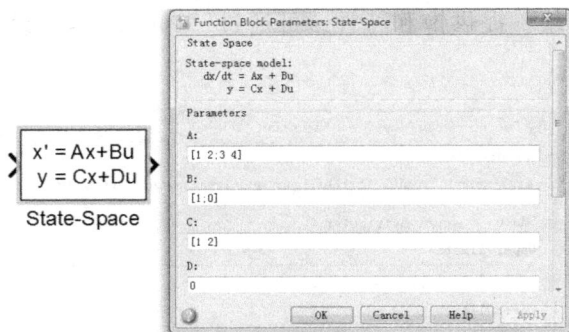

图 5-6 Continuous 中状态空间模块参数设置

2. Discontinuities（非线性模块库）

非线性模块库中提供一些常见非线性特性仿真模块，最常用的几个模块如图 5-7 所示，其功能如下：

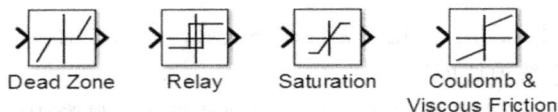

图 5-7 Discontinuities 中的常用模块

Dead Zone：死区模块，提供死区特性，可通过"Parameters"设置死区区间，如图 5-8 所示。

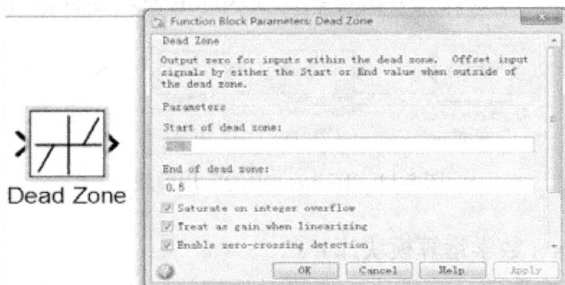

图 5-8 Dead Zone 模块的参数设置

Relay：继电器模块，提供有滞环的继电器特性，可通过"Parameters"设置继电器开启和关断的输入值，如图 5-9 所示。

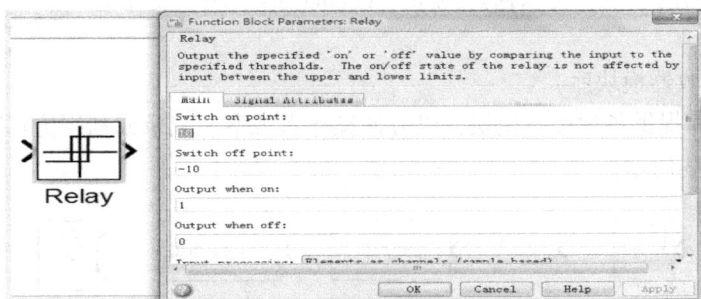

图 5-9 Relay 模块的参数设置

Saturation：饱和模块，提供饱和特性，可通过 "Parameters" 设置上、下限的值，如图 5-10 所示。

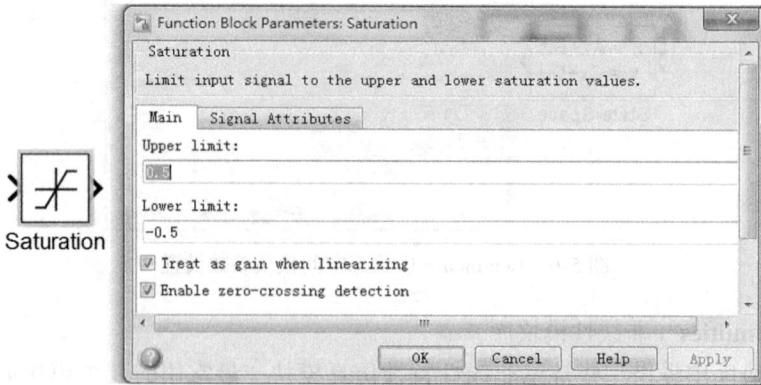

图 5-10　Saturation 模块的参数设置

Coulomb & Viscous Friction：库伦和粘性摩擦模块，提供库伦和粘性摩擦特性。

3. Discrete（离散系统模块库）

离散系统模块库中提供离散系统仿真时所用到的模块，最常用的几个模块如图 5-11 所示，它们分别是：脉冲传递函数（Discrete Transfer Fcn）、离散状态空间（Discrete State-Space）、零阶保持器（Zero-Order Hold）、一阶保持器（First-Order Hold）和数字 PID 控制器（Discrete PID Controller）。参数设置方法与线性模块库的模块参数设置相同，在此不再赘述。

图 5-11　Discrete 中的常用模块

4. Math Operations（数学运算模块库）

该库提供大量的基本数学运算模块，如绝对值模块（Abs）、复数转变为幅值与相位模块（Complex to Real-Imag）等。在控制系统仿真中经常用到以下 2 个模块，如图 5-12 所示。Add 为加法模块，可以完成比较多的功能，2 个输入信号的极性可通过 "Parameters" 进行设置；Gain 为增益模块，也就是一个比例环节，可以通过调整 "Parameters" 来改变增益的数值。

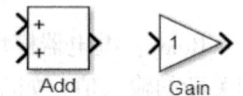

图 5-12　Math Operations 中的常用模块

5. Sinks（接收器模块库）

接收器模块库提供各种接收模块，以方便操作者观察、记录或利用仿真结果，最常用的几个模块如图 5-13 所示。

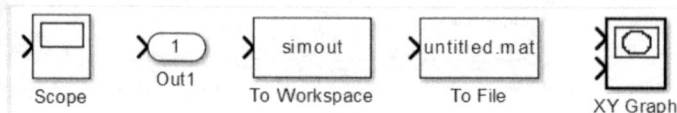

图 5-13　Sinks 中的常用模块

Out1：输出模块，为子系统或其他系统模型提供一个输出端口，端口编号可通过"Parameters"设置。

To Workspace：输出到工作空间模块，将仿真系统中的某一信号以变量（具有特定的结构）的形式输出到"Workspace"中，变量的结构和名称可以通过"Parameters"进行设置。

To File：输出到文件模块，与输出到工作空间模块相同，将仿真系统中的某一信号以变量的形式进行输出，并保存到 M 文件（. mat）中，文件名、变量的结构和名称均可在"Parameters"中设置。

Scope：示波器模块，可以实时显示仿真信号与仿真时间的关系曲线，横轴是时间，纵轴是仿真信号，是 Simulink 仿真中经常使用的一个模块。双击示波器模块图标，即可弹出示波器的窗口界面，如图 5-14 所示，在此可通过"参数设置"（Parameters）进行属性设置，主要包括示波器的输入信号个数，仿真时间范围等，如图 5-15 所示。y 坐标的最大值与最小值均可调整，将鼠标停在显示区域，单击右键即出现调整对话框，如图 5-16 所示。

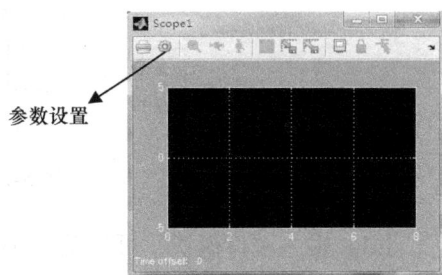

图 5-14　示波器窗口界面

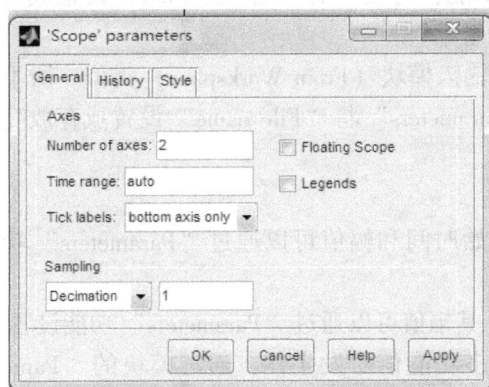

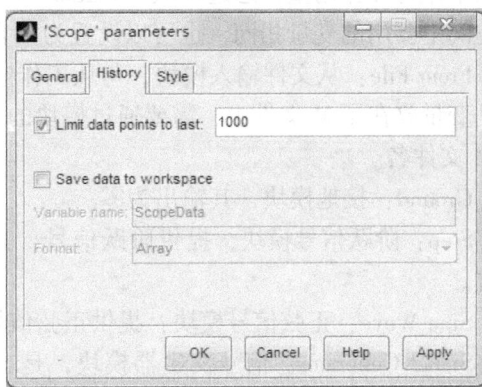

图 5-15　示波器参数设置界面

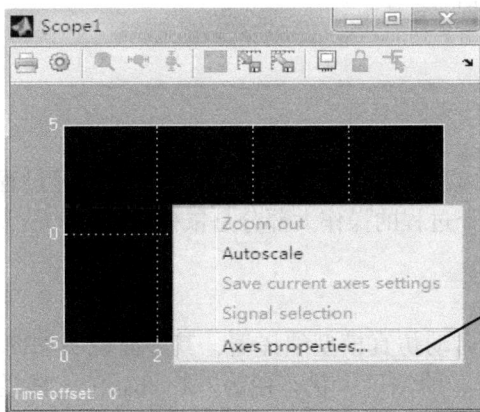

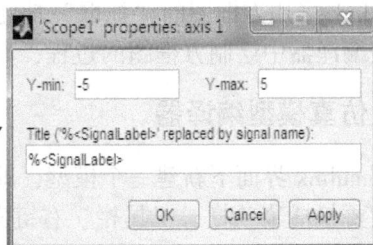

图 5-16　示波器 y 坐标大小的调整界面

X-Y Graph：二维图形模块，将模块的上、下两路信号分别作为 *X* 轴和 *Y* 轴，在 MAT-LAB 的图形窗口中绘制二者的关系曲线。

6. Sources（信号源模块库）

信号源模块库提供一些仿真中所用到的信号模块，在控制系统仿真中常用的信号模块如图 5-17 所示。

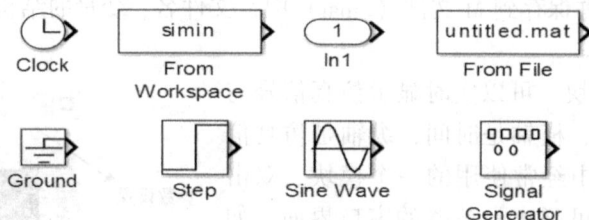

图 5-17 Sources 中的常用模块

In1：输入端口模块，可以为当前仿真模型提供一个输入端口，端口编号可通过 "Parameters" 设置。

From Workspace：从工作空间输入模块，可以将工作空间中存在的某一变量输入到仿真系统中作为外作用量，通过模块 "Parameters" 功能，将模块的数据类型和结构设置成与工作空间中要用的变量相同，也可以设置为 "自动继承"。

From File：从文件输入模块，与从工作空间输入模块（From Workspace）类似，所不同的是变量放在了 M 文件中，需要通过模块的 "Parameters" 将 "File name" 设置成存放变量的 M 文件名。

Ground：接地模块，其输出为零。

Step：阶跃信号模块，提供阶跃信号，其开始时间和幅值可以通过 "Parameters" 功能设置。

Sine Wave：正弦信号模块，提供正弦信号，其幅值可以通过 "Parameters" 功能设置。

Signal Generator：信号发生器模块，是一个多功能信号发生器，通过模块的 "Parameters" 功能将模块设置成某一信号发生源，方便用户根据仿真需要随时切换信号。

Clock：时钟模块，显示并提供仿真时间，当需要绘制输出信号与时间的关系曲线时，可使用此模块获取与仿真数据同步的时间数据。

5. 2 Simulink 的建模方法与仿真

Simulink 采用方框图的 "抓取" 功能来构建系统的动态模型，即系统的构建过程就是在仿真模型编译器中绘制方框图的过程，而整个过程的操作大部分是鼠标操作。

5. 2. 1 仿真模型编译器

在 Simulink 界面下新建一个模型，即可启动仿真模型编译器，其界面说明如图 5-18 所示，它主要包括菜单栏、工具栏、右键菜单、绘图区、状态栏等。Toolbar（工具栏）的说明如图 5-19 所示。Satus bar（状态栏）的说明如图 5-20 所示。

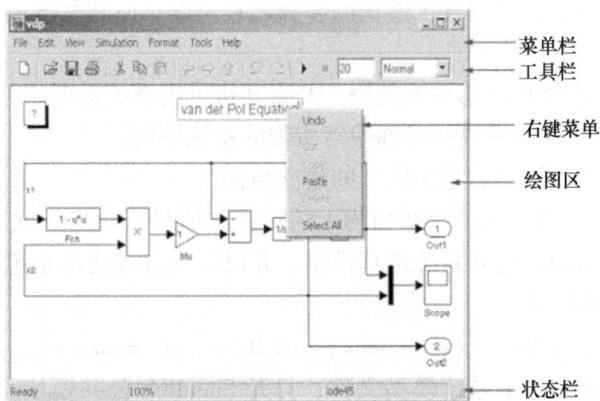

图 5-18　仿真模型编译器界面说明

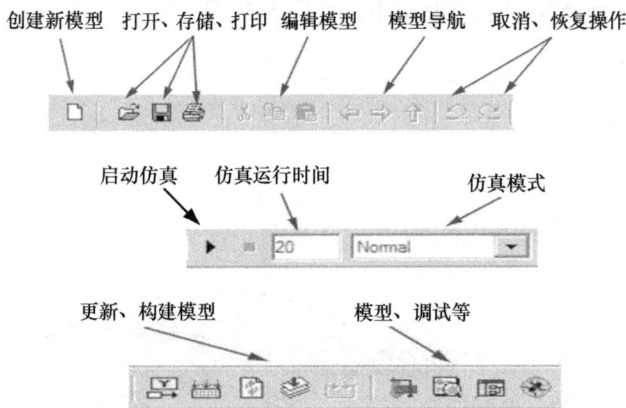

图 5-19　仿真模型编译器工具栏说明

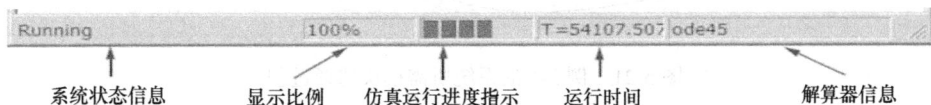

图 5-20　仿真模型编译器状态栏说明

5.2.2　仿真系统的编辑

当 Simulink 库浏览器被启动之后，通过鼠标左键单击模块库的名称可以查看该模块库中的模块。且系统将模块库中包含的系统模块显示在 Simulink 库浏览器右边的一栏中。对 Simulink 库浏览器的基本操作有：

- 使用鼠标左键单击系统模块库，如果该模块库为多层结构，则单击"＋"号后，系统将其包含的基本模块载入库中。
- 使用鼠标右键单击系统模块库，系统在单独的窗口打开该库。
- 使用鼠标左键单击系统模块，系统在模块描述栏中显示此模块的描述。
- 使用鼠标右键单击系统模块，可以得到系统模块的帮助信息。另外，还可实现将系统模块插入到系统模型中, 查看系统模块的参数设置, 以及回到系统模块的上一层库等。

此外还可以进行以下操作:

- 使用鼠标左键选择并拖动系统模块, 并将其拷贝到系统模型中。
- 在模块搜索栏中根据模块的名称搜索所需的系统模块。

下面通过一个例子介绍动态系统模型的建立与保存。

例 5-1 已知系统的输入为一个幅值为 1 的正弦波信号, 输出为此正弦波信号与一个常数的乘积。要求在 Simulink 建立系统仿真模型, 并以图形方式输出系统运算结果。

解: 第一步: 选择模块。

已知系统的数学描述为: $u(t) = \sin t$, $t \geq 0$, $y(t) = au(t)$, $a \neq 0$。

启动 Simulink 并新建一个系统模型文件, 打开 Simulink 公共模块库, 在 Sources 中选择 Sine Wave 模块, 用以产生一个正弦波信号; 在 Math 中选择 Gain 模块, 用以产生一个常数 (即信号增益); 在 Sinks 中选择 Scope 模块, 用以显示输出波形。选择相应的系统模块后, 将其拷贝 (或拖动) 到新建的系统模型中, 如图 5-21 所示。

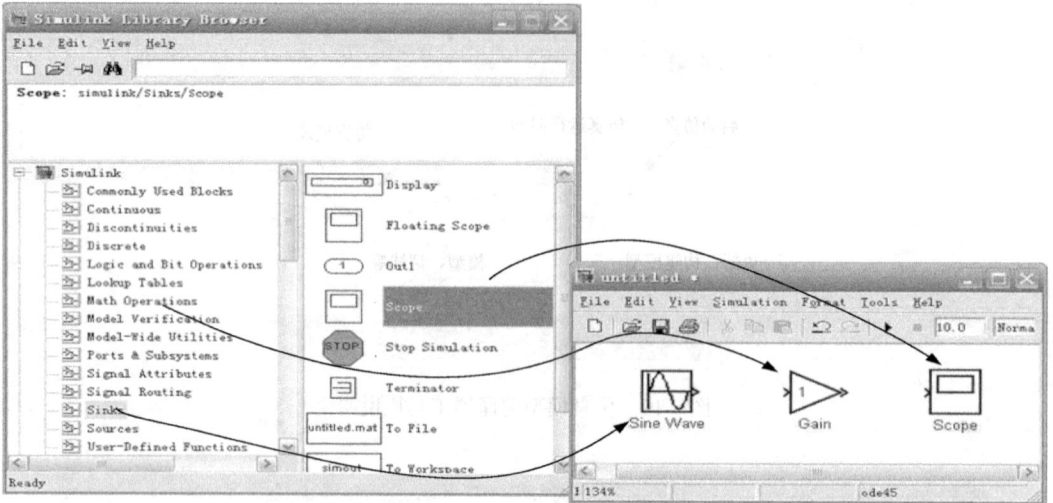

图 5-21 例 5-1 的系统所需模块选择过程

第二步: 添加连接线。

在完成所需模块选择之后, 按照系统信号流动方向, 将各系统模块连接起来。具体做法是将光标指向起始块的输出端口, 此时光标变成 "+", 单击鼠标左键并拖动到目标模块的输入端口, 在接近到一定程度时光标变成双十字。这时松开鼠标, 连接完成。完成后在连接点处出现一个箭头, 表示系统模型中信号的流向, 如图 5-22 所示。

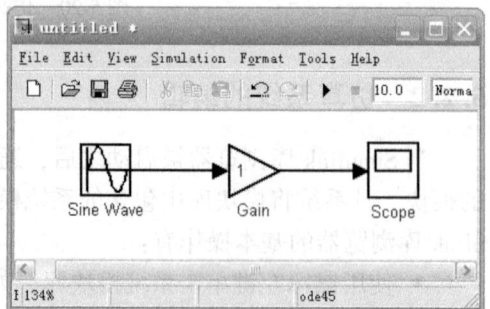

图 5-22 例 5-1 的系统模块的连接

在这里做几点说明:

1) 如果需要多个同样的模块, 可使用鼠标右键单击并拖动库中的基本模块进行拷贝。

2）如果需要在信号连线上插入一个单输入单输出模块，只需将这个模块移到线上就可以完成自动插入，对于非单输入单输出的模块，只能先删除连线，然后放置该块，并重新连线。

3）若需要从某模块中引出若干连线，可使用鼠标右键单击需要分支信号的连线，使光标变成"＋"后，拖动到目标模块。

4）若模块的输入输出方向与建立系统的信号流动方向不同，可将鼠标停在模块上，单击右键，选择 Format 中的 Flip Block 功能可实现模块水平翻转，或 Rotate Block 功能进行逆时针 90°旋转。

5）用鼠标左键单击模块名称，进入编辑状态，然后键入新的名称，即可完成对模块的重新命名。

6）在创建大型复杂系统模型需要添加信号标签时，具体做法是用鼠标左键双击需要加入标签的信号（即系统模型中与信号相对应的模块连线），系统会弹出标签编辑框，在对话框中键入标签文本即可，如图 5-23 所示。

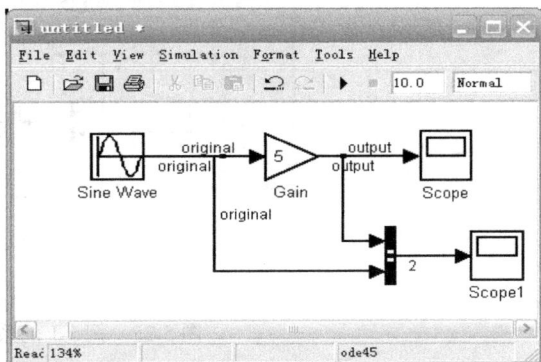

图 5-23　例 5-1 的信号标签操作之一

第三步：输入信号与输出信号对比的实现

在 Simulink 公共模块库的 Signal Routing 中选择 Mux 模块，以实现将输入信号和输出信号同时输入到一个示波器中，如图 5-23 所示。

第四步：仿真运行

首先，进行系统模块参数和仿真参数设置。逐一双击系统中的模块，打开其参数设置对话框，输入合适的模块参数，如图 5-24 所示，仿真参数可采用 Simulink 的默认值，也可自主设定。本例中，系统模块参数设置如图 5-24 所示（增益取值为 5），仿真参数采用 Simulink 的默认值。

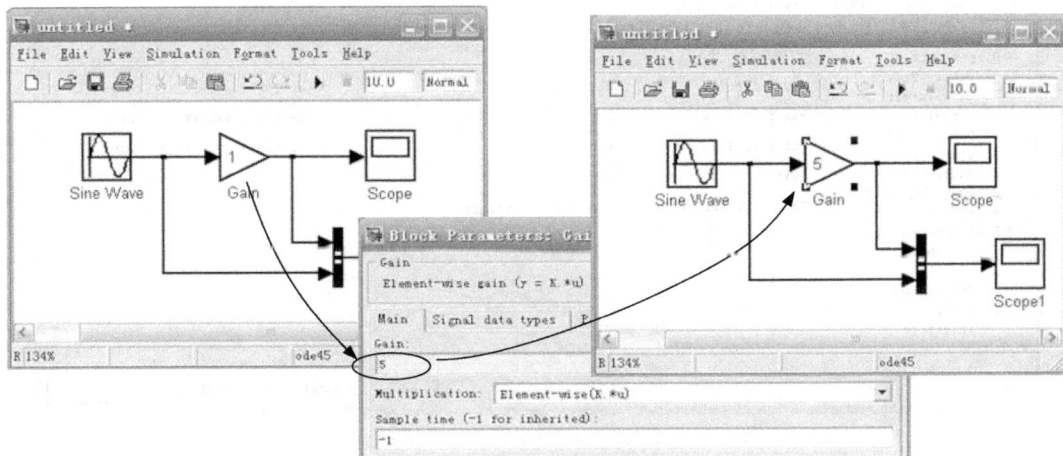

图 5-24　例 5-1 的系统模块参数设置

然后启动仿真实验，单击系统模型编辑器上的"▶"（Play）或选择 Simulation 菜单下的 Start 便可以对系统进行仿真分析。仿真结束后双击 Scope 模块可显示系统仿真的输出结果，如图 5-25 所示。如果在仿真过程结束之前，想停止此次仿真，可选择菜单选项 Simulation > Stop 停止仿真。最后使用"save"将系统以"例 5-1. mdl"的文件名保存到电脑中。

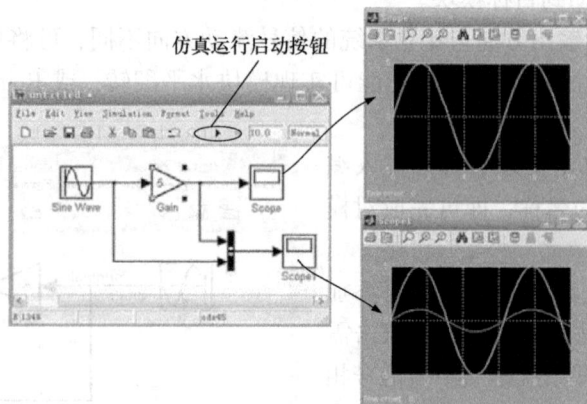

图 5-25　例 5-1 的系统仿真及结果输出

5.2.3　Simulink 仿真参数的设定

在例 5-1 中，仿真参数使用了默认值。一般在构建好系统模型之后，仿真启动之前，需要对仿真参数进行设置，以获得最佳的仿真结果。在图 5-2 所示的 Simulink 仿真模型编译器界面下，选择"Simulation"菜单选项的"Configuration Parameters"功能，将进入仿真参数设置界面，有 Solve（求解器）、Data Import/Export（数据输入输出）、Optimization（优化）、Diagnostics（诊断）等设置页面，如图 5-26 所示。

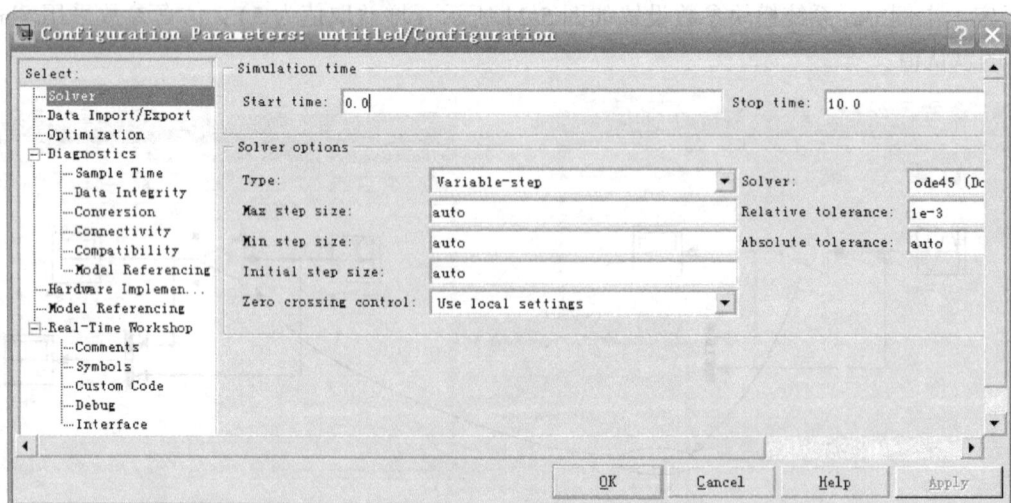

图 5-26　仿真参数设置界面

1. 求解器（Solve）

在此设置页面中，主要设置仿真开始/结束时间、求解器的类型和仿真步长。

（1）设置仿真时间

仿真时间的设置用"Start Time"和"Stop Time"两项数据实现，反映在显示上就是示波器的横轴坐标的取值范围。一般将"Start time"取为 0，"Stop Time"根据仿真系统自身的特性来设置，一般要大于系统响应的动态过程时间，默认值为 0.0 和 10.0，单位是秒（s）。

（2）选择仿真算法

在 Simulink 的仿真过程中，选择合适的算法才能获取较好的仿真效果和仿真精度。Simulink 提供的仿真算法有定步长（Fixed-step）和变步长（Variable-Step）两大类。变步长算法在仿真过程中可以按照设定的精度，结合当前仿真数据，自动地调整步长，运算效率较好；而定步长算法在仿真过程中采取基准采样时间作为固定步长。显然，变步长算法的自适应性较好。数值积分算法主要有欧拉法（Eular）、阿达姆斯法（Adams）和龙格-库塔法（Runge-Kutta），连续系统采用 ode45 算法，离散系统采用 discrete 是软件的默认值。Simulink 提供的各种仿真算法及其说明见表 5-2。

表 5-2 Simulink 中的各种仿真算法及其说明

算法名称		算法说明
可变步长类算法	ode45	基于显式 Runge-Kutta（4，5）和 Dormand-Prince 组合的算法，是一种单步算法，即在计算当前值的时候，仅使用前一步的值。该算法对于大多数仿真系统是有效的，但不适用于刚性（Stiff）系统
	ode23	基于显式 Runge-Kutta（2，3）、Bogacki-Shampine 相结合的算法，也是一种单步算法。对于宽容许误差和计算略带刚性的系统，该算法比 ode45 更有效
	ode113	可变阶次的 Adams-Bashforth-Moulton 算法，是一种多步算法，即为了计算当前值，不仅要用前一步的值，而且要用前几步的值。在精度要求高的情况下，该算法比 ode45 更有效
	ode15s	一种可变阶次的多步算法，当遇到带刚性（Stiff）的系统时或者使用 ode45 算法仿真失败时，可用该算法
	ode23s	基于一个二阶改进的 Rosenbrock 公式，属单步解法。在容许误差较大时，比 ode15s 有效，如果系统是刚性的，而且用 ode15s 不是很有效的话，可以使用该算法
	ode23t	一种采用自由内插方法的梯形算法。如果系统为中度刚性且要求的解没有数字阻尼时，可考虑此解法
	ode23tb	采用 TR-BDF2 算法，即在龙格-库塔法的第一阶段用梯形法，第二阶段用_阶的 Backward Differentiation Formulas 算法。在容差比较大时，ode23tb 和 ode23t 都比 ode15s 要好
	Discrete	针对离散系统的特殊算法
定步长类算法	ode5	采用 Dormand-Prince 的算法，即固定步长的 ode45 算法
	ode4	采用固定步长的 4 阶 Runge-Kutta 算法
	ode3	采用固定步长的 Bogacki-Shampine 算法
	ode2	采用固定步长的 2 阶 Runge-Kutta 算法，也称 Heun 算法
	ode1	固定步长的 Eular 算法
	Discrete	不含积分的固定步长算法，适用于没有连续状态仅有离散状态模型的计算

（3）选择仿真步长

对于变步长算法，可以设定最大步长（Max Step Size）、最小步长（Min Step Size）和初始步长（Initial Step Size），对于定步长算法，可以设定固定步长（Fixed-Step Size），默认情况下，这些参数的值为"auto"，即这些参数将被自动设定。对于变步长算法，用户要根据系统的特性设置步长。一般最大步长选择一个较大的数值，但过大会导致仿真曲线不光滑；最小步长都取得较小，但过小会增大计算量。

2. 数据输入输出（Data Import/Export）

在此界面可以设置将仿真数据以变量的形式输出到"Workspace"，也可以设置仿真系统模型的外作用信号来自于"Workspace "或 M 文件中的变量，与在接收器模块库中的 To Workspace 模块和 To File 模块进行设置是一样的。

3. 诊断（Diagnostics）

在此界面可以设置一致性检查（Consistency Checking）和边界检查（Bounds Checking）。对于每一事件类型，选择是否给出提示消息，以及给出的提示消息是警告消息，还是错误消息，若是警告消息，则仿真不会被终止，若是错误消息，仿真会终止运行。

5.2.4 Simulink 与 MATLAB 的接口设计

1. 由 MATLAB 工作空间变量设置系统模块参数

用户可以使用 MATLAB 工作空间中的变量设置系统模块参数，这一点对于多个模块的参数均依赖于同一个变量时非常有用。由 MATLAB 工作空间中的变量设置模块参数有直接使用 MATLAB 工作空间中的变量设置模块参数和使用变量的表达式设置模块参数两种形式。例如，a 是定义在 MATLAB 中的变量，则表达式 a、a^2 + 5、exp(- a)等均可以作为系统模块的参数，如图 5-27 所示。

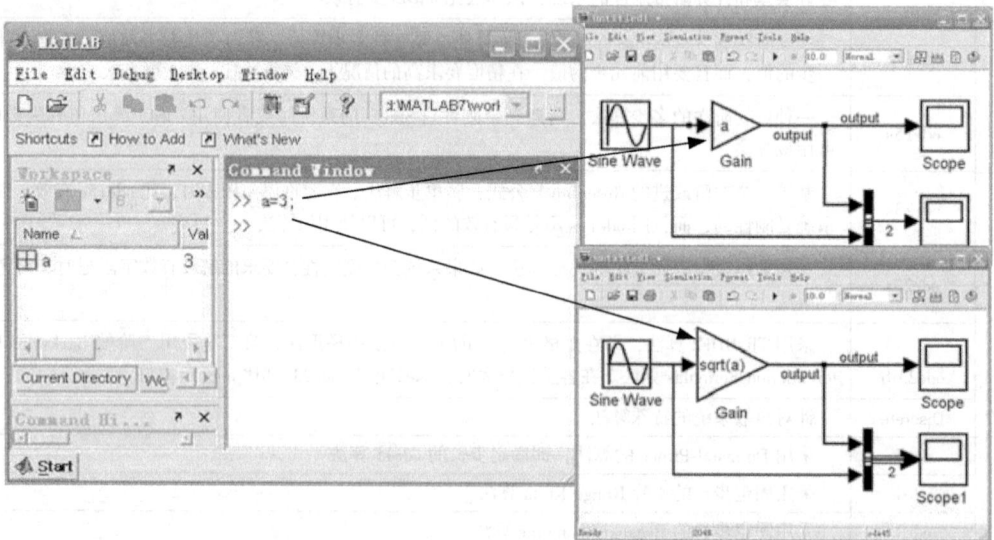

图 5-27　使用 MATLAB 工作空间变量设置模块参数

2. 将信号输出到 MATLAB 工作空间

使用 Scope 示波器模块，可以显示输出信号的波形。若要进行高精度的定量分析，可使用 Sinks 模块库中的 To Workspace 模块，以变量的形式将仿真数据输出到 MATLAB 工作空间，变量的名称在 To Workspace 模块中设置。在图 5-28 中，将系统信号"output"通过名为"simout"的变量输出到了工作空间中，在设置变量名称为"simout"的同时，还可以设置输出数据的点数、输出的间隔，以及输出数据的类型等。其中输出类型有数组、结构以及带有时间变量的结构 3 种形式。

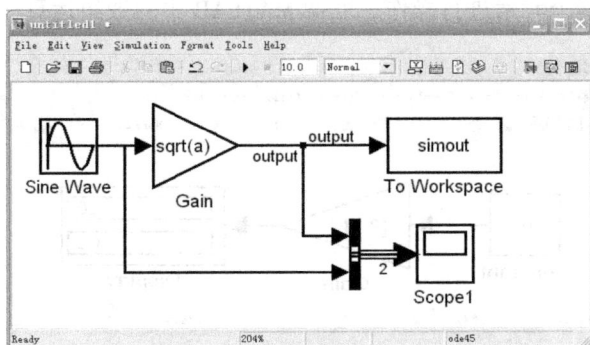

图 5-28　系统模型中信号输出

3. 使用工作空间变量作为系统输入信号

Simulink 与 MATLAB 的数据交互是双向的，除了可以将信号输出到 MATLAB 工作空间中之外，用户还可以使用 MATLAB 工作空间中的变量作为系统模型的输入信号。如图 5-29 所示，使用 Sources 模块库中的 From Workspace 模块，可以将 MATLAB 工作空间中的名为"simin"的变量作为系统模型的输入信号，但前提是此变量已存在于 MATLAB 的工作空间，所以在 MATLAB 的命令窗口用以下语句创建"simin"变量：

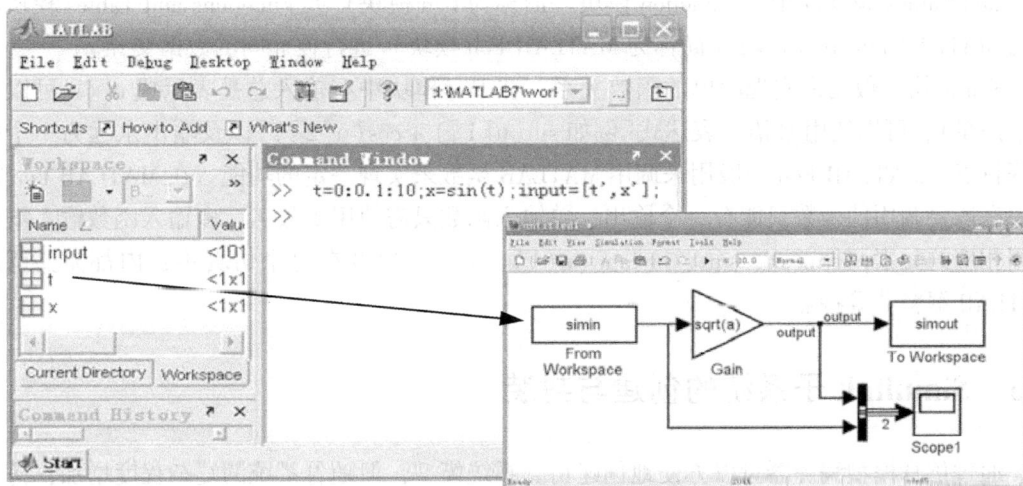

图 5-29　MATLAB 工作空间变量作为系统输入信号

t = 0:0.1:10;　　　　　　　%t 从 0s 开始，到 10s 结束，步长为 0.1s

x = sin(t);

simin = [t',x'];

程序运行后，在 MATLAB 的工作空间中创建了名为"simin"的变量，其作用与 Sources

模块库中的 Sine Wave 模块相同，但数据长度有限（只有 100 项）。

4. 向量与矩阵

在前面的系统模型中，Simulink 所使用的信号均是标量。其实，Simulink 也能够传递和使用向量信号。例如，向量增益可以作用在一个标量信号上，产生一个向量输出。默认情况下，模块对向量中的逐个元素进行操作，就像 MATLAB 中的数组运算一样，如图 5-30 所示。

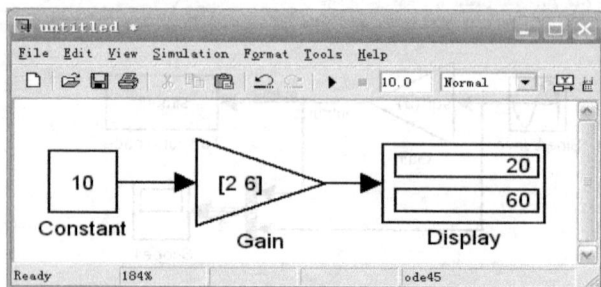

图 5-30　向量增益

Simulink 最重要的特性就是支持矩阵形式的信号，它可以区分行和列向量并传递矩阵。通过对模块做适当的配置，可以使模块能够接受矩阵作为模块参数。在上面的例子中，如果 Constant 模块的参数为一矩阵，并且 Gain 增益模块被配置成按矩阵乘的定义从左边乘上输入向量，则 Display 块能够感知到输入信号的尺寸，即 1×2 行向量，并对边框做适当调整。

5. MATLAB Function 与 Function 模块

除了使用上述的方式进行 Simulink 与 MATLAB 之间的数据交互，用户还可以使用 Functions and Tables 模块库中的 Function 模块（简称为 Fcn 模块）或 Functions and Tables 模块库中的 MATLAB Function 模块（简称为 MATLAB Fcn 模块）进行彼此间的数据交互。

Fcn 模块一般用来实现简单的函数关系。在 Fcn 模块中有输入总是表示成 u（u 可以是一个向量）、可以使用 C 语言表达式[例如 $\sin(u[1]) + \cos(u[2])$]以及输出永远为一个标量等特点。MATLAB Fcn 一般用来调用 MATLAB 函数来实现一定的功能。在 MATLAB Fcn 模块中有所要调用的函数只能有一个输出、单输入函数只需使用函数名，多输入函数输入需要引用相应的元素[如 mean、sqrt、$myfunc(u(1)，u(2))$]以及在每个仿真步长内都需要调用 MATLAB 解释器等特点。

5.3　Simulink 子系统的创建与封装

通过仿真模型编译器可以方便地创建仿真系统模型，但随着系统的复杂程度增加，仿真模型也会变得非常庞大，一旦在仿真中出现问题，不方便查找与解决。Simulink 提供子系统功能，可以将系统分解为若干个功能相对独立的子系统，也可以将子系统封装成自己的专属模块，从而使整个系统模型更加简洁，可读性增强。

5.3.1　Simulink 子系统的创建

Simulink 子系统的创建有两种方法：通过压缩已有的模块创建子系统和通过子系统模块

创建子系统。

1. 通过压缩已有的模块创建子系统

在已经建好的系统仿真模型中，首先选择能够完成一定功能的一组模块，然后使用"Create Subsystem"功能，即可建立子系统，方法简单，易于操作。

例 5-2　将已在仿真模型编译器中构建的系统模型（见图 5-31）中的除阶跃信号和示波器之外的部分创建为子系统。

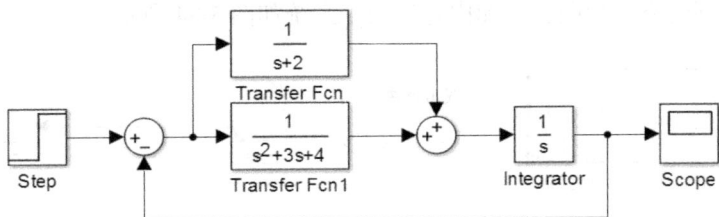

图 5-31　例 5-2 的仿真系统模型

解：首先将子系统的部分选中，然后使用"Create Subsystem"功能（如图 5-32 所示），单击后即完成子系统创建，如图 5-33 所示，其中的"Subsystem"单元就是创建的子系统。双击子系统，可以展开其内部结构，如图 5-34 所示，"In1""Out1"是自动生成的子系统虚拟的输入、输出端口。

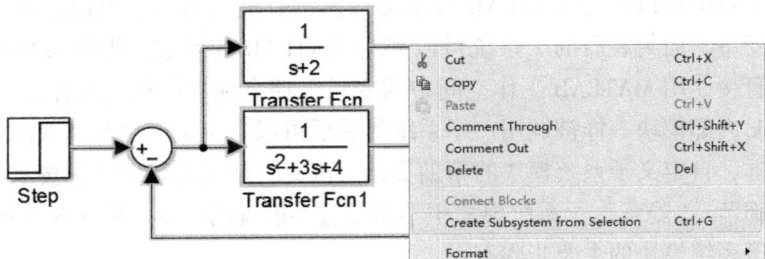

图 5-32　例 5-2 的子系统创建过程

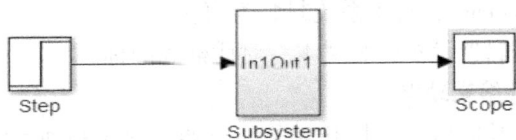

图 5-33　例 5-2 的子系统

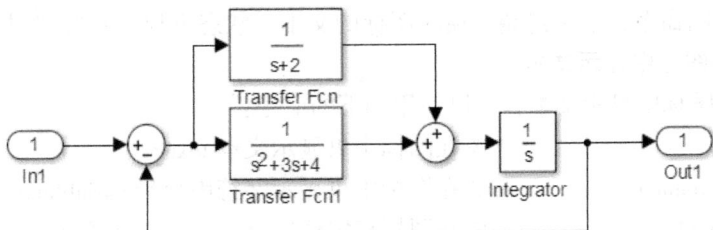

图 5-34　例 5-2 的子系统内部结构

2. 通过子系统模块创建子系统

此方法是使用端口和子系统模块库（Port & Subsystem）中的模块，将其创建成所需的子系统。用例 5-3 进行说明。

例 5-3 利用子系统模块创建例 5-2 所要求的子系统。

解： 首先从端口和子系统模块库中拖拽一个子系统模块（Atomic Subsystem）到仿真模型编译器中，双击该模块，出现图 5-35 所示的界面。在此可以添加子系统的内容，添加方法与仿真模型的创建方法相同，添加内容后的子系统如图 5-34 所示。

图 5-35 例 5-3 的子系统的创建过程

在子系统建立之后，可以进行子系统的命名、编辑、输入/输出端口设置等操作。

5.3.2 Simulink 子系统的封装

子系统的封装（Mask）指的是将已经建立好的具有一定功能的子系统"包装"成一个模块。通常的子系统可以视为 MATLAB 脚本文件，没有输入参数，可以直接使用 MATLAB 工作空间中的变量，而封装后的子系统可以视为 MATLAB 的函数，提供参数设置对话框输入参数，不能直接使用 MATLAB 工作空间中的变量，拥有独立的模块工作区（工作空间），可以像 Simulink 内部模块一样被调用。子系统封装后可以自定义模块及其图标，拥有子系统参数设置对话框，自定义子系统模块的帮助文档。因此，使用封装子系统技术可以屏蔽用户不需要看到的细节，"隐藏"子系统模块中不需要过多展现的内容，防止模块被随意篡改。

创建一个子系统模块的主要步骤有：

第一步：创建一个子系统。

第二步：选中子系统，执行操作："Edit" → "Mask subsystem" 或单击右键使用 "subsystem" → "Create Subsystem"，将子系统封装为模块。

第三步：使用封装编辑器设置封装文本、对话框和图标。

1. 封装编辑器的图标编辑功能

当进入子系统的封装功能后，便打开封装编辑器，图 5-36 所示为封装编辑器的图标编辑对话框，可以通过选择固化的若干选项来设置 Frame（边框）、Transparency（透明度）、Rotation（旋转）、Units（绘图坐标）等图标属性，然后在 Drawing Commands（图标绘制命令栏）中设置绘图命令，显示封装后模块图标的文本、状态方程、图形和图像。

（1）在模块图标中显示文本

若想在模块图标中显示文本，可以使用如下的命令：

disp（'text'）	% 在图标中央显示文本 text
disp（variablename）	% 在图标中央显示字符串变量 variablename 的值
text（x,y,'text'）	% 在图标指定位置（x，y）显示文本 text
text（x,y,string）	% 在图标指定位置（x，y）显示字符串变量 string 的值

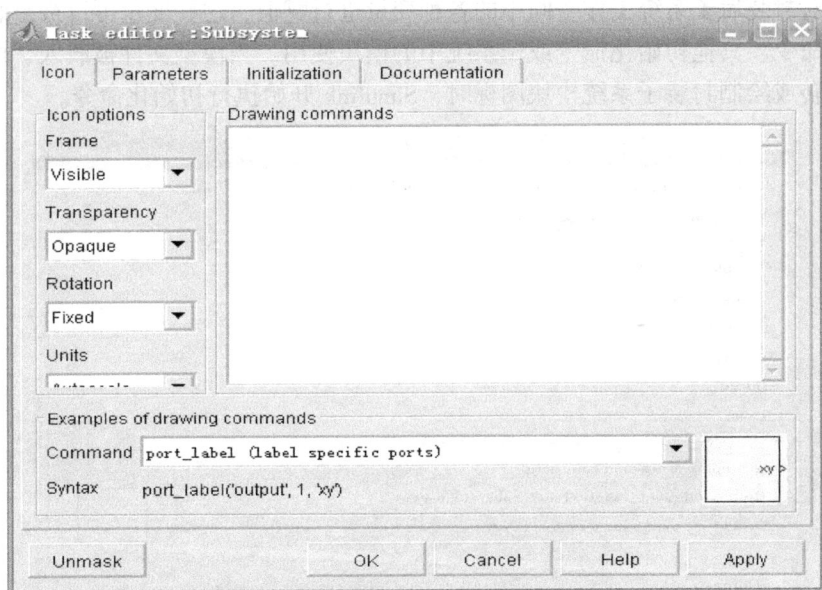

图 5-36　封装编辑器的图标编辑对话框

在以上命令中的变量要在 MATLAB 工作空间（Workspace）中定义，若要显示多行文本，可以使用"＼n"表示换行。

（2）在模块图标中显示传递函数

使用 dpoly 命令可以将封装后子系统模块的图标设置为系统传递函数，或采用 droots 命令设置为系统零极点传递函数，其命令格式为

dpoly（num，den）

dpoly（num，den，'character'）

droots（z，p，k）

其中，num、den 分别为分子与分母多项式；'character'（如 s 或是 z）为系统频率变量；z、p、k 分别为零点、极点与系统增益。需要注意的是，num、den、z、p、k 均为 MATLAB 工作空间中已经存在的变量，否则绘制命令的执行将出现错误。

（3）在模块图标中显示图形

使用 plot 命令与 image 命令可以将封装后子系统模块的图标设置为图形或图像。尽管一般的 MATLAB 命令不能在图标绘制命令栏中直接使用，但它们的返回值可以作为图标绘制命令的参数。

如果封装模块的图标中出现符号"???"，并显示警告信息时，说明封装过程中所使用的参数、命令不正确，或者所使用的变量在工作空间中不存在。

2. 封装编辑器的参数设置功能

参数设置功能用于定义封装模块参数设置的内容及提示信息，如图 5-37 所示。主要有 Prompt（定义某一参数的提示信息）、Variable（指定参数值的保存变量）和 Type（控件类型）等内容。

3. 封装编辑器的初始化功能

初始化对话框如图 5-38 所示。初始化命令（Initialization Commands）为一般的 MATLAB

命令，在此对封装后子系统工作空间中的各种变量进行赋值，这些变量可以被封装子系统模块图标绘制命令、其他初始化命令或子系统中的模块使用。当模型文件被载入、框图被更新或模块被旋转或绘制封装子系统模块图标时，Simulink 开始执行初始化命令。

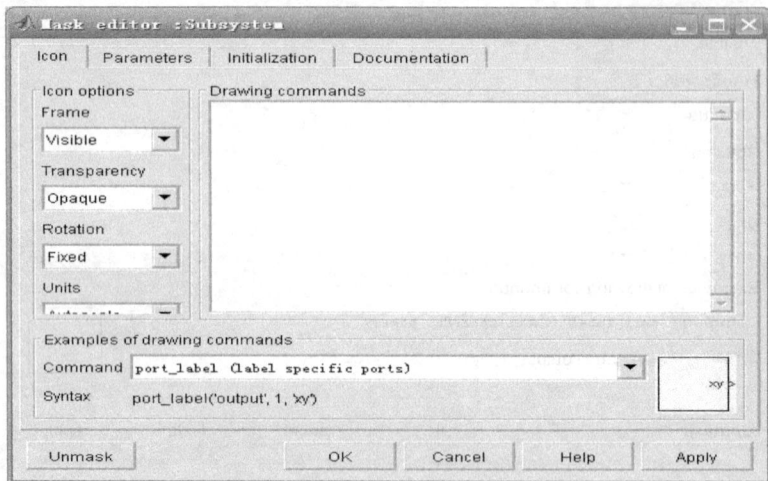

图 5-37 封装编辑器的参数设置对话框

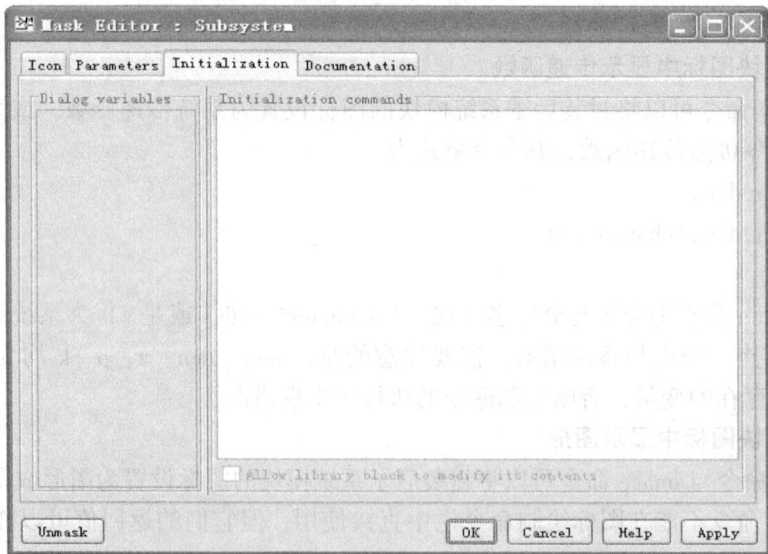

图 5-38 封装编辑器的初始化对话框

4. 封装编辑器的文档编辑功能

Simulink 模块库中的内置模块均提供简单的描述与详细的帮助文档，这可以大大方便用户的使用与理解。对于用户自定义的模块（封装后的子系统），Simulink 提供的文档编辑功能同样可使用户建立自定义模块的所有帮助文档。图 5-39 所示为封装编辑器中文档编辑选项卡（Documentation），使用文档编辑可以建立用户自定义模块的简单描述文档与模块的详细帮助文档（包括模块的所有信息，可以使用 HTML 格式编写）。

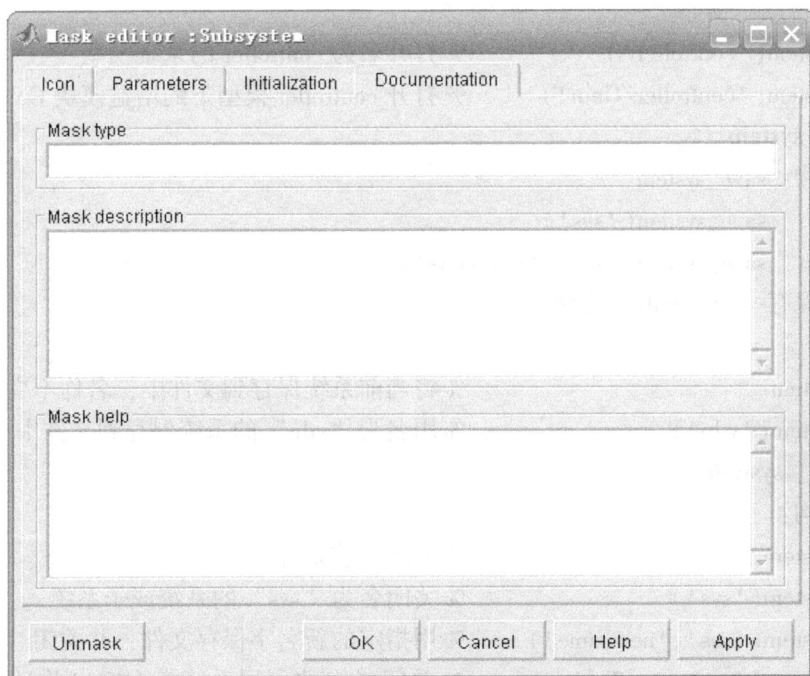

图 5-39　封装编辑器的文档编辑对话框

编写一个好的文档对于系统的设计与开发往往是至关重要的，它便于用户对系统的使用与维护。如果这时单击"Help"帮助按钮，用户可以通过 MATLAB 的帮助系统获得模块的更进一步说明与其他所有相关信息。

5.4　采用 MATLAB 命令进行仿真与分析

在 Simulink 中建立动态系统仿真模型之后，可以使用菜单直接启动仿真，并对仿真结果进行分析；同样，使用 MATLAB 命令，对已存在的仿真模型，也可以进行打开/关闭操作、仿真启动操作、参数修改操作以及结果分析等。

5.4.1　仿真系统的打开和关闭

1. new_system

语句结构：new_system（'sys'）

功能：使用指定的名称建立一个新的空的 Simulink 系统模型。如果"sys"为一个路径，则将会在指定的路径下的系统模型中创建一个新的子系统。注意，new_system 命令并不打开系统模型窗口。

2. open_system

语句结构：open_system（'sys'）

功能：打开一个已存在的 Simulink 系统或模块。其中"sys"可以是文件名，也可以是 MATLAB 中系统的标准路径名（绝对路径名或相对于已经打开的系统模型的相对路径名）。

例如：

open_system('controller')   %打开名为 controller 的系统模型

open_system('controller/Gain') %打开 controller 模型下的增益模块 Gain 的对话框

3. save_system

语句结构：save_system

     save_system('sys')

     save_system('sys','newname')

功能：保存一个 Simulink 系统。

例如：

save_system   %将当前系统保存到文件中，名称不变

save_system('vdp')   %用名为"vdp"的系统保存到文件中

4. close_ system

语句结构：

close_system   %关闭当前系统

close_system('sys')   %关闭名为"sys"的系统或子系统

close_system('sys','newname') %用指定的新名字保存文件，并关闭

close_system('sys',saveflag) %关闭指定的顶层系统模型窗口并且从内存中清
                除。Saveflag 为 0 则系统不保存，为 1 则系统用
                当前名称保存

5.4.2 功能模块参数设置

1. set_param

功能：设置系统模型以及模块参数。

例如：

set_param('vdp','Solver','ode15s','StopTime','3000')

          %设置名为"vdp"系统的求解器为"ode15s"，
          仿真结束时间为 3000s

set_param('vdp/Mu','Gain','1000')

          %设置名为"vdp"系统中模块 Mu 中的 Gain 的取
          值为 1000

set_param('vdp/Fcn','Position',[50 100 110 120])

          %设置名为"vdp"系统中的 Fcn 模块的位置

set_param('model/Zero-Pole','Zeros','[2 4]','Poles','[1 2 3]')

          %设置名为"model"系统中 Zero-Pole 模块的 Zeros
          取值为[2 4]，Poles 取值为[1 2 3]

2. get_param

功能：获得系统模型以及模块参数。

例如：

get_param('sys/Subsys/Inertia','Gain')

% 获取名为"sys"系统中子系统 Subsys 中的 Inertia 模块的增益值

p = get_param('sys/Sine Wave', 'DialogParameters')

% 获取名为"sys"系统中 Sine Wave 模块的参数设置对话框中所包含的参数名称

运行结果为：

p = 'Amplitude' 'Frequency' 'Phase' 'SampleTime'

5.4.3　系统模型的仿真运行

1. sim

语句结构：$[t, x, y]$ = sim(model, timespan, options, ut)

功能：对指定的系统模型（已存在）按照给定的仿真参数与模型参数进行系统仿真，并将系统仿真时间、仿真状态和仿真输出以变量 t、x、y 返回到 MATLAB 的工作空间。其中，"model"为仿真系统模型的文件名，不可缺少；"timespan"为系统仿真的起止时间，可以是一个标量，设置仿真的终止时间，起始时间默认为 0，也可以是一个向量 $[t_1\ t_2]$，设置仿真的起止时间；"options"为由 simset 命令所设置的仿真参数结构体变量。

说明：

（1）仿真所使用的参数包括所有使用仿真参数对话框的设置、MATLAB 工作空间的输入输出选项卡中的设置以及采用命令行方式设置的仿真参数与系统模块参数。若省略其中的某些参数，则采用默认参数进行仿真。

（2）除参数"model"外，其他的仿真参数设置均可以取值为空矩阵，此时 sim 命令对没有设置的仿真参数使用默认的参数值进行仿真。默认的参数值由系统框图所决定。用户可以使用 sim 命令的 options 参数对可选参数进行设置，这样设置的仿真参数将覆盖系统默认的参数。

（3）如果用户对连续系统进行仿真，必须设置合适的仿真求解器，因为默认的仿真求解器为变步长离散求解器（Variable Step Discrete Solver）。可以使用 simset 命令进行设置（后面将简单介绍 simset 命令的使用）。

2. sldebug

除了采用 sim 操作命令直接启动仿真，获得结果，还可用 sldebug 执行系统的仿真。sldebug 操作命令在对仿真系统仿真的同时还可以进行仿真系统的检测和调试。

语句结构：sldebug('model')

功能：用于对已建立的名为 model 的仿真系统进行调试和检查。当仿真系统模型已显示在窗口时，每步检查都会显示有关的模块图，并用黄色显示当前功能模块的位置。当在提示符后输入 run 操作命令，执行的结果与 sim 操作命令的结果相同。

5.4.4　仿真系统参数设置

使用 sim 命令进行动态系统仿真时，"options"可以使用 simset 命令进行设置，其实 options 中的仿真选项就是 Simulink 仿真参数设置对话框 Simulation parameters 中所设置的参数，也可使用 simget 命令获取系统仿真参数。这里以已打开的名为"command_in_out"系统的 options 为例，了解其总体结构：

options =

AbsTol: 'auto'　　　　　% 绝对误差容限，正标量，默认值为 10^{-6}

Debug：'off'

Decimation：1　　　　　　%输出变量的降采样因子，正整数，默认值为 1

DstWorkspace：'current'　%赋变量于何处，取值为 base、current 或 patent

FinalStateName：''　　　%最终状态变量名，字符串，默认值为''

FixedStep：'auto'　　　　%定步长，正值标量，表示定步长求解器的步长

InitialState：[ ]　　　　%状态初始值，向量，默认值为空向量

InitialStep：'auto'　　　%初始步长，正值标量，默认值为'auto'

MaxOrder：5　　　　　　%Ode15s 的最大阶数，取值为 1 ~ 5，默认值为 5

SaveFormat：'Array'　　%存储方式

MaxDataPoints：1000

MaxStep：'auto'　　　　　%最大步长值，正值标量，默认值为'auto'

MinStep：[ ]

OutputPoints：'all'　　　%确定输出点数，取值为 specified 或 all，默认值为 specified

OutputVariables：'ty'　　%设置输出变量，默认值为 y

Refine：1　　　　　　　%输出细化因子，正整数，默认值为 1

RelTol：0.0010　　　　　%相对误差容限，正标量，默认值为 10^{-3}

Solver：'ode45'　　　　%Simulink 仿真求解器的名称

SrcWorkspace：'base'　　%在何处计算表达式，取值为 base、current 或 patent，默认值
　　　　　　　　　　　　　为 base

Trace：''　　　　　　　%跟踪工具，取值为 minstep、siminfo 或 compile，默认值为''

ZeroCross：'on'　　　　%过零点定位的开与关，取值为 on 或 off，默认值为 on

1. simset

语句结构：options = simset(property，value，…)；

　　　　　　options = simset(old_opstruct，property，value，…)；

　　　　　　options = simset(old_opstruct，new_opstruct)；

　　　　　　simset

功能：simset 命令用于创建一结构体变量 options，此变量中的各个数据用来设置系统仿真参数，对于没有进行设置的系统仿真参数，Simulink 会使用相应的默认值。其中 property 为所设置的仿真参数，value 为其取值，old_opstruct 表示已经存在的结构体，options = simset (old_opstruct，new_opstruct) 语句可合并已经存在的两个仿真参数结构体变量，并且将使用中的域值覆盖 old_opstruct 中具有相同域名下的域值。simset 语句可显示所有的仿真参数选项及其可能的取值。

2. simge

语句结构：struct = simget(model)

　　　　　　value = simget(model，property)

　　　　　　value = simget(OptionStructure，property)

功能：simget 命令用来获得指定系统的仿真参数或指定仿真参数的取值。其中 property 是指定的仿真参数，OptionStructure 是指定的结构体变量。

5.4.5 运行结果分析

1. simplot

在观测系统仿真结果时，常常使用 Scope 模块，通过它可以很直接地观测到仿真系统的输出曲线。使用 simplot 命令也可以绘制出仿真系统的输出曲线，作用与 Scope 模块相同。

语句结构：simplot(data)；

Simplot(time,data)；

功能：用来输出系统的仿真结果，且其输出图形与 Scope 模块的输出类似。其中，data 是系统仿真结果的输出数据（一般先将系统的输出送到 Outport 模块或 To Workspace 模块）。其数据类型可以为矩阵、向量或是结构体等。Time 是系统仿真结果的输出时间向量，当系统输出数据为带有时间向量的结构体变量时，此参数被忽略。

2. 系统状态的确定

当使用命令行方式进行动态系统仿真时，经常需要对系统中的状态变量进行分析。当系统中存在多个状态变量时，对这些状态变量进行分析（尤其是对所输出的多状态变量中的某一个状态进行单独分析）时，需要清楚地知道状态变量矩阵中各个状态变量的顺序，用户可以使用下面的命令获得系统模型中状态输出的顺序。

$[sizes, x0, xord] = modelname$

对于仿真系统，如果需要对系统在某个时刻的相关数据进行分析，还需要设置 Simulink 的仿真参数设置对话框中 Workspace I/O 选项，以输出系统中的状态变量，如图 5-40 中所圈定的区域。也可双击在"Workspace Window"中的变量 xout 打开"Array Editor"获取输出变量 xout 的信息，如图 5-41 所示。

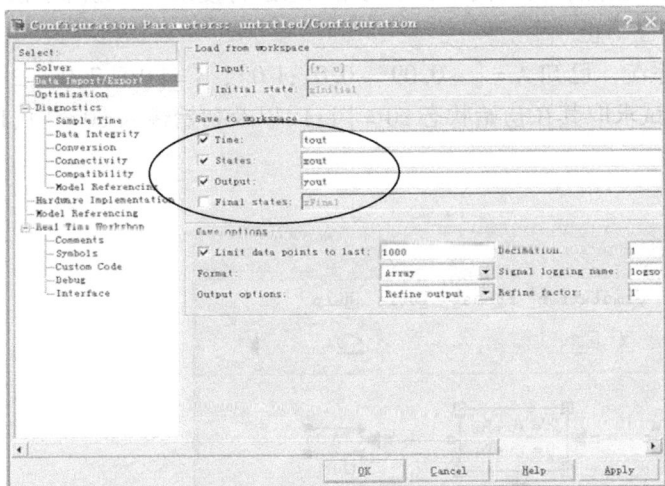

图 5-40　设置 Workspace I/O 选项卡以输出系统状态　　　　图 5-41　Array Editor 界面

3. 系统平衡点的确定

在大多数系统设计中，设计者都需要对所设计的系统进行稳定性分析，因为绝大多数的系统在运行之中都需要按照某种方式收敛到指定的平衡点处。这里所谓的平衡点一般指的是系统的稳定工作点，此时系统中所有的状态变量的导数均为 0，系统处于稳定的工作状态。在使用 Simulink 进行动态系统设计、仿真与分析时，可以使用命令 trim 对系统的稳定性与平衡点进行分析。

语句结构：$[x,u,y,dx] = trim('sys')$

$[x,u,y,dx] = trim('sys',x0,u0,y0)$

$[x,u,y,dx] = trim('sys',x0,u0,y0,ix,iu,iy)$

$[x,u,y,dx] = trim('sys',x0,u0,y0,ix,iu,iy,dx0,idx)$

$[x,u,y,dx] = trim('sys',x0,u0,y0,ix,iu,iy,dx0,idx,options)$

$[x,u,y,dx] = trim('sys',x0,u0,y0,ix,iu,iy,dx0,idx,options,t)$

$[x,u,y,dx,options] = trim(sys',...)$

功能：根据系统的输入、初始状态（也可以说是初始工作点），按照一定的方法求取系统中距离此工作点最近的平衡点，以及在达到平衡点时的系统输入与输出。如果系统中不存在平衡点，则 trim 命令会返回系统状态变量最接近 0 的工作点。

$[x,u,y] = trim('sys')$：求取距离给定初始状态 x0 最近的系统平衡点。

$[x,u,y] = trim('sys',x0,u0,y0)$：求取距离给定初始状态 x0、初始输入 u0 与初始输出 y0 最近的平衡点。

$[x,u,y,dx] = trim('sys',x0,u0,y0,ix,iu,iy)$：求取距离给定初始值向量中某一初始值距离最近的平衡点。

$[x,u,y,dx] = trim('sys',x0,u0,y0,ix,iu,iy,dx0,idx)$：求取非平衡点，此平衡点处的系统状态为指定值。其中，dx0 为指定状态值向量；idx 为相应的序号。

需要说明的是使用 trim 命令求取的系统平衡点为局部最优平衡点。而非全局最优平衡点。因此，如果需要求取全局最优平衡点，需要使用多个初始状态进行搜索。因为对于很多系统而言，系统中平衡点的数目往往不止一个。

例 5-4 对于图 5-42 所示的系统，已知 A = [−0.09 −0.01;1 0]，B = [0 −7;0 −2]，C = [0 2;1 5]，D = [−3 0;1 0]，试求取其在初始状态 x0 = [1;1] 以及初始输入 u0 = [1;1] 下的平衡点。

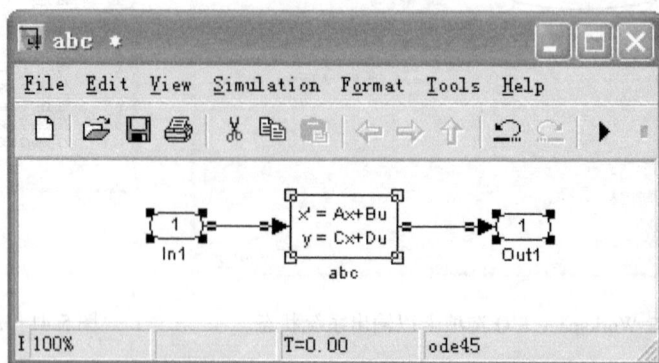

图 5-42 例 5-4 的系统数学模型

解：首先建立 Simulink 仿真模型，如图 5-42 所示，并按默认路径以"abc"的文件名进行存储，之后在 MATLAB 的命令窗口中键入如下程序：

x0 = [1;1]; u0 = [1;1] [x,u,y] = trim('abc',x0,u0)

程序运行结果为：

x = 1. 0e – 013 *　　　　% 系统所处平衡点处的状态变量值

　　 – 0. 2766

　　 – 0. 2763

u = 0. 3333　　　　% 系统在平衡点处的输入变量值

　 0. 0000

y = – 1. 0000　　　　% 系统在平衡点处的输出变量值

　 0. 3333

4. 非线性系统的线性化处理

迄今为止，线性系统的设计与分析技术已经非常完善了。但在实际的系统中，很少有真正的线性系统，大部分的系统都是非线性系统。然而对非线性系统的设计与分析还处于发展的初期，其设计与分析还主要依赖于设计者的设计经验。MATLAB 的 Simulink 提供了一些基本函数，也可以对非线性系统进行线性化处理。

语句结构：[A,B,C,D] = linmod('sys',x,u)

　　　　　　[num,den] = linmod('sys',x,u)

　　　　　　sys_struc = linmod('sys',x,u)

　　　　　　[Ad,Bd,Cd,Dd] = dlinmod('sys',Ts,x,u)

　　　　　　[numd,dend] = dlinmod('sys',Ts,x,u)

功能：

[A,B,C,D] = linmod('sys',x,u)：在指定的系统状态 x 与系统输入 u 下对系统 sys 进行线性化处理，x 与 u 的默认值为 0。A、B、C 与 D 为线性化后的系统状态空间描述矩阵。

[[num,den] = linmod('sys',x,u)：num 与 den 为线性化后的系统传递函数描述。

sys_struc = linmod('sys',x,u)：返回线性化后的系统结构体描述，其中包括系统状态名称、输入与输出名称以及操作点的信息。

[Ad,Bd,Cd,Dd] = dlinmod('sys',Ts,x,u)：可以对非线性、多速率混合系统（包括离散系统与连续系统）进行线性化处理。其中 Ts 为系统的采样时间，Ts = 0 表示将离散系统线性化为连续系统。返回线性化后系统的状态控制描述。

[numd,dend] = dlinmod('sys',Ts,x,u)：返回线性化后系统的传递函数描述。

5.5　S 函数

在控制理论研究中，经常需要用复杂的算法设计控制器，而这些算法又因其复杂度而不适合用 Simulink 自带的标准模块来搭建，当这样的系统希望在 Simulink 下进行仿真研究时，就需要使用 S 函数来设计具有独特功能的模块，封装后在 Simulink 下就可直接调用，实际上 Simulink 许多模块所包含的算法均是由 S 函数编写的。

5.5.1 S 函数简介

1. S 函数的基本概念

S 函数是系统函数（System Function）的简称，是指采用非图形化的方式（即计算机语言，区别于 Simulink 的系统模块）描述的一个功能模块。用户可以采用 MATLAB 代码、C、C++、Fortram 或 Ada 等语言进行编写。S 函数具有特定的语法结构，能够接受来自 Simulink 求解器的相关信息，并对求解器发出的命令做出适当的响应，这种交互作用非常类似于 Simulink 系统模块与求解器的交互作用。

S 函数作为与其他语言相结合的接口，可以使用这个语言所提供的强大能力。例如，MATLAB 语言编写的 S 函数可以充分利用 MATLAB 所提供的丰富资源，方便地调用各种工具箱函数和图形函数；使用 C 语言编写的 S 函数可以实现对操作系统的访问，如实现与其他进程的通信和同步等。另外，由于 S 函数可以使用多种语言编写，因此可以将已有的代码结合进来，而不需要在 Simulink 中重新实现算法，从而在某种程度上实现了代码移植。此外，在 S 函数中使用文本方式输入公式、方程，非常适合复杂动态系统的数学描述，并且在仿真过程中可以对仿真进行更精确的控制。

简单地说，用户可以从如下几个角度来理解 S 函数：

- S 函数为 Simulink 的"系统"函数。
- 能够响应 Simulink 求解器命令的函数。
- 采用非图形化的方法实现一个动态系统。
- 可以开发新的 Simulink 模块。
- 可以与已有的代码相结合进行仿真。
- 采用文本方式输入复杂的系统方程。
- 扩展 Simulink 功能。M 文件 S 函数可以扩展图形能力，C MEX S 函数可以提供与操作系统的接口。
- S 函数的语法结构是为实现一个动态系统而设计的（默认用法），其他 S 函数的用法是默认用法的特例（如用于显示目的）。

2. 与 S 函数相关的术语

（1）仿真例程（Routines）

Simulink 在仿真的特定阶段调用对应的 S 函数功能模块（函数）来完成不同的任务，如初始化、计算输出、更新离散状态、计算导数和结束仿真等，这些功能模块（函数）称为仿真例程或者回调函数（Call Back Functions）。S 函数中的例程函数有 mdlInitialization（初始化函数）、mdlGetTimeofNextVarHit（计算下一个采样点函数）、mdlOutput（计算输出函数）、mdlUpdate（离散状态更新函数）、mdlDerivatives（计算导数函数）和 mdlTerminate（结束仿真函数）。

（2）直接馈通（Direct Feedthrough）

直接馈通是指输出直接受输入端口的影响，或可变采样时间直接受输入端口的控制（变采样时间模块）。当系统在某一时刻的输出 y 中包含某一时刻的系统输入 u 时，或系统是一个变采样时间系统（Variable Sample Time System）且采样时间计算与输入 u 相关时，需要直接馈通。

$$time = (n \times sample\_time\_value) + offset\_time$$

其中 n 表示第 n 个采样点。

Simulink 在每一个采样点上调用 mdlOutput 和 mdlUpdate 例程。对于连续时间系统采样时间和偏移量的值应该设置为 0。采样时间还可以继承自驱动模块、目标模块或者系统最小采样时间，这种情况下采样时间值应该设置为 –1，或者设置为 INHERITED_ SAMPLE_TIME。

（3）动态输入（Dynamically Sized Inputs）

S 函数支持动态可变维数的输入。S 函数的输入变量 u 的维数决定于驱动 S 函数模块的输入信号的维数。

3. S 函数的工作原理

（1）动态系统的数学描述

在对动态系统建模时，总是能够采用广义的状态空间形式对无论是线性系统还是非线性系统进行描述。Simulink 框图的大部分模块都具有一个输入向量 u、一个输出向量 y 和一个状态向量 x。其中 x 分为两部分：连续状态占据第一部分，离散状态占据第二部分，如图 5-43 所示。

图 5-43　系统状态空间

u、x、y 和时间 t 之间存在如下关系：

输出方程：$y = f_0(t, x, u)$

连续状态方程：$\dot{x}_c = f_d(t, x, u)$

离散状态方程：$x_{d_{k+1}} = f_u(t, x, u)$

系统状态：$x = x_c + x_{d_{k+1}}$

在 S 函数中，连续状态的一阶导数是在 mdlDerivatives 例程中计算的，并将结果返回供求解器积分；离散状态的下一步状态的值通过 mdlUpdate 例程完成，并将结果返回供求解器在下一步时使用；输出值是在 mdloutputs 例程中计算的。

（2）Simulink 仿真的过程

Simulink 的仿真过程由初始化和仿真运行两个阶段组成，其流程如图 5-44 所示。在初始化阶段完成的工作有：将参数传递给 MATLAB 进行求值、展开模型的层次、检查信号的宽度和连接、确定状态初值和采样时间等。在仿真运行阶段完成的工作有：计算输出、更新离散状态和计算连续状态等。S 函数的仿真过程与 Simulink 的仿真过程完全相同，即也包含初始化和仿真运行两个阶段，当初始化工作完成以后，在每一个仿真步长内完成一次求解。如此反复，直到仿真结束，S 函数仿真流程的每个步骤都对应于 S 函数的一个例程函数，通过标志 flag 来控制例程的调用。

在 S 函数的仿真流程中，"初始化模型"的任务是初始化结构体 SimStruct（包含了 S 函数的所有信息）、设置输入输出端口数、设置采样时间和分配存储空间；"计算下一个采样点时间"的任务是计算下一个采样点的时间，当然前提是仿真采用了变步长求

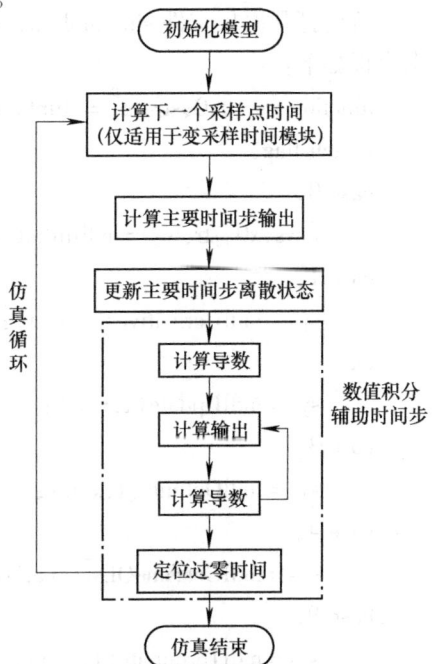

图 5-44　S 函数的仿真流程

解器;"计算主要时间步输出"的任务是计算所有输出端口的输出值;"更新主要时间步离散状态"的任务是在每个步长处都要执行一次,可以在这个例程中添加每一个仿真步都需要更新的内容,例如离散状态的更新等;"数值积分"的任务是针对 S 函数的连续状态,Simulink 在辅助时间步内调用 mdlDdrivatives 和 mdlOutput 两个 S 函数例程,如果 S 函数非采样过零区间,Simulink 也可在辅助时间步内调用 S 函数的输出和过零成分,以定位过零区间。

5.5.2 用 M 文件创建 S 函数

1. M 文件 S 函数模板

Simulink 提供了一些 S 函数模板文件,模板定义了 S 函数完整的框架结构,编写 M 文件 S 函数时,可以根据自己的需要加以修改,推荐使用 S 函数模板文件 sfuntmpl. m。这个文件是一个完整的 M 文件 S 函数,它包含 1 个主函数和 6 个子函数。在主函数内,程序根据标志变量 flag,将执行流程转移到相应的子函数,即例程函数。flag 标志量作为主函数的参数由系统(Simulink 引擎)调用时给出,flag 的功能见表 5-3。

表 5-3　S 函数 **flag** 的功能

flag 取值	调 用 函 数	S 函数功能
0	mdlInitializeSizes	初始化,要求提供连续状态、离散状态以及输入、输出的个数,初始状态和采样时间等信息
1	mdlDerivatives	计算连续状态变量的微分方程
2	mdlUpdate	更新离散状态、采样时间以及主时间步的要求
3	mdlOutputs	计算 S 函数的输出
4	mdlGetTimeOfNextVarHit	计算下一个采样点的绝对时间(使用变步长求解器时)
9	mdlTerminate	仿真任务结束

若要打开模板文件 sfuntmpl. m,可在 MATLAB 命令窗口输入"edit sfuntmpl"命令,调出模板如下:

```
function [sys,x0,str,ts] = sfuntmpl(t,x,u,flag)
switch flag,
case 0,
    [sys,x0,str,ts] = mdlInitializeSizes;
case 1,
    sys = mdlDerivatives(t,x,u);
case 2,
    sys = mdlUpdate(t,x,u);
case 3,
    sys = mdlOutputs(t,x,u);
case 4,
    sys = mdlGetTimeOfNextVarHit(t,x,u);
case 9,
    sys = mdlTerminate(t,x,u);
otherwise
```

```
        error([ 'Unhandled flag = ',num2str(flag)]);
end
% mdlInitializeSizes
function [sys,x0,str,ts] = mdlInitializeSizes      % 初始化例程子函数
sizes = simsizes;                    % 生成 sizes 数据结构
sizes. NumContStates = 0;            % 连续状态数，默认为 0
sizes. NumDiscStates = 0;            % 离散状态数，默认为 0
sizes. NumOutputs = 0;               % 输出量个数，默认为 0
sizes. NumInputs = 0;                % 输入量个数，默认为 0
sizes. DirFeedthrough = 1;           % 是否存在直接馈通。1：存在；0：不存在，默认为 1。
sizes. NumSampleTimes = 1;           % 采样时间个数，至少是一个
sys = simsizes(sizes);               % 返回 sizes 数据结构所包含的信息
x0 = [];                             % 设置初始状态
str = [];                            % 保留变量置空
ts = [0 0];                          % 采样时间：[采样周期 偏移量]，采样周期为 0 表示是连
                                        续系统计算
Derivatives
function sys = mdlDerivatives(t,x,u)  % 导数计算例程子函数，给定 t，x，u，计算连续
                                        状态的导数，用户应该在此给出系统的连续状
                                        态方程。该子函数可以不存在
sys = [];                            % sys 表示状态导数，即 dx
% Update
function sys = mdlUpdate(t,x,u)       % 状态更新例程子函数，给定 t，x，u，计算离散
                                        状态的更新
                                      % 每个仿真步长必然调用该子函数，不论是否有意
                                        义。用户除了在此描述系统的离散状态方程外，
                                        还可以填入其他每个仿真步长都有必要执行的
                                        代码
sys = [];                            % sys 表示下一个离散状态 即 x(k+1)
% Outputs
function sys = mdlOutputs(t,x,u)      % 计算输出例程子函数，给定 t，x，u，计算输出。
                                        该子函数必须存在，用户可以在此描述系统的输
                                        出方程

sys = [];                            % sys 表示下一个输出，即 y
% GetTimeOfNextVarHit
function sys = mdlGetTimeOfNextVarHit(t,x,u)    % 计算下一个采样时间例程子函数，仅
                                        在系统是变采样时间系统时调用
sampleTime = 1;                      % 设置下一次的采样时间是 1s 以后
```

sys = t + sampleTime ;　　　　　　　% sys 表示下一个采样时间点

% Terminate

function sys = mdlTerminate(t,x,u)　　% 仿真结束例程子函数，在仿真结束时调用

sys = [ ] ;

程序的前 17 行是主程序，下面的是子程序，需要用户根据仿真要求自行填写。主函数包含 4 个输出：sys 数组包含某个子函数返回的值，它的含义随着调用子函数的不同而不同；x0 为所有状态的初始化向量；str 是保留参数，总是一个空矩阵；ts 返回系统采样时间。初始化例程函数是必须存在的子函数，在初始化阶段，标志变量首先被置为 0，S 函数被第一次调用时，执行 mdlInitializeSizes 函数。

2. M 文件 S 函数的模块化

在动态系统仿真中，用户可以使用 Used-Defined Function 模块库中的 S-Function 模块来调用 S 函数。S-Function 模块是一个单输入单输出的模块，如果有多个输入、多个输出时，使用 Mux 模块与 Demux 模块对信号进行组合或分离操作。在使用 S-Function 模块进行仿真之前，需要设置参数，双击该模块即可打开参数设置对话框，如图 5-45 所示，在第一行将模块名称调整为 S 函数名，在第二行输入参数值列表，参数值之间用逗号隔开，注意，此列表必须与 S 函数源文件的列表完全一致，包括顺序。

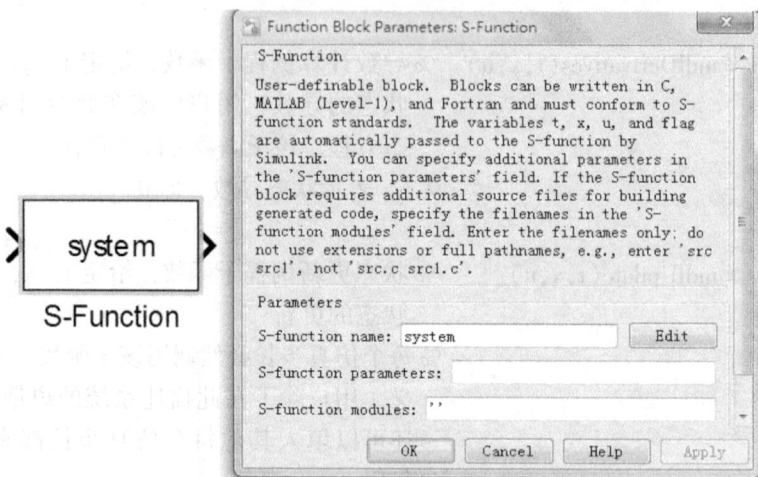

图 5-45　S-Function 模块的参数设置

用任何一种方式创建的 S 函数文件，经过 S-Function 模块处理后，将转变为用户创建的 Simulink 模块，在仿真中不会降低效率。此外，还可以使用 Simulink 的封装功能对 S 函数进行封装，以增强系统模型的可读性。

3. M 文件 S 函数的设计实例

例 5-5　用 M 文件 S 函数实现连续系统的状态方程：$\dot{x} = Ax + Bu$，$y = Cx + Du$，其中，

$A = \begin{bmatrix} -0.09 & -0.01 \\ 1 & 0 \end{bmatrix}$，$B = \begin{bmatrix} 0 & -7 \\ 0 & -2 \end{bmatrix}$，$C = \begin{bmatrix} 0 & 2 \\ 1 & 5 \end{bmatrix}$，$D = \begin{bmatrix} -3 & 0 \\ 1 & 0 \end{bmatrix}$

解：以状态方程表示的上述连续系统的用 M 文件建立 S 函数 li5. m 如下。

function [sys,x0,str,ts] = li5 (t,x,u,flag)

A = [-0.09 -0.01;1 0]; B = [0 -7;0 -2]; C = [0 2;1 5]; D = [-3 0;1 0];

```
switch flag,
  case 0,
    [sys,x0,str,ts] = mdlInitializeSizes(A,B,C,D);
  case 1,
    sys = mdlDerivatives(t,x,u,A,B,C,D);
  case 3,
    sys = mdlOutputs(t,x,u,A,B,C,D);
  case {2,4,9},
    sys = [];
  otherwise
    error(['unhandled flag = ',num2str(flag)]);
end
function [sys,x0,str,ts] = mdlInitializeSizes(A,B,C,D)
sizes = simsizes;
sizes.NumContStates = 2;
sizes.NumDiscStates = 0;
sizes.NumOutputs = 2;
sizes.NumInputs = 2;
sizes.DirFeedthrough = 1;
sizes.NumSampleTimes = 1;
sys = simsizes(sizes);
x0 = zeros(2,1);
str = [];
ts = [0 0];
function sys = mdlDerivatives(t,x,u,A,B,C,D)
sys = A*x + B*u;
function sys = mdlOutputs(t,x,u,A,B,C,D)
sys = C*x + D*u;
```

例 5-6　用 M 文件的 S 函数建立一个系统，将输入信号延时一个时间单位后作为输出信号。

解：M 文件的 S 函数，文件名为 unitdelay.m，程序如下：

```
function [sys,x0,str,ts] = unitdelay(t,x,u,flag)
switch flag,
  case 0,
    [sys,x0,str,ts] = mdlInitializeSizes;
  case 2,
    sys = mdlUpdate(t,x,u);
  case 3,
    sys = mdlOutputs(t,x,u);
  case 9,
```

```
        sys = [ ] ;
    otherwise
        error( [ 'unhandled flag = ' ,num2str( flag ) ] ) ;
end
function [ sys,x0,str,ts ] = mdlInitializeSizes
sizes  = simsizes ;
sizes. NumContStates = 0 ;
sizes. NumDiscStates = 1 ;
sizes. NumOutputs = 1 ;
sizes. NumInputs = 1 ;
sizes. DirFeedthrough = 0 ;
sizes. NumSampleTimes = 1 ;
sys  = simsizes( sizes ) ;
x0 = 0 ;
str = [ ] ;
ts = [ 1 0 ] ;      %采样周期为 1s( 1Hz)
function sys  = mdlUpdate( t,x,u )
sys = u ;
function sys  = mdlOutputs( t,x,u )
sys = x ;
```

将以上 M 文件按默认路径存盘后，找到 Simulink 的 "User-Defined Function" 模块库的 S-Function 模块，将其复制到新建的 Simulink 仿真图中，双击此模块，打开参数对话框，将 "unitdelay" 写入 "S-Function Name" 一栏，然后建立如图 5-46 所示的完整的仿真模型。图 5-46 中，输入信号是正弦信号，幅值为 2，频率为 2rad/s，采用两个坐标系分别显示输入和输出信号。仿真结果如图 5-47 所示。

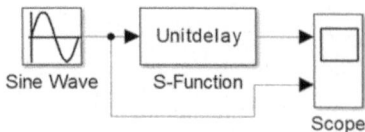

图 5-47 例 5-6 系统的仿真结果

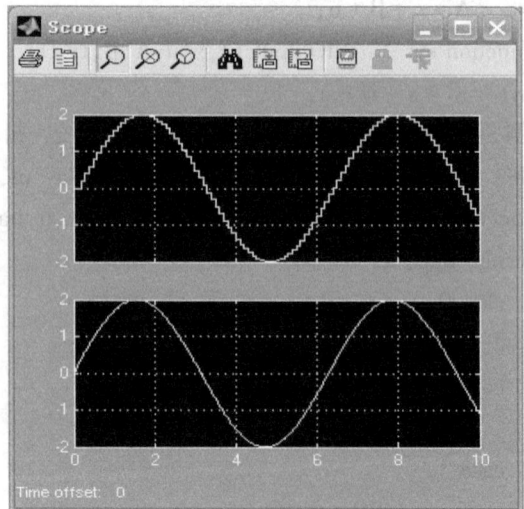

图 5-46 例 5-6 系统的仿真模型

5.6　基于 Simulink 的系统分析与设计实例

5.6.1　连续系统的时域分析实例

例 5-7　已知单位反馈系统的开环传递函数为 $G(s) = \dfrac{1}{Ts}$，当参数 T 分别为 0.5 和 1 时，试绘制系统的单位阶跃响应曲线，并讨论参数 T 对系统性能的影响。

解：首先建立系统的仿真模型，如图 5-48 所示。值得注意的是，要将单位阶跃信号（Step 模块）的启动时间由默认值"1"改为"0"，将两个 To Workspace 模块的存储格式（Save Format）调整为"Array"，示波器调整为两路输入，y 轴显示区域调整为 0 ~ 2。求解器（Solve）使用"ode45"。

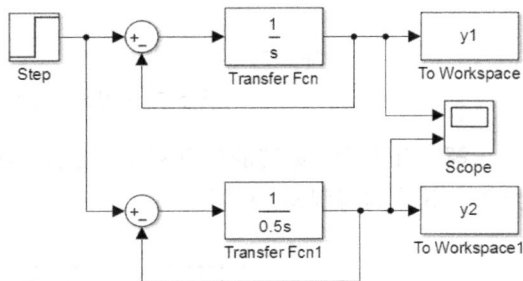

图 5-48　例 5-7 的仿真模型

然后启动仿真，仿真结束后，在示波器上可看到 2 条响应曲线，上边的是 y1（T = 1），下边的是 y2（T = 0.5），如图 5-49 所示。由于本例题中已经将系统输出以变量 y1、y2 送入了 MATLAB 的"Workspace"，还可以使用绘图命令［plot（tout，y1），grid on，hold on，plot（tout，y2）］获取响应曲线，如图 5-50 所示。

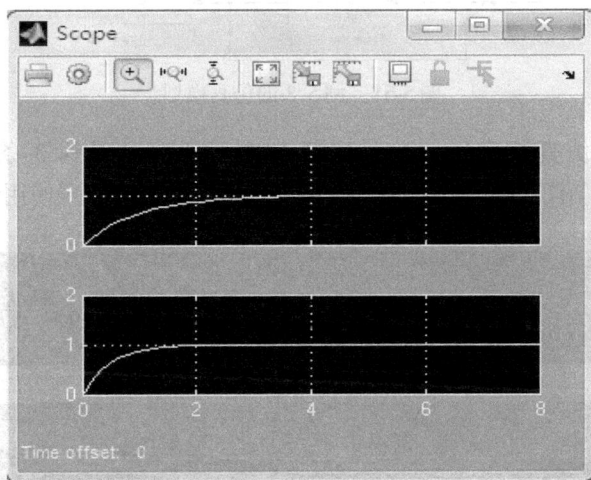

图 5-49　例 5-7 的示波器上响应曲线

最后，对系统进行性能对比分析。从响应曲线可以得出，对一阶系统，参数 T 只影响系统的调整时间，T 越大，调整时间越长，系统的响应速度越慢。

例 5-8　已知单位反馈系统的开环传递函数为 $G(s) = \dfrac{\omega_n^2}{s^2 + 2\xi\omega s}$，当参数 (ξ, ω_n) 分别取为 $(0.2, 5)$、$(0.707, 10)$ 和 $(0.2, 10)$ 时，试绘制系统的单位阶跃响应曲线，并讨论参数 ξ、ω_n 对系统性能的影响。

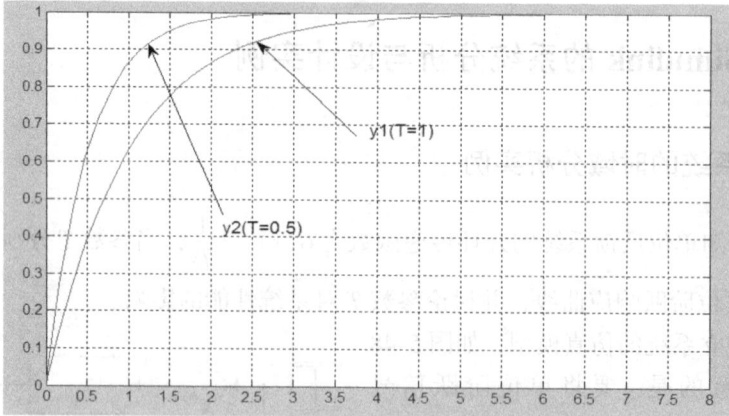

图 5-50 例 5-7 的用 plot 命令绘制的响应曲线

解：首先建立系统的仿真模型，如图 5-51 所示。参数设置除了示波器设置为 3 个输入之外，其他的与例 5-7 相同。

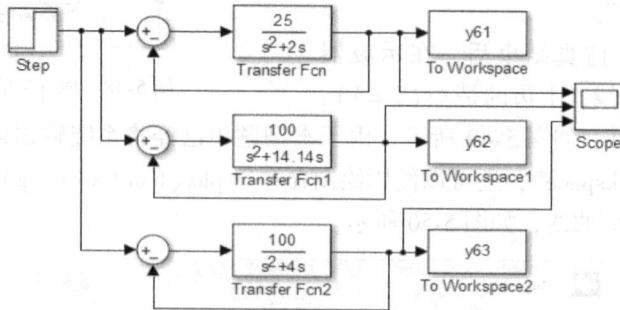

图 5-51 例 5-8 的仿真模型

然后启动仿真，仿真结束后，在示波器上从上到下可看到 3 条响应曲线，分别是 y61（0.2，5）、y62（0.707，10）、y63（0.2，10），如图 5-52 所示，使用绘图命令获取的响应

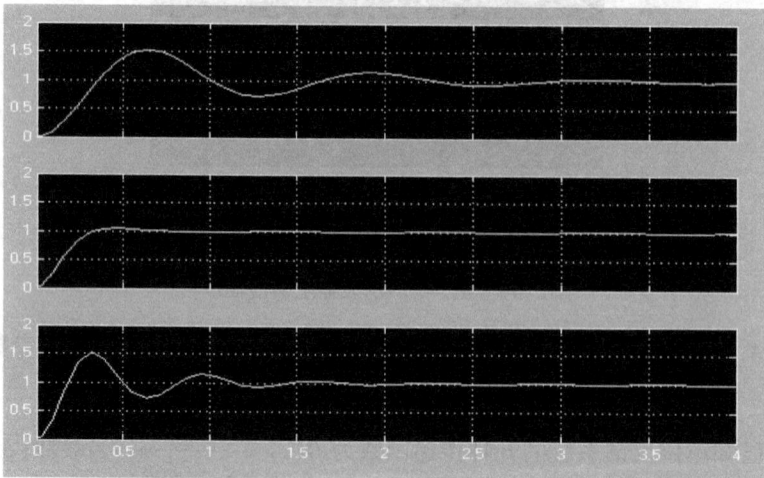

图 5-52 例 5-8 的示波器上响应曲线

曲线，如图 5-53 所示。

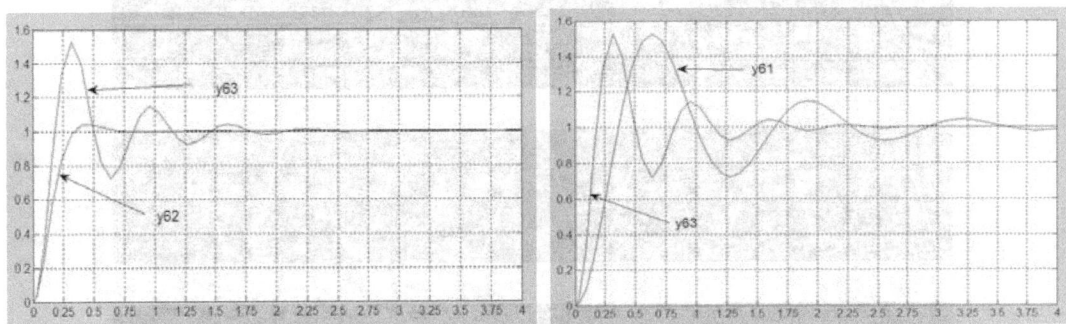

图 5-53　例 5-8 的用 plot 命令绘制的响应曲线

最后，对系统进行性能对比分析。从响应曲线 y62 和 y63 可以得出，当 ω_n 一定时，系统的振荡频率保持不变，ξ 值越大，系统的超调量越大；从响应曲线 y61 和 y63 可以得出，当 ξ 一定时，系统的超调量保持不变，ω_n 越大，振荡周期越小。

5.6.2　连续系统的稳定性分析实例

例 5-9　已知单位反馈系统的开环传递函数为 $G(s) = \dfrac{K}{s(0.1s+1)(0.5s+1)}$，试讨论参数 K 对系统稳定性的影响。

解：首先进行理论分析。系统的特征方程为 $s(0.1s+1)(0.5s+1)+K=0$，用劳斯稳定判据可获取系统的稳定条件为：$0 < K < 12$。

然后用仿真进行验证。搭建仿真模型如图 5-54 所示，参数调整方法与例 5-8 相同，示波器 y 轴大小的调整适应曲线的特点。启动仿真，仿真结束后，在示波器上从上到下可看到 3 条响应曲线，分别是 y71（K = 5）、y72（K = 12）、y73（K = 18），如图 5-55 所示，使用绘图命令获取的响应曲线，如图 5-56 所示。

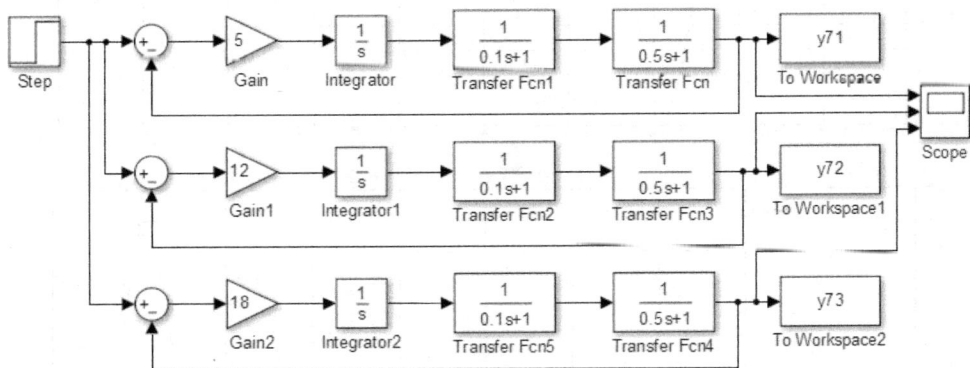

图 5-54　例 5-9 的仿真模型

仿真结果显示，$K = 5 \in (0, 12)$，系统是稳定的；$K = 12 \notin (0, 12)$，系统在临界稳定点上，系统不是稳定的；$K = 18 \notin (0, 12)$，系统不稳定。

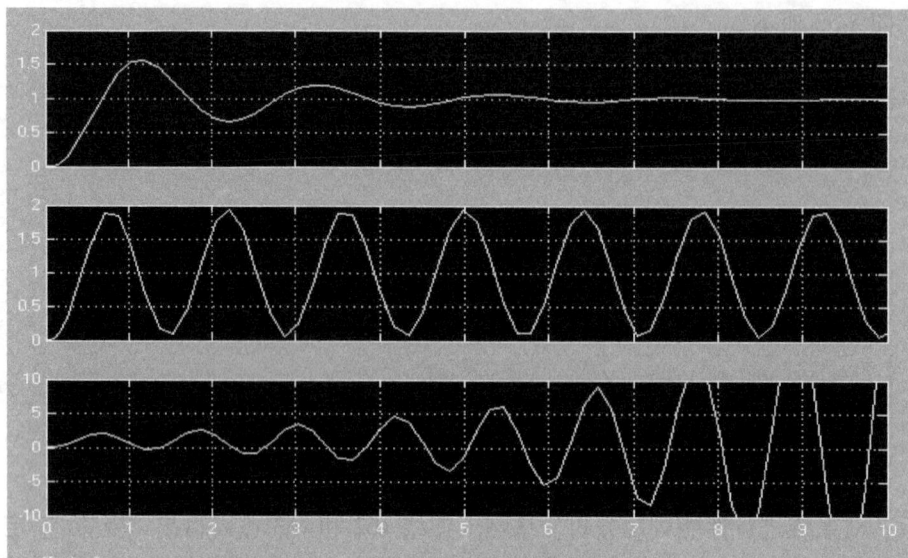

图 5-55　例 5-9 的示波器上响应曲线

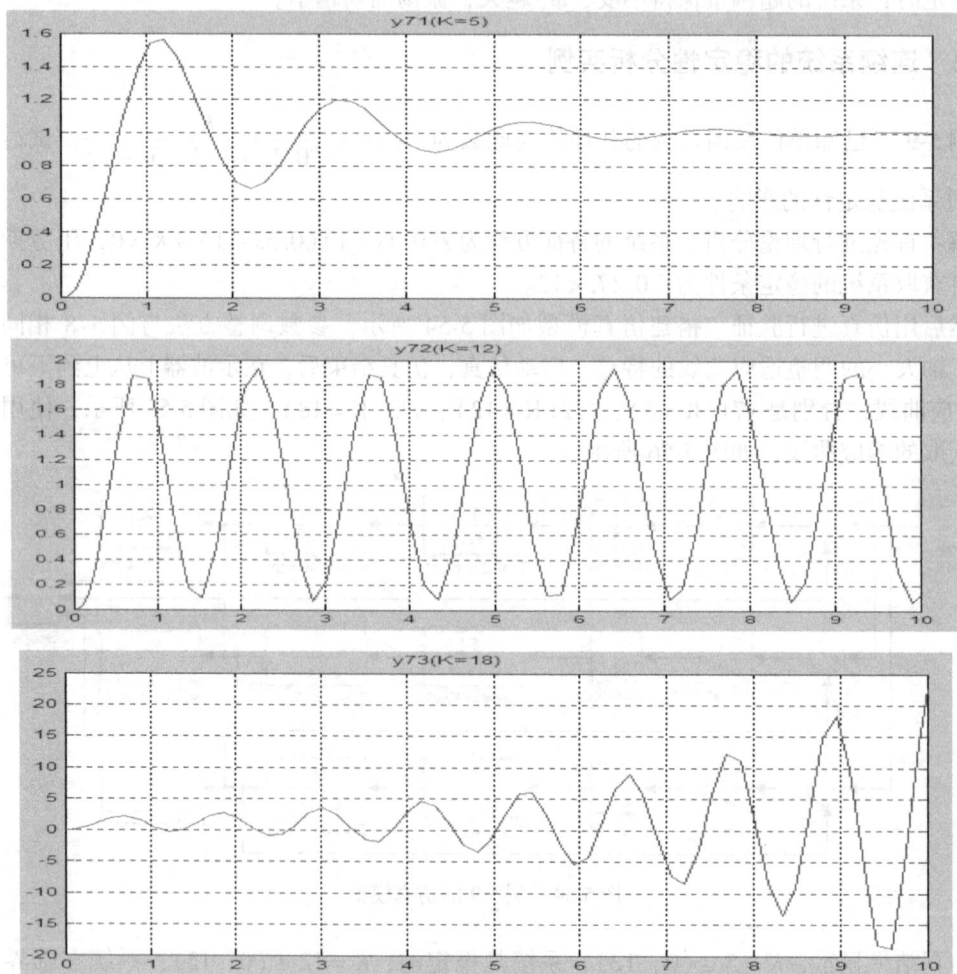

图 5-56　例 5-9 的用 plot 命令绘制的响应曲线

5.6.3　连续系统的稳态误差分析实例

例 5-10　已知单位反馈系统的开环传递函数为 $G(s) = \dfrac{1}{(0.1s+1)(0.2s+1)}$，试观测其在单位阶跃信号和单位斜坡信号作用下的误差响应曲线，并获取它们的稳态误差。

解： 首先搭建系统的仿真模型如图 5-57 所示，将单位阶跃信号（Step 模块）的启动时间由默认值"1"改为"0"，将两个 To Workspace 模块的存储格式（Save Format）调整为"Array"，示波器调整为两路输入，求解器（Solve）使用"ode45"。

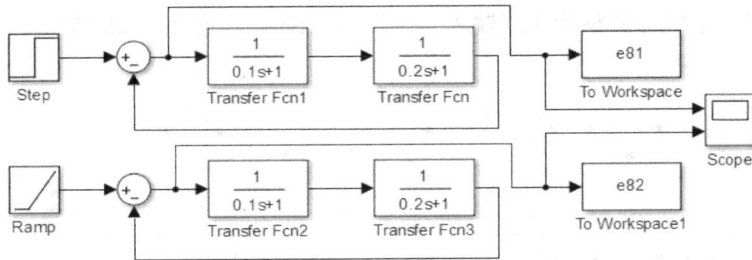

图 5-57　例 5-10 的系统仿真模型

然后启动仿真，仿真结束后，双击 Scope 模块，使用示波器的"Autoscale"功能，即可获取最佳的波形，如图 5-58 所示。使用 plot 命令绘制的误差响应曲线如图 5-59 所示。

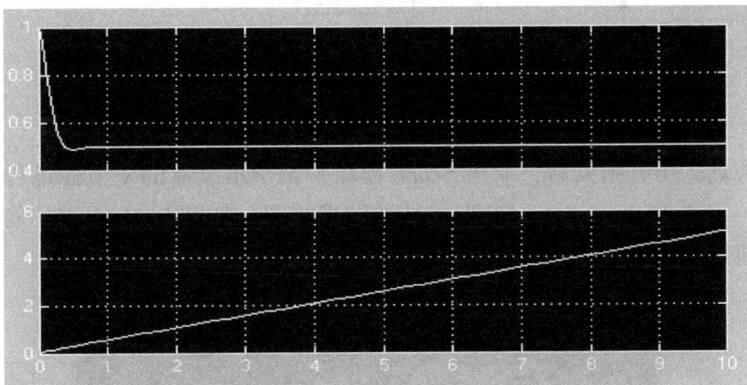

图 5-58　例 5-10 示波器显示的误差响应曲线

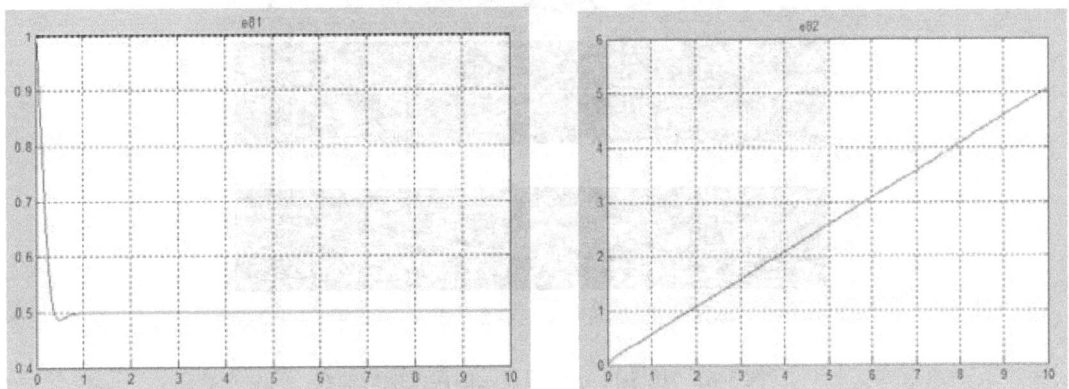

图 5-59　例 5-10 用 plot 绘制的误差响应曲线

从图 5-59 可以看出,对于本系统(属于 0 型系统),当输入信号为单位阶跃信号时,其稳态误差为常值(0.5),当输入信号为单位斜坡信号时,其稳态误差为无穷大。

例 5-11 已知单位反馈系统的开环传递函数为 $G(s) = \dfrac{10}{s(0.1s+1)}$,试观测其在单位阶跃信号、单位斜坡信号和单位抛物线信号作用下的误差响应曲线,并获取它们的稳态误差。

解: 首先搭建系统的仿真模型如图 5-60 所示,由于模块库中没有现成的单位抛物线信号,故采用将单位斜坡信号进行积分的方式获得,注意还要将单位阶跃信号(Step 模块)的启动时间由默认值 "1" 改为 "0",将 3 个 To Workspace 模块的存储格式(Save Format)调整为 "Array",示波器调整为 3 路输入,求解器(Solve)使用 "ode45"。

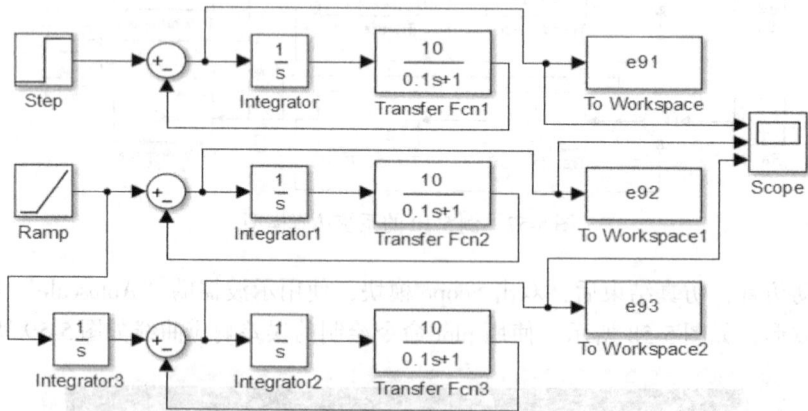

图 5-60 例 5-11 的系统仿真模型

然后启动仿真,仿真结束后,双击 Scope 模块,调整示波器的 y 坐标量程,自上而下分别为:0 ~ 1、0 ~ 0.1 和 0 ~ 1.5,以获取最佳的波形视图,如图 5-61 所示。使用 plot 命令绘制的误差响应曲线如图 5-62 所示。

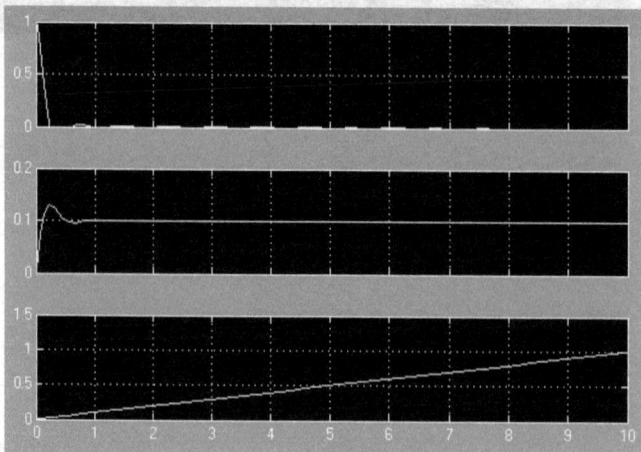

图 5-61 例 5-11 示波器显示的误差响应曲线

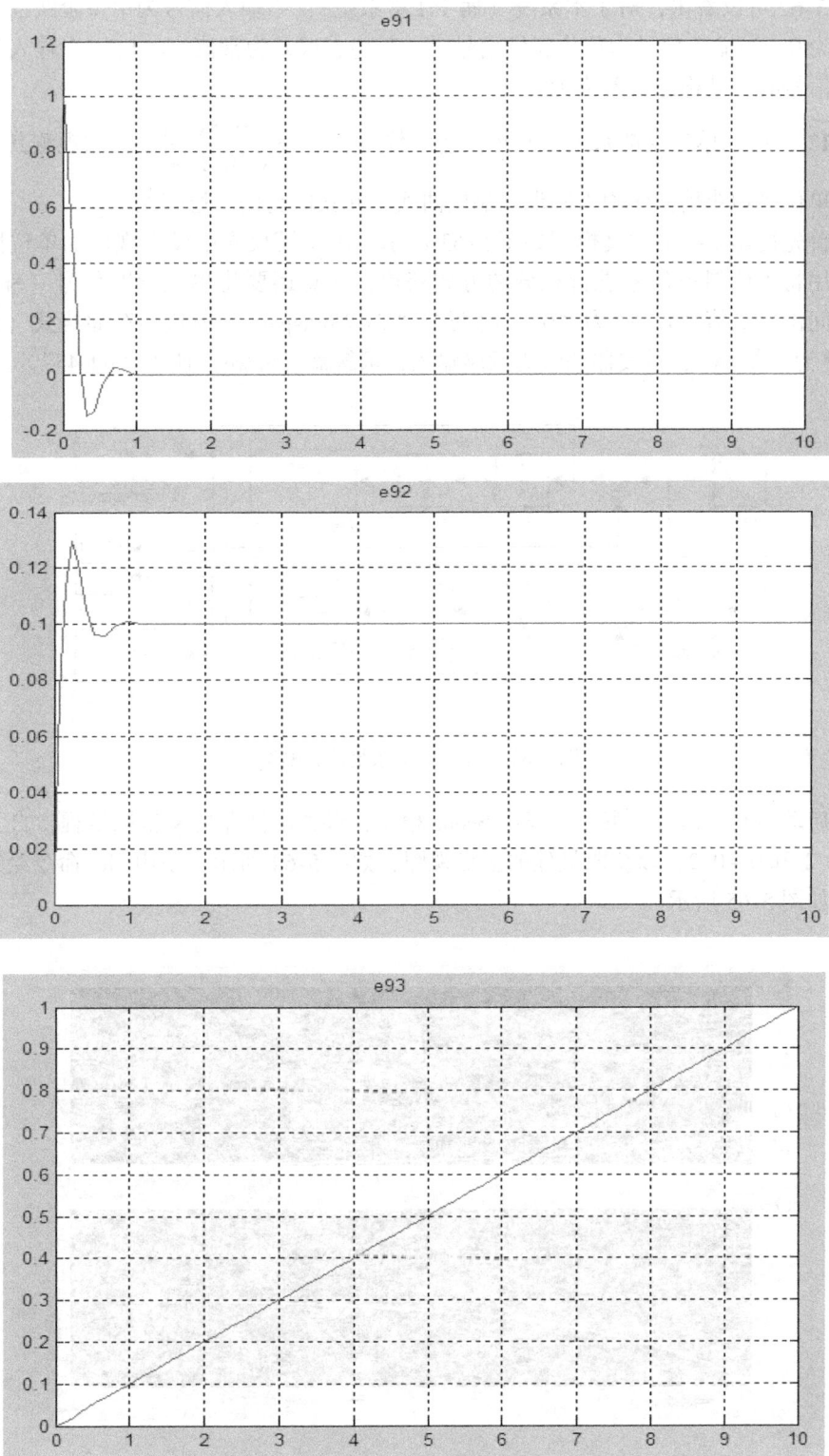

图 5-62 例 5-11 用 plot 绘制的误差响应曲线

从图 5-62 可以看出，对于本系统（属于 I 型系统），当输入信号为单位阶跃信号时，其稳态误差为 0，当输入信号为单位斜坡信号时，其稳态误差为常值（0.1），当输入信号为单位抛物线信号时，其稳态误差为无穷大。

例 5-12　已知单位反馈系统的开环传递函数为 $G(s) = \dfrac{10(5s+1)}{s^2(0.1s+1)}$，试观测其在单位斜坡信号和单位抛物线信号作用下的误差响应曲线，并获取它们的稳态误差。

解: 首先搭建系统的仿真模型如图 5-63 所示，由于模块库中没有现成的单位抛物线信号，故采用将单位斜坡信号进行积分的方式获得，注意还要将单位阶跃信号（Step 模块）的启动时间由默认值 "1" 改为 "0"，将两个 "To Workspace" 模块的存储格式（Save Format）调整为 "Array"，示波器调整为两路输入，求解器（Solve）使用 "ode45"。

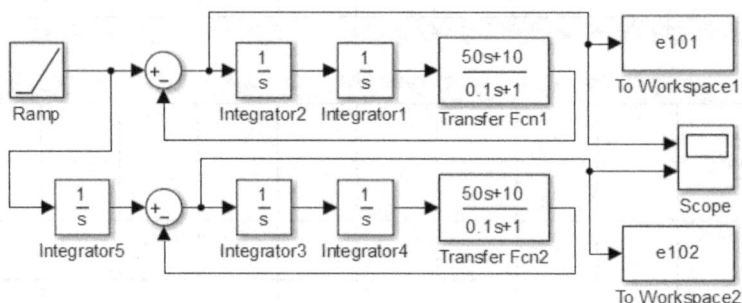

图 5-63　例 5-12 的系统仿真模型

然后启动仿真，仿真结束后，双击 Scope 模块，调整示波器的 y 坐标量程，自上而下分别为 0 - 0.1 和 0 - 0.2，以获取最佳的波形视图，如图 5-64 所示。使用 plot 命令绘制的误差响应曲线如图 5-65 所示。

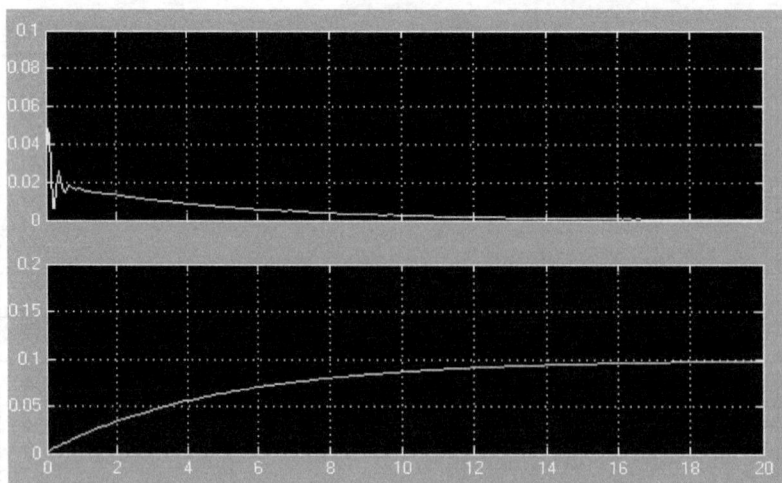

图 5-64　例 5-12 示波器显示的误差响应曲线

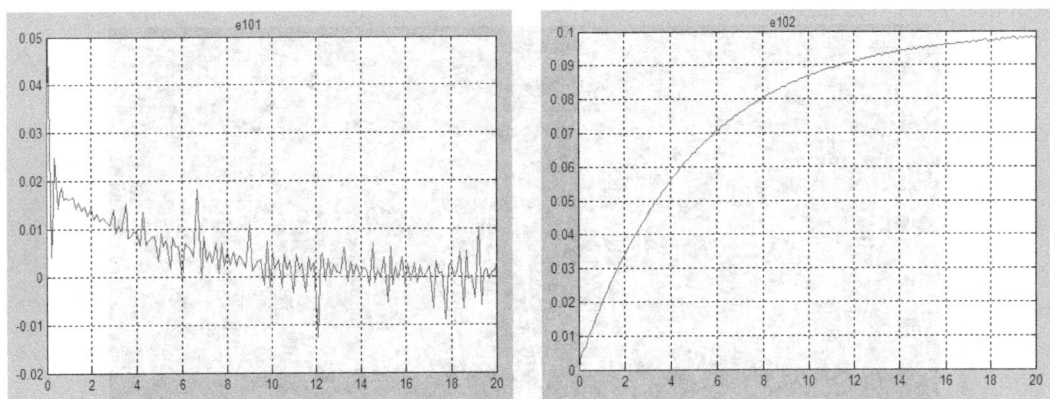

图 5-65　例 5-12 用 plot 绘制的误差响应曲线

从图 5-65 可以看出，对于本系统（属于 II 型系统），当输入信号为单位斜坡信号时，其稳态误差为 0，当输入信号为单位抛物线信号时，其稳态误差为常值（0.1）。

5.6.4　线性连续系统的设计实例

例 5-13　已知单位反馈系统的开环传递函数为 $G(s) = \dfrac{K}{(s+1)(s+2)(s+3)(s+4)}$，若要求系统在单位斜坡信号作用下的稳态误差不大于 0.05，系统的 $\sigma\% < 15\%$，试设计 PID 控制器。

解：由于原系统为 0 型系统，而校正后系统要求为 I 型系统，故采用 PI 或 PID 控制器，又由于原系统的惯性环节较多，所以 PID 控制器是首选。本例使用临界比度法进行 PID 的设计（参见表 4-4）。

首先确定系统的临界稳定增益 K_m 和临界稳定角频率 ω_m。系统的特征方程为

$$(s+1)(s+2)(s+3)(s+4) + K = 0$$

整理后为：$s^4 + 10s^3 + 35s^2 + 50s + 24 + K = 0$，由劳斯稳定判据可知，系统稳定的充分必要条件是：$0 < K < 126$，所以，$K_m = 126$。然后搭建在临界稳定状态的仿真模型，如图 5-66 所示。参数设置为：Step 模块的启动时间为 0，Gain 模块的 K 值为 126，Scope 模块的 y 量程为 0 – 2，仿真时间为 0 – 30s。

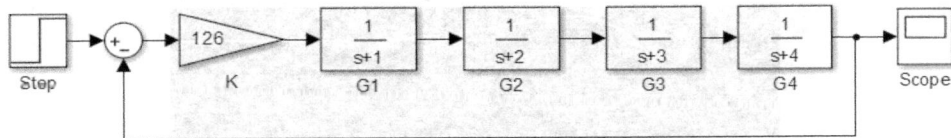

图 5-66　例 5-13 的系统临界稳定状态的仿真模型

启动仿真，仿真结束后，双击 Scope 模块，可看到临界稳定状态的系统的单位阶跃响应曲线，如图 5-67 所示。从图 5-67 可以看出，在 20s 内，系统完成了 7 个周期的振荡，故 $\omega_m = 2.2$。

然后进行 PID 控制器的设计。PID 控制器的传递函数为

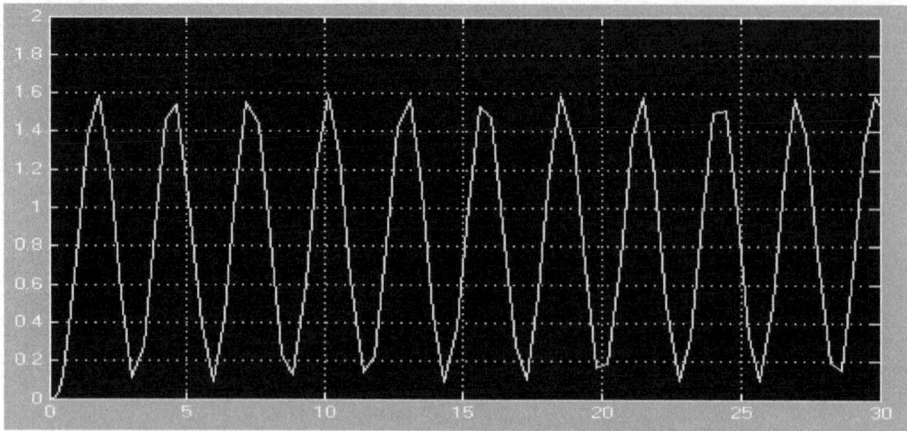

图 5-67 例 5-13 的系统临界稳定状态的单位阶跃响应曲线

$$G_{PID}(s) = K_p \left(1 + T_d s + \frac{1}{T_i s}\right) = \frac{K_p (1 + T_i s + T_d T_i s^2)}{T_i s}$$

根据表 4-4 知：$K_p = 0.59$，$K_m = 74.34$（取为 74），$T_i = \pi/\omega_m = 1.42$，$T_d = 0.25\pi/\omega_m = 0.36$。

使用 PID 控制器的校正后系统的开环增益为 $K_p K/T_i$，为满足系统稳态性能的要求，即在单位斜坡信号作用下的稳态误差不大于 0.05，所以 $K \geqslant \dfrac{T_i}{e_{ss} \times K_p} = 0.38$，取为 0.4。校正后系统的仿真模型如图 5-68 所示。调整仿真时间为 10s，启动仿真，其输出响应曲线如图 5-69 所示。

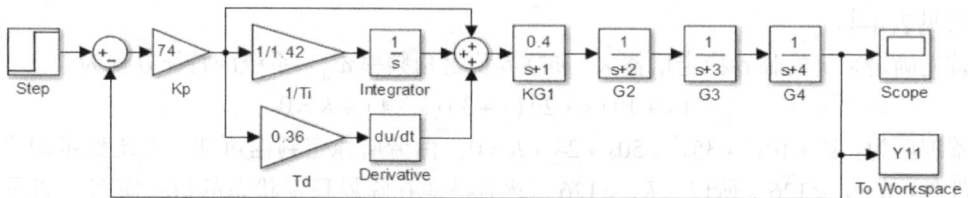

图 5-68 例 5-13 的校正后系统的仿真模型

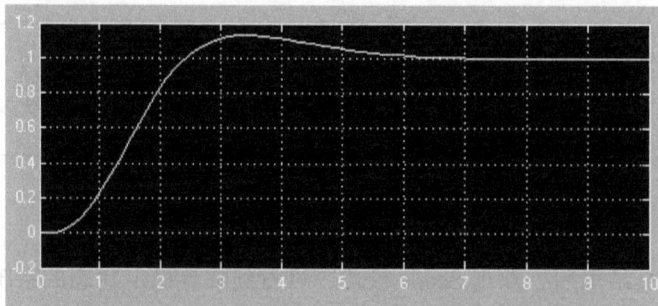

图 5-69 例 5-13 的校正后系统的单位阶跃响应曲线

从图 5-69 中可以看到，校正后系统的单位阶跃响应的稳态值为 1，超调量在 10% 左右。在 MATLAB 命令窗口，将 Workspace 中的变量 Y11 调出，可以从数据中找到最大的输出值为 1.098，所以系统的超调量为 9.8%，满足性能指标要求。

例5-14　已知温度前馈和反馈综合热交换器温度控制系统如图 5-70 所示。其中 K_p 为比例系数，K_i 为积分系数，K_f 为反馈系数，系统温度干扰模型如图 5-71 所示，热交换模型如图 5-72，请用 Simulink Response Optimization 功能确定 K_p、K_i、K_f，以使系统控制性能最佳。

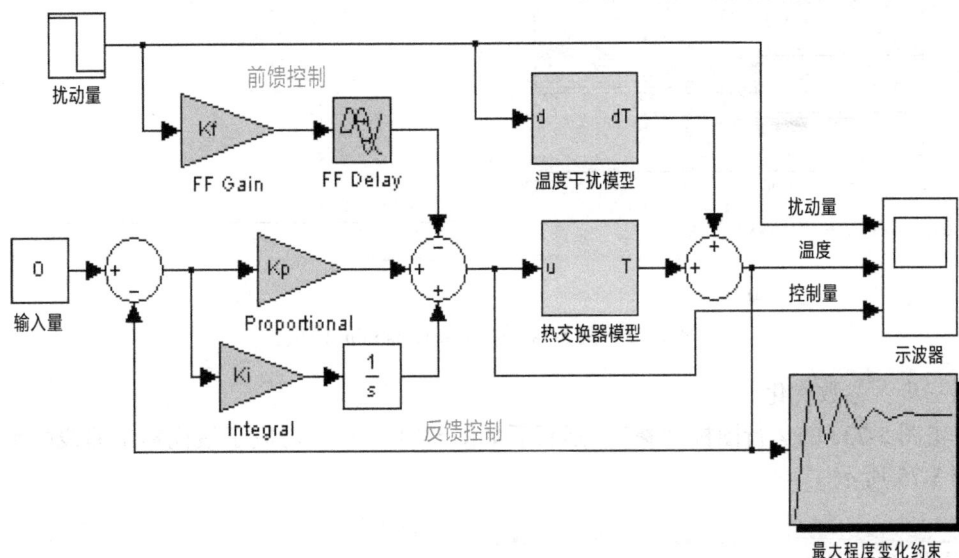

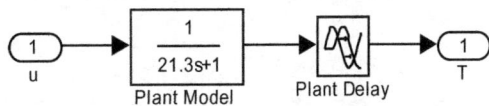

图 5-70　例 5-14 的热交换器温度控制系统仿真模型

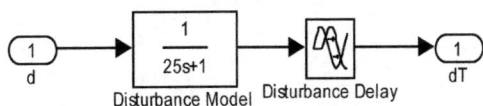

图 5-71　例 5-14 的温度干扰模型　　　　图 5-72　例 5-14 的热交换器模型

解：Simulink Response Optimization 是一个在 Simulink 模型中调节设计参数的工具，为优化问题的建立和管理提供了图形用户界面。它与 Simulink 模型结合在一起，根据用户定义的时域内的性能指标约束，自动优化系统参数。利用该工具可以对标量形式、矢量形式以及矩阵形式的变量进行优化，并可对任意层次的模型进行变量约束。Simulink Response Optimization 支持连续、离散以及多速率的模型，并可以通过蒙特卡罗仿真处理模型中的某些不确定量，对具有模型不确定性的问题提供更强的鲁棒调节能力。

第一步：建立仿真模型。

建立系统的仿真模型如图 5-70 所示，用示波器显示扰动量、控制量及输出温度的变化曲线，同时将系统输出量（温度）送给 Simulink Response Optimization（在 Simulink 的主菜单中）的 Signal Constraint 模块（如图 5-70 的最大温度变化约束模块），用以设定最高温度的变化范围。

第二步：设置 Signal Constraint 模块参数。

首先设置要优化的系统参数。双击 Signal Constraint 模块，出现模块参数设定界面，如图 5-73a 所示。选择 Optimisation 功能的 "Tuned Parameters" 选项，出现图 5-73b 所示的对话框，将待优化参数添加在"Tuned Parameters"栏中，并在"Optimisation Settings"的对话框中修改参数的相关属性。

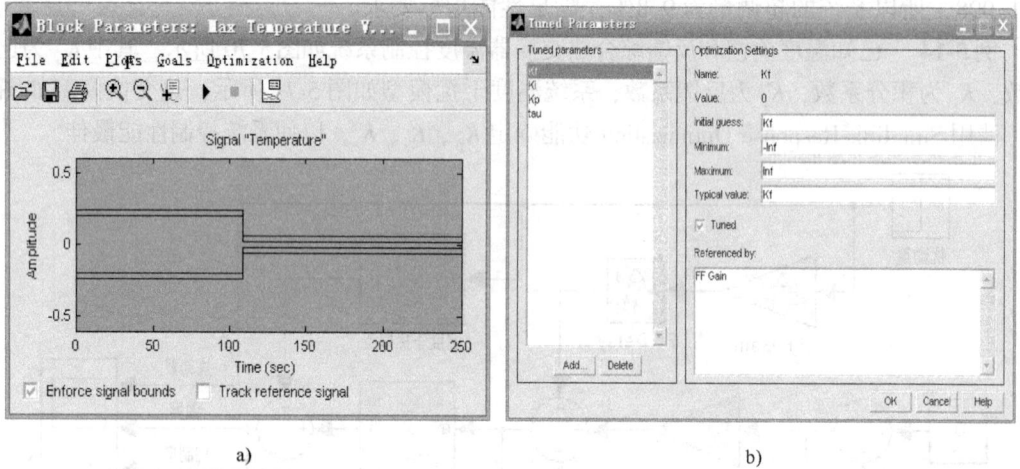

a)   b)

图 5-73　例 5-14 的 Signal Constraint 模块

第三步：参数优化。

单击图 5-73a 的运行图标"▶"，运行后如图 5-74 所示，对应于最优输出曲线的系统参数如图 5-75 所示。

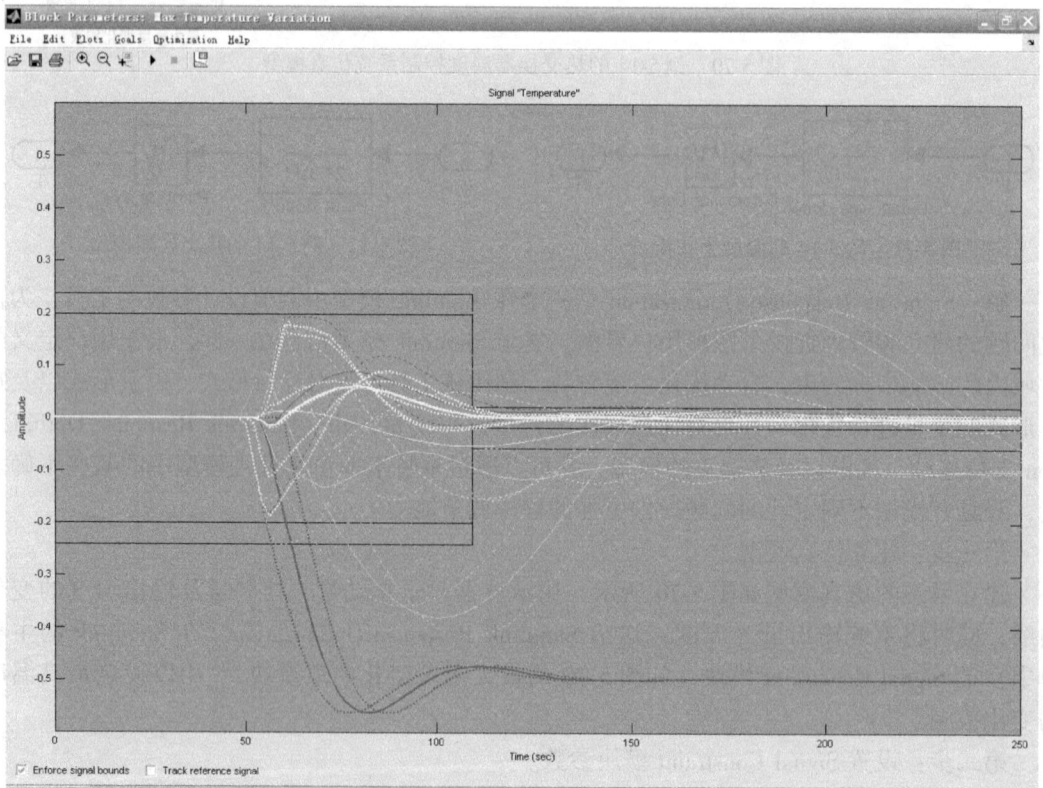

图 5-74　例 5-14 的 Signal Constraint 运行结果

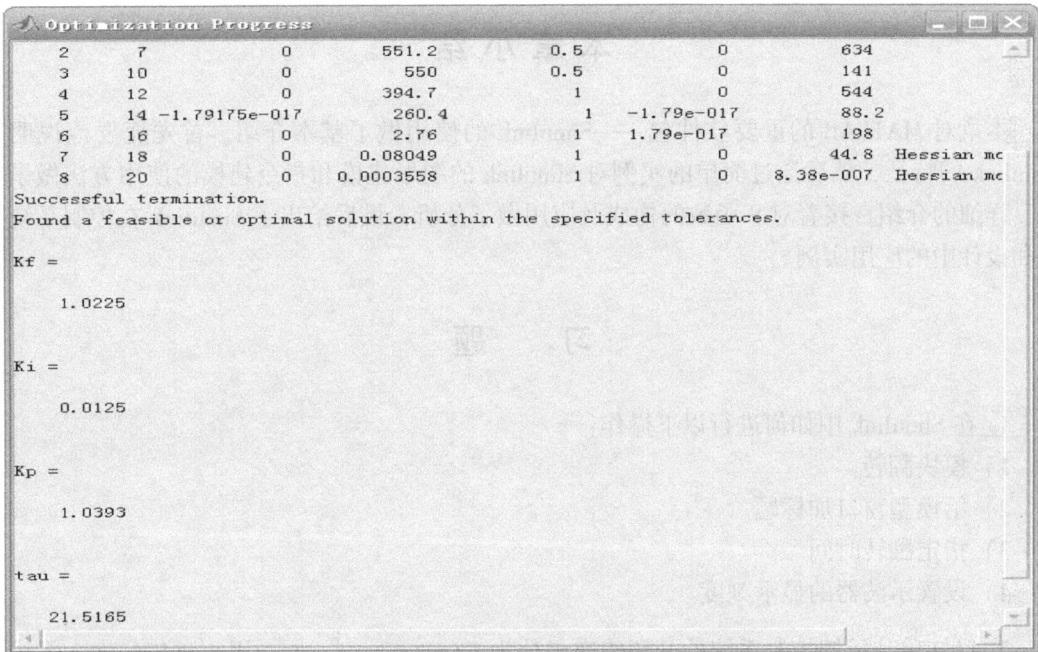

```
  Optimization Progress                                                   _ □ X
     2     7          0         551.2     0.5          0          634
     3    10          0          550      0.5          0          141
     4    12          0         394.7      1           0          544
     5    14   -1.79175e-017    260.4      1    -1.79e-017        88.2
     6    16          0          2.76       1     1.79e-017        198
     7    18          0         0.08049     1           0          44.8   Hessian mo
     8    20          0        0.0003558    1           0       8.38e-007  Hessian mo
Successful termination.
Found a feasible or optimal solution within the specified tolerances.

Kf =

    1.0225


Ki =

    0.0125


Kp =

    1.0393


tau =

   21.5165
```

图 5-75   例 5-14 的对应于最优输出结果的参数

第四步：系统仿真运行。

在图 5-70 的系统仿真图的界面下运行仿真，示波器中将显示系统的扰动量、输出温度及系统控制量的变化曲线，如图 5-76 所示。

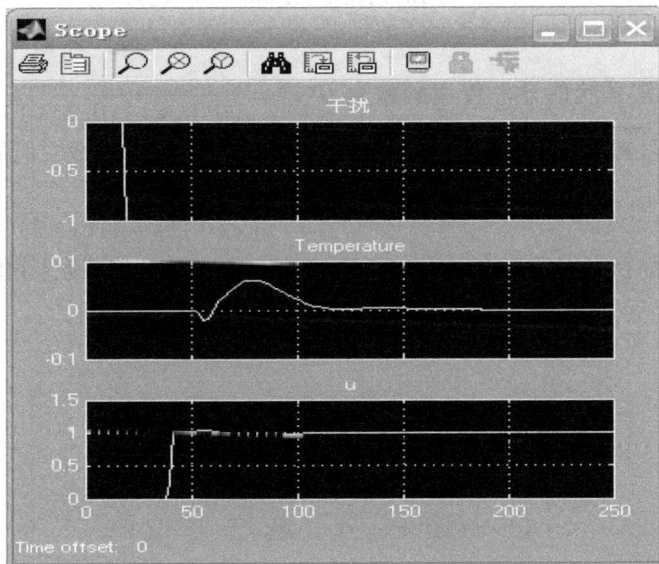

图 5-76   例 5-14 的最优参数下系统输出

本 章 小 结

本章对 MATLAB 的重要软件包——Simulink 的使用做了基本介绍。首先扼要地说明了 Simulink 的特征，然后通过简单的实例对 Simulink 的图形建模和指令建模的使用方法做了系统、详细的介绍，接着对 S 函数的构成及应用做了分析，最后给出了 Simulink 在控制系统分析和设计中的应用实例。

习　　题

1. 在 Simulink 中如何进行以下操作：
1）模块翻转。
2）给模型窗口加标题。
3）指定翻转时间。
4）设置示波器的显示刻度。

2. 已知单位反馈控制系统的开环传递函数为 $G(s) = \dfrac{1}{s^2 + 4s + 8}$，用 Simulink 建立系统的模型，并对系统的单位阶跃响应进行仿真，求取系统性能指标。

3. 为什么要对建立的子系统进行封装？举例说明如何封装。

4. 已知单位反馈系统的开环传递函数为 $G(s) = \dfrac{K}{s(0.1s+1)(0.2s+1)}$，试讨论参数 K 对系统稳定性的影响，并针对系统不同的情况，用 Simulink 进行仿真，获取系统的单位阶跃响应曲线。

5. 已知单位反馈系统的开环传递函数为 $G(s) = \dfrac{1}{(0.1s+1)(0.2s+1)(0.3s+1)}$，试观测其在单位阶跃信号和单位斜坡信号作用下的误差响应曲线，并获取它们的稳态误差。

6. 已知单位反馈系统的开环传递函数为 $G(s) = \dfrac{K}{(s+1)(s+2)(s+3)}$，若要求系统在单位斜坡信号作用下的稳态误差不大于 0.05，系统的 $\sigma\% < 15\%$，试设计 PID 控制器。

参 考 文 献

［1］ 黄忠霖. 控制系统 MATLAB 计算及仿真 ［M］. 北京：国防工业出版社，2003.

［2］ 王正林，等. MATLAB/Simulink 与控制系统仿真 ［M］. 北京：电子工业出版社，2005.

［3］ 李国勇，谢克明. 控制系统数字仿真与 CAD ［M］. 北京：电子工业出版社，2005.

［4］ 夏玮，等. 控制系统仿真与实例详解 ［M］. 北京：人民邮电出版社，2008.

［5］ 瞿亮，等. 基于 MATLAB 的控制系统计算机仿真 ［M］. 北京：清华大学出版社，北京交通大学出版社，2006.

［6］ 王万良. 自动控制原理 ［M］. 北京：高等教育出版社，2008.

［7］ 胡寿松. 自动控制原理简明教程 ［M］. 2 版. 北京：科学出版社，2008.

［8］ 王宏华，等. 现代控制理论 ［M］. 北京：电子工业出版社，2006.

［9］ 郑大钟. 线性系统理论 ［M］. 2 版. 北京：清华大学出版社，2002.

［10］ 郑大钟. 线性系统理论习题与解答 ［M］. 2 版. 北京：清华大学出版社，2005.

［11］ 张德丰. MATLAB 控制系统设计与仿真 ［M］. 北京：电子工业出版社，2009.

［12］ 郑恩让，等. 控制系统仿真 ［M］. 北京：中国林业出版社，北京大学出版社，2006.